L'ATLANTIDE

LES LEÇONS DU CONTINENT DISPARU

UN REGARD CONTEMPORAIN SUR UNE ANCIENNE CIVILISATION

L'ATLANTIDE

LES LEÇONS DU CONTINENT DISPARU

J. Allan Danelek

Traduit de l'anglais par
Charles Baulu

ADA éditions

Éditeur : François Doucet
Traduction : Charles Baulu
Révision linguistique : Serge Trudel
Correction d'épreuves : Nancy Coulombe, Carine Paradis
Typographie et mise en pages : Sébastien Michaud
Graphisme de la page couverture : Matthieu Fortin
ISBN 978-2-89565-899-3
Première impression : 2009
Dépôt légal : 2009
Bibliothèque et Archives nationales du Québec
Bibliothèque Nationale du Canada

Éditions AdA Inc.
1385, boul. Lionel-Boulet
Varennes, Québec, Canada, J3X 1P7
Téléphone : 450-929-0296
Télécopieur : 450-929-0220
www.ada-inc.com
info@ada-inc.com

Diffusion

Canada :	Éditions AdA Inc.
France :	D.G. Diffusion Z.I. des Bogues 31750 Escalquens — France Téléphone : 05-61-00-09-99
Suisse :	Transat — 23.42.77.40
Belgique :	D.G. Diffusion — 05-61-00-09-99

Imprimé au Canada

Participation de la SODEC.
Nous reconnaissons l'aide financière du gouvernement du Canada par l'entremise du Programme d'aide au développement de l'industrie de l'édition (PADIÉ) pour nos activités d'édition.
Gouvernement du Québec — Programme de crédit d'impôt pour l'édition de livres — Gestion SODEC.

Catalogage avant publication de Bibliothèque et Archives Canada

Danelek, J. Allan, 1958-

L'Atlantide : les leçons du continent disparu

Traduction de : Atlantis : lessons from the lost continent.
En tête du titre : Un regard contemporain sur une ancienne civilisation.

ISBN 978-2-89565-899-3

1. Atlantide (Lieu imaginaire). I. Titre.

GN751.D3614 2009 398.23'4 C2009-940389-7

TABLE DES MATIÈRES

Remerciements

C'est un cadeau rare et inattendu pour un auteur de recevoir une seconde chance de faire valoir son point de vue, et c'est pourquoi j'ai entrepris cette réécriture avec tant de gratitude et d'enthousiasme. *Reconsidering Atlantis* fut publié par un autre éditeur en septembre 2003 ; lorsque Llewellyn décida de le publier à nouveau, j'eus la chance de « fignoler » ses nombreux chapitres et de développer certaines de ses idées afin d'essayer d'en faire un meilleur livre que celui de 2003. Cela me donna aussi la chance de le mettre à jour à l'aide de nouvelles informations apparues depuis la première fois où je l'ai écrit, me permettant ainsi de traiter le sujet plus complètement. J'espère donc que lire cette version améliorée vous plaira autant qu'il me plut de l'écrire et que vous la considérerez digne d'augmenter votre collection.

Bien sûr, je ne dois pas oublier de remercier le personnel de Llewellyn pour m'avoir donné cette opportunité. Compte tenu qu'il s'agit de mon troisième livre avec eux, ils ont montré un enthousiasme pour mon travail que j'ai énormément apprécié, et leurs encouragements sont inestimables pour un auteur débutant. Merci à tous les gens du pays aux 10 000 lacs — la patrie de Llewellyn et l'État où je suis né — pour tout ce qu'ils ont fait. Je l'apprécie énormément.

J. (Jeffrey) Allan Danelek
Août 2006

Avant-propos

Comment peut-on perdre un continent ? Depuis que Platon, il y a plus de deux mille ans, écrivit sur le continent perdu de l'Atlantide, des gens se sont posé la question. Après tout, Platon ayant décrit l'endroit comme étant aussi grand que la Libye (le terme ancien pour désigner l'Afrique du Nord) et l'Asie réunies, il serait donc difficile de ne pas le voir. Et pourtant, personne n'a pu présenter ne serait-ce qu'un récif corallien qui pourrait suivre la rive disparue de l'Atlantide, et encore moins tout un continent englouti. Mais la quête continue et il semble même qu'elle prend de l'ampleur tant au niveau de son importance que de sa sophistication; elle est devenue une espèce de Saint-Graal technologique et historique pour le XXIe siècle. Aucun doute : l'Atlantide est une bonne affaire et son importance augmente sans cesse.

Mais pourquoi? Pourquoi des hommes et des femmes sensés devraient-ils dépenser des fortunes et des milliers d'heures pour retrouver un endroit qui, pour l'instant, n'est pas plus réel que l'atelier du père Noël ? Qu'est-ce qui les pousse à sonder les profondeurs de la mer Égée ou à gravir les sommets du Pérou à la recherche de l'empire légendaire de Platon, alors qu'il y a tant d'autres mystères à explorer qui sont plus acceptables scientifiquement ? En d'autres mots, qu'est-ce qui attire tant dans l'Atlantide ?

L'histoire de l'Atlantide continue à nous fasciner pour la raison toute simple qu'elle nous parle. Elle nous parle d'un passé que nous avons peut-être déjà eu ; mais, plus important encore, elle nous parle aussi de notre présent et de notre avenir. L'Atlantide nous invite à considérer à quel point nous connaissons peu le monde dans lequel nous vivons, nous obligeant à admettre que notre civilisation moderne n'est peut-être pas la première à avoir atteint une telle sophistication technique — que finalement, elle n'est peut-être que la plus récente.

Bien que la science ait tendance à en rire, une telle possibilité — même si les probabilités sont minces — ne vaut-elle pas la peine qu'on s'y arrête, surtout quand on songe à toutes les ramifications potentielles qui en découleraient si on y trouvait la moindre trace de vérité ? Si on disait non, je crois qu'on ferait beaucoup plus que passer à côté d'une remarquable découverte ; on ne ferait rien de moins que manquer l'occasion de revoir l'histoire de l'humanité, et de la réécrire au besoin. Pire, nous passerions à côté des leçons que l'Atlantide peut nous apprendre et que seules les cendres d'une civilisation détruite peuvent nous communiquer.

Mais avant de pouvoir apprendre quoi que ce soit, il faut d'abord examiner ce que d'autres gens ont fait, ce qui est l'un des buts de ce livre. Cet ouvrage est en quelque sorte un « abécédaire » de l'Atlantide, conçu spécialement pour les néophytes et ceux qui ne connaissent pas tout sur le sujet[1]. Ce que j'espère, c'est que ce volume offrira aux novices les plus récentes informations, et cela dans un style facile à lire et divertissant (ce qui est la raison pour laquelle j'ai évité le style académique).

---

1. Pour les lecteurs qui souhaitent une approche plus détaillée, toutefois, j'ai ajouté une bibliographie commentée à la fin du livre.

Ce livre n'est pas exhaustif, cependant. J'ai remarqué que les gens, en général, sont peu intéressés par les petits détails souvent redondants qui entourent nécessairement toute idée controversée, souhaitant plutôt comprendre le point de vue général d'un auteur. Par conséquent, je vais essayer de ne vous donner, à vous lecteur, qu'un bref survol de l'histoire de l'Atlantide, et de vous familiariser avec les théories et les idées les plus populaires — les contemporaines comme les traditionnelles — ayant été avancées.

Bien sûr, je reconnais que cette approche est risquée ; il est facile de faire un livre si léger qu'il se retrouve un peu sans substance, et je serai sans doute accusé de traiter un certain nombre de problèmes complexes de façon incomplète ou superficielle. De pareilles critiques sont inévitables et peut-être que dans certains cas, elles se révéleront justes en partie. Néanmoins, je demeure convaincu qu'en bout de ligne, le lecteur appréciera cette approche plutôt que d'avoir à parcourir péniblement des chapitres et des chapitres d'informations redondantes et souvent périmées, avant d'arriver enfin à quelque chose « d'intéressant ».

Mon seul regret dans cette manière d'aborder le sujet, c'est que je n'aurai ni le temps ni l'espace nécessaires pour examiner plus attentivement chacune des théories sur l'Atlantide à la mode actuellement. Malheureusement, la profondeur doit parfois être sacrifiée sur l'autel de la brièveté. Cet ouvrage traite d'un concept sur l'Atlantide unique et bien spécifique ; utiliser la plus grande partie du volume à discuter des autres théories, même si elles méritent souvent une plus grande attention, en aurait fait autre chose que ce que je souhaitais en faire. J'espère que le lecteur oubliera ce défaut et ira de l'avant.

Le but principal de ce livre consiste à vous inviter, vous lecteur, à laisser aller votre imagination. Contrairement à la plupart des ouvrages de ce genre, si fréquemment sûrs de leurs assertions, celui-ci vous demande d'examiner le type de questions auxquelles les passionnés de l'Atlantide aimeraient trouver les réponses, s'en trouvant cependant empêchés par la nécessité de rester «raisonnables» et «scientifiques». Par exemple, comment pouvait être une telle civilisation – en supposant qu'elle ait existée – pour entrer non seulement dans la mythologie occidentale, mais dans la mythologie de presque toutes les cultures sur la planète? Quelle sorte de technologie possédait-elle et à quoi ressemblait sa population – ses langues, ses religions, ses politiques? À quel point une telle civilisation était-elle semblable – et différente – de la nôtre, et comment a-t-elle pu se détruire elle-même au point qu'il n'en existe plus aujourd'hui la moindre archive historique ou preuve physique? (En d'autres mots, ce livre pose le genre de questions pour lesquelles des suppositions raisonnables et bien considérées ne sont pas seulement permises, mais encouragées, même si des réponses définitives ne sont pas possibles.)

Bien sûr, en prenant une telle approche, nous risquons de nous échouer – peut-être plus d'une fois – sur les bas-fonds rocailleux de la pure conjecture et des complètes impossibilités. Mais la recherche de la vérité doit quelquefois s'éloigner des limites de l'investigation acceptable et considérer des alternatives totalement nouvelles si elle veut avoir la moindre chance de secouer la vérité obscure tapie au fond des poubelles de l'histoire où elle se tient parfois tranquillement depuis des milliers d'années. Cela ne définit peut-être pas la vraie «science», mais cela permet de faire un voyage agréable et si possible fascinant dans le royaume des possibilités, ce qui pourrait très bien, et involontairement, non seulement nous apprendre quelque chose sur notre remarquable passé, mais aussi nous aider à préparer notre avenir. Si la simple recherche de l'Atlantide peut faire cela pour nous, alors sa destruction – réelle ou imaginaire – n'aura pas été vaine.

Certaines personnes remarqueront peut-être que je ne traite pas des éléments surnaturels ou métaphysiques de l'épopée atlante, lesquels sont très populaires aujourd'hui – du genre qu'on trouve dans les œuvres d'Edgar Cayce et d'un certain nombre d'autres auteurs, qui ont prétendu pouvoir contacter d'anciens Atlantes afin d'en apprendre davantage sur leur civilisation et leur culture —, et cette omission est volontaire. Bien que je trouve souvent ce genre de chose intéressant et parfois même utile, ce livre essaie d'approcher l'Atlantide en particulier et l'existence de civilisations anciennes en général d'une manière plus scientifique, et cela m'a obligé à mettre de côté une quantité substantielle de textes écrits sur le sujet. Certains trouveront que ce fut là une fatale erreur ou au mieux une omission tragique, mais je me suis senti obligé de le faire afin d'empêcher que cet ouvrage s'éloigne trop de mon but. Ce n'est rien de personnel, je vous assure, c'est simplement que ce genre d'informations n'aurait pas bien cadré avec le livre.

En ce qui concerne les qualifications me permettant d'écrire un livre de cette nature, j'admets d'emblée que je n'en possède aucune. Je ne me considère pas comme un « expert » de l'Atlantide (de toute façon, cela n'existe pas ; il n'y a que des experts ayant une opinion sur l'Atlantide), mais plutôt comme quelqu'un qui veut simplement donner son opinion et qui laisse le lecteur décider de son mérite. Je ne suis pas un scientifique et je n'ai suivi aucun cours en histoire, en archéologie ou en anthropologie. Bien qu'un tel aveu doive clairement m'obliger, aux yeux de certains individus, à n'écrire rien de plus substantiel que des notices nécrologiques et des listes d'ingrédients, il me libère aussi d'avoir à protéger une réputation ou d'être contraint à servir un intérêt, me procurant ainsi le rare luxe de pouvoir approcher mon sujet du point de vue d'un profane. Ce livre n'a pas été rédigé pour la communauté scientifique, mais pour les personnes qui, comme moi, n'ayant jamais étudié les disciplines scientifiques, n'en sont pas moins affligées d'une énorme curiosité et de la croyance que tout est possible. Et qui sait - comme le singe du proverbe qui tape au hasard sur un clavier, peut-être que je ferai sonner quelques bonnes notes et que je découvrirai quelque chose de bon simplement parce que je n'ai pas voulu m'en tenir aux experts. C'est toujours le temps qui décide si une idée a du mérite, et par conséquent, je suis parfaitement satisfait de laisser l'avenir déterminer la valeur des idées que je présente ici, et quel qu'il soit, j'accepterai son verdict.

Pour terminer, ce serait une négligence de ma part que de ne pas remercier toutes ces bonnes âmes qui m'ont encouragé dans mon travail, de ma très patiente famille qui s'est souvent demandé ce qui arrivait de papa pendant que ce manuscrit était écrit, aux âmes sœurs qui ont été assez gentilles — ou, si vous voulez, assez stupides — pour revoir bénévolement les premiers brouillons, alors que les idées sont encore gauches et lourdes. J'aimerais remercier tout particulièrement Barbara Ott Janda, amateure d'histoire comme moi, dont les suggestions ont permis de faire un meilleur livre, et mon ami, mentor et tourmenteur, Cornelius Dutcher, dont la richesse du savoir scientifique et historique m'a empêché de trop m'écarter du plausible. L'esprit scientifique et une véritable objectivité forment une combinaison assez rare aujourd'hui, et lorsqu'on connaît quelqu'un qui possède ces deux qualités tout en demeurant honnête et encourageant, on dispose d'une précieuse ressource. Leur sacrifice ne sera jamais enregistré par l'histoire, mais ils seront toujours révérés dans mon cœur.

UN

La vaine recherche d'un continent disparu

Nous gardons ici par écrit beaucoup de grandes actions de votre cité qui provoquent l'admiration, mais il en est une qui les dépasse toutes en grandeur et en héroïsme. En effet, les monuments écrits disent que votre cité détruisit jadis une immense puissance qui marchait insolemment sur l'Europe et l'Asie tout entières, venant d'un autre monde situé dans l'océan Atlantique. On pouvait alors traverser cet Océan ; car il s'y trouvait une île devant ce détroit que vous appelez, dites-vous, les colonnes d'Hercule. Cette île était plus grande que la Libye et l'Asie réunies. […] Or, dans cette île Atlantide, des rois avaient formé une grande et admirable puissance, qui étendait sa domination sur l'île entière et sur beaucoup d'autres îles et quelques parties du continent. […] Or, un jour, cette puissance, réunissant toutes ses forces, entreprit d'asservir d'un seul coup votre pays, le nôtre et tous les peuples en deçà du détroit. […] Mais dans le temps qui suivit, il y eut des tremblements de terre et des inondations extraordinaires, et dans l'espace d'un seul jour et d'une seule nuit néfastes, tout ce que vous aviez de combattants fut englouti d'un seul coup dans la terre, et l'île Atlantide, s'étant abîmée dans la mer, disparut de même. Voilà pourquoi, aujourd'hui encore, cette mer-là est impraticable et inexplorable, la navigation étant gênée par les bas-fonds vaseux que l'île a formés en s'affaissant[2].

— Platon, extrait du *Timée* (360 av. J.-C.)

Depuis que Platon, le célèbre philosophe grec, écrivit pour la première fois il y a plus de deux mille ans sur un continent légendaire appelé Atlantide, les érudits se querellent pour savoir si un tel endroit a vraiment existé. Bien que quelques rares personnes aient pris Platon au sérieux, la plupart rejettent complètement l'idée qu'une civilisation avancée puisse disparaître comme si elle n'avait jamais existé. C'est un peu comme imaginer qu'un éléphant serait capable de marcher dans la neige sans laisser de traces, ce qui permet d'oublier toute la question et de déclarer que l'Atlantide ne constitue qu'un autre exemple de pseudoscience nouvel âge, ou au mieux une fable impossible à défendre.

Et si le récit était plus sérieux que la majorité des érudits veulent le croire ?

La science nous dit que l'homme moderne est entré en scène pour la première fois il y a environ cent mille ans, et que dans les quatre-vingt-dix mille ans qui ont suivi, il n'a fait grosso modo qu'apprendre à faire du feu et à tailler quelques grossières armes de pierre. Et si la science avait tort ? Et si, en réalité, l'humanité avait fait bien plus — bien plus qu'on peut même l'imaginer ?

Avant de contempler cette possibilité, cependant, il est important d'effectuer un petit travail préparatoire. Il faut d'abord comprendre d'où provient la légende de l'Atlantide

2. N.d.T. Cette traduction (ainsi que les autres traductions des travaux de Platon contenus dans ce livre) peut être consultée en ligne sur le site du Projet Gutenberg : http://www.gutenberg.com.

avant de pouvoir apprécier pourquoi elle est devenue si importante pour certaines personnes, et pour cela, il faut retourner aux textes anciens et voir par nous-mêmes comment l'histoire de cet endroit mythique est parvenue jusque dans notre vocabulaire. Ce ne sera pas un voyage dans l'espace, mais dans le temps — vingt-quatre siècles, pour être précis —, à une époque où la Grèce régnait sur le monde connu et où les grands philosophes écrivaient les chefs-d'œuvre de la pensée qui nous parlent encore, alors que leurs auteurs ont été transformés en poussière depuis longtemps. Notre histoire commence avec de très vieux textes inscrits sur des rouleaux de papyrus jaunis par le temps, et c'est donc aussi là que notre voyage va s'amorcer.

Les dialogues de Platon

La légende de l'Atlantide tire son origine, du moins en ce qui concerne les érudits contemporains, de deux œuvres peu connues — le *Critias* et le *Timée* — écrites vers 360 av. J.-C. par le philosophe et homme d'État grec Platon. Comme pour d'autres textes rédigés par le prodigieux philosophe au cours de son extraordinaire carrière, il semble qu'ils soient les seuls encore existants à parler spécifiquement de l'Atlantide, de sorte qu'ils constituent les sources principales de la légende[3].

Selon Platon, cette histoire n'est pas la sienne, un autre philosophe, Critias (d'où le nom du livre), la lui ayant racontée. Mais Critias n'en est pas l'auteur non plus ; il l'a apprise de son grand-père, qui lui-même l'avait apprise de son père, Dropides (l'arrière-grand-père de Critias), qui lui-même l'avait apparemment apprise du célèbre philosophe et homme d'État grec Solon. Finalement, Solon lui-même avait apparemment appris l'histoire de prêtres égyptiens alors qu'il voyageait dans le delta du Nil, deux cents ans plus tôt, et peut-être même plus tôt encore, ce qui en faisait une histoire très ancienne même à l'époque de Solon, et peut-être la plus ancienne de toutes les histoires connues de l'homme moderne.

3. On trouvera une transcription intégrale des deux récits à la fin du livre.

Mais l'histoire de Platon n'est pas un compte-rendu simple et direct de l'endroit, comme on pourrait s'y attendre. Elle est incluse dans un dialogue imaginaire entre le philosophe grec Socrate et ses compagnons intellectuels relativement au savoir ancien et aux sociétés idéales. Même si l'entretien représente une fiction, à un certain moment, Timée et Critias s'entendent pour entretenir Socrate d'une histoire « qui n'est pas une fiction, mais une histoire véritable », et ils lui racontent que neuf mille ans plus tôt, une confédération de cités dirigée par Athènes se battit contre un peuple marin féroce appelé Atlantes. Bien que la description du pays des Atlantes soit plutôt fantaisiste, il y a beaucoup de détails sur l'endroit, qui se voit décrit comme formant une grande île située quelque part au-delà des colonnes d'Hercule (un ancien nom pour désigner le détroit de Gibraltar), vraisemblablement juste à l'extérieur de la Méditerranée. En outre, les dialogues décrivent aussi l'Atlantide comme étant un pays riche et luxuriant, très puissant économiquement et militairement, où on faisait deux récoltes par année et où vivaient des animaux n'existant pas dans le bassin méditerranéen ou en Europe.

L'histoire décrit aussi un certain nombre de traits inhabituels au sujet de la capitale — le plus intéressant étant le fait qu'elle était entourée de canaux circulaires recouverts de métal et d'impressionnants murs de pierre assez larges pour servir de pistes de courses pour chevaux. L'histoire a une fin malheureuse : les Atlantes — après être restés pendant des générations des gens simples et vertueux — sont corrompus par la cupidité et le pouvoir, forçant Zeus et les autres dieux à les détruire en raison de leurs méfaits. Et donc, en un jour et une nuit, l'île fut engloutie par la mer et ses gens et sa civilisation furent oubliés sous les tourbillons, apparemment une bonne leçon pour ceux qui, à l'avenir, seraient tentés d'exceller sans faire honneur aux dieux.

Mythe ou réalité ?

Si les érudits ont presque toujours considéré l'Atlantide comme rien d'autre qu'une légende intéressante, cela signifie-t-il nécessairement qu'elle est fausse ? Bien que l'histoire soit écrite sous la forme d'un dialogue imaginaire, elle contient une grande quantité de détails qui semblent déplacés pour une histoire purement fictive. De plus, Platon lui-même sous-entend que l'histoire est vraie (ou, du moins, qu'il croit qu'elle l'est) et il se donne beaucoup de peine pour expliquer comment le récit est parvenu jusqu'à lui par l'intermédiaire de diverses personnes. Pourquoi utiliser une telle ruse si l'histoire ne devait être rien d'autre qu'une fable ? À moins d'admettre que Platon n'ait menti, ce qui, selon moi, ne collerait pas avec l'image que l'Histoire nous donne de lui – il aurait été un des hommes les plus droits de l'Antiquité –, il serait présomptueux de repousser son récit comme étant seulement une fiction. D'un autre côté, il n'y a aucun motif de croire que Platon n'a pas été lui-même dupé, et qu'il a donc raconté comme une vérité une histoire purement fictive ; après tout, n'importe qui – même le plus grand intellectuel de tous les temps, à mon avis du moins – peut se faire avoir. L'explication pourrait-elle être aussi simple ?

Alors, que penser de cette histoire ? Il paraît improbable que Platon ait pu être si facilement trompé ou qu'il ait simplement tout inventé en affirmant que l'histoire était une vérité historique. La tradition orale, sur laquelle se basent en partie les dialogues de Platon, était prise plus au sérieux qu'aujourd'hui. Loin d'être l'équivalent antique de nos « légendes urbaines », elle était considérée comme étant la seule façon de préserver et de transmettre aux générations futures des vérités historiques. Raconter une histoire avec précision et franchise s'avérait important, car faire la chronique des événements du passé aurait été impossible si on avait douté de la bonne foi des conteurs. Inventer une histoire et la faire passer pour une vérité, par conséquent, eût été ne pas respecter cette confiance sacrée, et de toute façon, un homme aussi brillant que Platon ne se serait sûrement pas laissé prendre. Clairement, il semble que pour Platon, il s'agit d'une histoire vraie, ce qui devrait au moins nous faire supposer qu'elle possédait un fond de vérité. D'après moi, nous devons donner à Platon le bénéfice du doute.

Mais si Platon parlait d'un endroit historique, pourquoi une civilisation si puissante a-t-elle été oubliée par l'histoire traditionnelle ?

Elle ne l'a pas été, du moins selon certaines personnes.

Bien que l'histoire ait été transformée en espèce de mythe et qu'elle ait été exagérée très certainement, certains érudits sont prêts à admettre que l'épopée de l'Atlantide se référait peut-être à un véritable endroit, et qui plus est à un endroit aussi bien connu des archéologues aujourd'hui qu'il l'était des gens de l'Antiquité, longtemps avant que naisse Platon. De plus, c'est un endroit qui a connu un sort semblable à celui de l'Atlantide, selon la tradition – ce qui en fera notre premier arrêt dans notre quête pour le continent perdu. Heureusement, le voyage ne sera pas long. En fait, nous n'avons même pas à nous éloigner de l'Athènes chérie de Platon ; nous n'avons qu'à parcourir environ cent soixante kilomètres jusqu'à une petite île au nord de la Crète pour aller étudier les traces d'une très ancienne civilisation.

La théorie minoenne

Selon l'hypothèse la plus récente et à peu près la plus plausible – popularisée entre autres par l'océanographe Jacques Cousteau, aujourd'hui décédé –, Platon ne parlait pas d'une quelconque civilisation inconnue, mais d'une civilisation locale relativement avancée : celle des Minoens. Peu connus de l'Histoire jusqu'à récemment, les Minoens habitaient la Crète et quelques-unes des plus petites îles voisines de la mer Égée, entre 2000 et 1400 av. J.-C. Jouissant apparemment d'une culture très sophistiquée, du moins pour l'Antiquité, elle était aussi riche que la Grèce et elle commerça énormément avec l'Égypte pendant des centaines d'années, jusqu'à ce que l'île volcanique de Thera (appelée aujourd'hui Santorin) explose vers 1600 av. J.-C.[4] dans une cataclysmique éruption qui fut peut-être aussi grande que l'explosion plus connue et relativement récente de Krakatoa, en Indonésie.

L'éruption fut si forte qu'elle ne se limita pas seulement à faire périr les habitants de l'île, produisant également des raz de marée qui oblitérèrent plusieurs villes côtières minoennes importantes sur la côte nord de la Crète et causant des dommages considérables partout en Méditerranée. Une destruction aussi massive et spectaculaire, évidemment le résultat de la colère des dieux (comme l'auraient supposé les gens de l'époque), aurait été notée dans les annales égyptiennes pour ainsi finir par se retrouver assez naturellement dans la mythologie de l'époque de Platon, mille ans plus tard. Selon cette hypothèse, donc, Platon parlait de cette catastrophe en termes plus ou moins idéalisés, le pouvoir et les vastes ressources de l'Atlantide ayant été bien sûr exagérés ou embellis avec les années — et innocemment répétés par le philosophe grec.

Bien qu'a priori l'hypothèse semble raisonnable, il y a plusieurs points essentiels qui ont été oubliés. Premièrement, Platon dit clairement que les événements qu'il raconte se sont produits *des milliers d'années avant la première dynastie égyptienne*, alors que Thera fut détruite seulement neuf ou onze *centaines* d'années avant l'époque de Platon — une différence importante de peut-être huit mille ans.

Certaines personnes ont avancé que la grande différence entre les deux dates provient d'une erreur qui aurait été faite dans la conversion des nombres égyptiens au système grec. Selon cette théorie, le nombre 900 aurait été traduit par 9 000 par erreur, multipliant ainsi toute la séquence par dix. Si c'était le cas, alors les événements décrits par Platon se situeraient justement à l'époque de la destruction de Thera, et Platon aurait très bien pu parler des Minoens, malgré toutes les exagérations et les inconsistances de son histoire.

4. On ne sait toujours pas exactement quand eut lieu l'éruption, les estimations allant de 1600 à 1450 av. J.-C.

Mais il y a un problème avec cette explication. Premièrement, le hiéroglyphe égyptien pour « milliers » est très différent de celui pour « centaines », ce que Solon et les prêtres égyptiens devaient savoir. Deuxièmement, Platon utilise d'autres nombres et des mesures pour décrire les dimensions de l'île de même que la longueur des canaux et des murs le long des côtes, et il ne semble pas qu'ils aient été mal traduits. Pourquoi l'élément le plus important de l'épopée, le moment où elle s'est déroulée, serait-il la seule partie de l'histoire qui aurait été mal traduite ? En plus, selon Solon, les Égyptiens eux-mêmes affirmaient que ces événements s'étaient produits plusieurs milliers d'années *avant* l'apparition de la civilisation égyptienne, alors que les Minoens sont apparus bien après la première dynastie. À moins d'admettre que les Égyptiens ignoraient leur propre histoire, nous sommes donc bien obligés de considérer cette description comme celle d'un événement très ancien – plus ancien que les premières civilisations par des milliers d'années.

L'autre problème avec l'hypothèse minoenne, c'est que même si les Minoens jouaient un rôle important dans la région au second millénaire av. J.-C., ils étaient loin d'être aussi puissants et sophistiqués que dans le récit de Platon ; qui plus est, l'histoire n'a jamais retenu qu'ils s'étaient battus contre une confédération de nations dirigée par Athènes. De plus, la destruction de Thera n'a pas anéanti les Minoens comme l'affirme le récit de Platon, bien que la catastrophe de Thera et les dommages aux villes côtières minoennes qui ont suivi ont peut-être signalé le début de leur disparition ou y ont contribué. Mais Platon écrit clairement que l'île *fut entièrement détruite et engloutie par la mer* « en un jour et une nuit », malgré le fait que la plus grande partie de Thera – bien que sa population ait été décimée – est demeurée plutôt intacte et, fait plus important encore, hors de l'eau. De plus, le centre de la culture minoenne, en Crète, ne fut pas détruit complètement non plus ; la culture minoenne survécut encore quelques siècles, contrairement à ce qu'on lit dans le récit de Platon.

Finalement, Platon écrit clairement que l'Atlantide se trouve au-delà des colonnes d'Hercule (détroit de Gibraltar), alors que Thera se localise dans l'est de la Méditerranée, à des milliers de kilomètres du détroit de Gibraltar ou de l'océan Atlantique[5]. Il dit aussi qu'elle est aussi grande que la Libye (un terme utilisé souvent dans l'Antiquité pour signifier l'Afrique) et l'Asie réunies. Mais même si on accepte qu'il ait un peu exagéré (il est peu probable que Platon connaissait vraiment les dimensions de ces deux continents), il paraît plus qu'exagéré de décrire Thera — qui n'a que quelques douzaines de kilomètres carrés — dans des termes aussi grandioses. Par conséquent, bien que l'hypothèse minoenne soit intéressante, elle ne prend pas les dates et les descriptions de Platon au sérieux, et donc il ne semble pas que les Minoens soient la source du fantastique empire insulaire de Platon. Il est par conséquent nécessaire de poursuivre notre voyage vers l'ouest, passé le détroit de Gibraltar, jusque dans l'océan Atlantique, à la recherche de notre île atlante. Malheureusement, alors que l'hypothèse minoenne se base sur des artefacts, une fois sortis de la Méditerranée, nous dérivons dans un océan de pure spéculation et fréquemment de fantaisies lamentables, mais il s'agit d'un océan qu'il faut néanmoins explorer.

L'hypothèse d'une île dans l'Atlantique

Selon une des notions les plus populaires et les plus traditionnelles, Platon était très précis en situant l'Atlantide au-delà des colonnes d'Hercule. Puisque *Atlantide* sonne tellement comme *Atlantique* (les deux mots possèdent la même racine), beaucoup de gens placent tout naturellement l'Atlantide au beau milieu du vaste océan Atlantique. Et nul n'a fait davantage pour répandre cette idée que l'écrivain et atlantophile Ignatius Donnelly (1831 — 1901), dont le roman *Atlantide : Monde antédiluvien* mit en branle la mythologie moderne sur l'Atlantide, encore en vogue aujourd'hui.

5. Certaines personnes ont affirmé que l'expression « colonnes d'Hercule » se rapportait peut-être à autre chose qu'au détroit de Gibraltar, par exemple à un étroit passage entre deux îles grecques ou même au Bosphore. Je ne suis pas certain que cela soit possible, mais il me semble qu'on essaie simplement ici de changer les faits pour les faire coller à la théorie. Les colonnes d'Hercule constituaient une expression bien comprise dans l'Antiquité, car c'était justement à cette entrée de la Méditerranée que s'arrêtait le monde connu.

Plutôt excentrique, et le premier écrivain contemporain à prendre le récit de Platon littéralement, Donnelly suppose qu'il y a des milliers d'années, presque tout le fond de l'Atlantique se situait hors de l'eau, pouvant donc former facilement un continent aussi important que celui de l'Atlantide, avec des ponts terrestres le reliant à l'Europe, à l'Afrique et aux Amériques. Mais selon Donnelly, à la suite d'une immense éruption volcanique, le grand continent s'enfonça dans la mer, ne laissant à la surface que les Açores et quelques petites îles. Il est aussi le premier à avoir affirmé que les habitants ayant réussi à survivre à la catastrophe émigrèrent un peu partout sur Terre, apportant la civilisation à un grand nombre de peuples, ce qui explique pourquoi tant de races différentes ont des histoires de déluges et des cultures semblables (une idée qui a été popularisée depuis par plusieurs théoriciens de l'Atlantide).

Bien que le livre de Donnelly fût très populaire à son époque, servant de base à la mythologie tournant autour de l'Atlantide pour plusieurs générations, la plupart de ses idées ont été rejetées par la science moderne. Par exemple, son assertion que la croûte terrestre peut monter et descendre de manière importante en relativement peu de temps se basait sur une mauvaise compréhension des sciences de la Terre propre au XIXe siècle, ainsi que sur une grande part de sensationnalisme. Il se trouve que la croûte terrestre n'est pas si flexible (bien qu'une certaine compression soit possible, comme il s'en produisit aux pôles durant les périodes glaciaires) et elle est en tout cas bien incapable de baisser de plusieurs centaines de mètres en une nuit.

Mais pire encore pour la théorie de Donnelly, les relevés topographiques de tout le fond marin ont révélé que l'Atlantique affiche une profondeur très uniforme d'environ cinq kilomètres (et huit kilomètres à certains endroits), ce qui ne laisse aucune place pour une grande île perdue. Bien que la crête médio-atlantique, géologiquement active, traverse le fond marin du nord au sud comme une immense colonne vertébrale en forme de S, il n'y a, excepté quelques petits archipels — les Açores, les Canaries — et quelques minuscules rochers isolés, rien entre l'Europe et l'Amérique qui pourrait représenter une île aussi vaste que celle décrite par Platon, et encore moins tout un continent.

Quelques puristes, néanmoins, continuent d'affirmer que la crête médio-atlantique, si active géologiquement, est quand même une possibilité, faisant remarquer, comme le fit Donnelly, que des petites îles sont apparues puis ont disparu tout au cours de l'Histoire dans l'Atlantique, et que certaines crêtes et certains plateaux sous-marins dans la région ont probablement déjà été hors de l'eau il n'y a pas si longtemps. Malheureusement, cela ne prouve pas du tout qu'une île suffisamment grande a existé au centre de l'Atlantique vers 10 000 av. J.-C. (l'époque où le récit de Platon place l'Atlantide). Il est vrai que les sommets les plus élevés de la crête sont très proches de la surface et il n'est donc pas surprenant que parfois, des dômes volcaniques sortent hors de l'eau. Mais ce genre d'île est toujours petit, très instable et par conséquent très loin du fabuleux empire insulaire de Platon. De plus, ce type d'île est souvent victime du processus même qui l'a fait apparaître et il finit par être usé par les éléments ou il s'effondre et disparaît, ne durant pas assez longtemps pour qu'un écosystème viable puisse s'y installer, et encore moins une population humaine.

Bien sûr, la science admet que des sections importantes de la crête médio-atlantique ont pu se trouver hors de l'eau dans un passé relativement récent ; le problème consiste à savoir *quand* elles furent effectivement émergées. De grands territoires sont restés hors de l'eau quand les continents se sont séparés pour la première fois voilà plus de cent millions d'années, mais ils se sont enfoncés dans les océans bien avant l'apparition de l'homme. De plus, même si certaines parties de ces hauts-fonds se situaient encore au-dessus des flots il y a aussi peu que cent mille ans — époque très récente géologiquement parlant —, cela n'aide pas nos théoriciens de l'Atlantide. À cette époque, les *Homo sapiens* venaient à peine de quitter la forêt et ils étaient certainement incapables de construire des civilisations avancées. Pour que cette idée soit utile, il faudrait avoir des preuves qu'une masse terrestre s'est trouvée hors de l'eau il y a tout au plus quinze mille ans, mais selon les scientifiques, aucune île semblable n'a existé au milieu de l'Atlantique récemment[6]. Ainsi, dès que la science démontra qu'il n'y avait aucun continent englouti au fond de l'Atlantique, on supposa que l'Atlantide de Platon était purement mythologique et toute recherche scientifique cessa. Même si certaines personnes continuèrent à lutter vaillamment pour prouver que les Açores, le Cap-Vert ou même les îles Canaries représentaient la source de l'Atlantide de Platon, cela semblait être une cause perdue d'avance.

D'autres suggestions plaçant l'Atlantide dans l'Atlantique ont été avancées, mais elles non plus ne sont pas appuyées par la science. On a évoqué les hauts-fonds de la mer du Nord et de la côte de l'Angleterre (connus sous le nom de plate-forme celtique), ainsi que les hauts-fonds entourant les Bahamas et le continent américain lui-même – suggestions qui ont attiré beaucoup d'attention –, mais soit le territoire n'était pas de dimension très importante lorsqu'il était hors de l'eau (à l'exception du continent américain, que nous étudierons dans un instant), soit il n'était pas au bon endroit au bon moment. La plate-forme celtique, par exemple, se trouvait émergée pendant la période glaciaire du pléistocène, alors que le niveau de la mer était beaucoup plus bas qu'aujourd'hui, mais à cette époque et à cette latitude, le climat était si froid que faire une seule récolte par année eût été impossible, et encore moins cultiver presque toute l'année comme le décrit Platon, ce qui fait qu'il est difficile de croire que des gens auraient pu y vivre, même dans des habitations primitives, et il est encore plus difficile d'envisager qu'une civilisation avancée aurait pu s'y établir.

6. On a suggéré récemment que certains hauts-fonds à l'ouest du détroit de Gibraltar se situaient peut-être hors de l'eau récemment, mais on ne sait pas à quel point récemment, et il n'est pas sûr qu'une civilisation primitive, et encore moins une civilisation avancée de marins, ait pu vivre sur ce qui eût été essentiellement un mont sous-marin à l'air libre. Il s'agit néanmoins d'une possibilité intéressante.

Le climat des Bahamas[7] aurait été plus tempéré, mais même lorsque le niveau de l'eau était plus bas, les terres n'étaient pas si étendues. Plus grave, les Bahamas se situent à environ huit mille kilomètres de la Méditerranée, rendant assez problématique la conception d'une guerre avec l'ancienne Athènes, comme le mentionne Platon dans son *Critias*. C'était simplement trop éloigné pour n'importe quelle marine de guerre de l'âge de bronze. Il est donc assez douteux que l'Atlantide se trouvât dans l'Atlantique et insister que c'était le cas s'avère plutôt fatal à la théorie de son existence.

Au-delà de l'Atlantique

Mais il ne s'agit pas de la fin de l'histoire. Récemment, des érudits se sont penchés plus attentivement sur la terminologie antique et en sont arrivés à la conclusion que l'expression *colonnes d'Hercule* constituait plus qu'une location géographique. Le détroit de Gibraltar ne marque pas seulement la fin de la Méditerranée, mais aussi la fin du monde connu à l'époque. Connaissant très peu la véritable géographie de la planète, les Anciens croyaient qu'il n'existait qu'un seul océan, très vaste, entourant l'Europe, l'Asie et l'Afrique, et puisque « au-delà des colonnes d'Hercule » peut faire allusion à n'importe quel endroit à l'extérieur de la Méditerranée, l'Atlantique, l'océan Indien ou même le Pacifique peut concorder avec les spécifications de Platon. Cela permet d'englober toute la surface aquatique de la planète dans les recherches — une aubaine pour les gens qui s'intéressent à l'Atlantide, car ils peuvent maintenant chercher leur empire disparu sur toute la Terre.

Comme on pouvait s'y attendre, d'autres idées surgirent rapidement. La plus récente est probablement celle selon laquelle Platon parlait de l'Amérique du Nord ou du Sud — une théorie qui se veut de plus en plus populaire depuis quelques années, à mesure que d'anciens restes humains sont découverts dans le Nouveau Monde et que l'étendue des populations indigènes est cataloguée.

7. La découverte en 1968 de ce qui ressemblait à une digue — la route Bimini — fit beaucoup jaser, donnant l'opportunité aux atlantophiles de soutenir plus fortement que le continent de Platon se situait aux Bahamas, mais les scientifiques affirment aujourd'hui que la route Bimini correspond à une formation naturelle. Toutefois, la question demeure toujours ouverte.

Le problème, cependant, c'est qu'à l'époque évoquée par Platon – vers 10 000 av. J.-C. –, la plus grande partie de l'Amérique du Nord se voyait recouverte de glace et il y faisait beaucoup trop froid pour soutenir quoi que ce soit de plus important que de petites tribus nomades. De plus, que faut-il penser de ce que dit Platon quand il affirme que l'endroit fut englouti par la mer ? Certainement, il ne semble pas que cela soit arrivé en Amérique de quelque façon que ce soit, alors, à quoi Platon faisait-il allusion ?

Bien sûr, plusieurs des problèmes frappant l'Amérique du Nord n'existaient pas en Amérique centrale ou du Sud, où le climat était aussi tempéré et sans glace il y a douze mille ans qu'il l'est aujourd'hui. Mais les chercheurs de l'Atlantide y font pareillement face à de multiples invraisemblances : un problème sérieux relativement à l'hypothèse des Bahamas réside dans la distance énorme séparant les rives de l'Amérique centrale ou du Sud de la Méditerranée, rendant n'importe quelle guerre avec une confédération de cités grecques assez difficile, au mieux. En outre, comme c'est le cas pour l'Amérique du Nord, l'Amérique centrale et l'Amérique du Sud ne furent pas englouties par la mer après avoir été détruites par les dieux. Mais le problème le plus sérieux tient au fait que selon les scientifiques, une jungle immense et en grande partie impénétrable couvrait la région à l'époque, du Mexique jusqu'à la Patagonie, et que seulement quelques petites tribus indigènes y vivaient. Cela n'empêche pas qu'une civilisation puissante aurait pu y exister, ses ruines gisant aujourd'hui sous les jungles de la forêt tropicale amazonienne, mais pour l'instant, il n'y a aucune preuve pour soutenir un tel scénario.

Finalement, pour ceux qui étaient prêts à chercher encore plus loin, il y avait le vaste Pacifique, encore en partie inexploré. Selon certains individus, un continent immense (appelé généralement Mu) se trouvait autrefois sur l'équateur, allant de l'ouest de l'Amérique jusqu'à l'Orient, et un second continent (généralement appelé Lémurie[8]) se situait dans l'océan Indien.

8. Mu, la Lémurie et l'Atlantide, tout en étant des variations sur le même thème, ne sont pas des termes interchangeables pour parler du même continent, mais des mythologies indépendantes.

Mais ces idées souffrent des mêmes défauts que la théorie plaçant l'Atlantide dans l'Atlantique : à savoir qu'il n'y a pas de masse terrestre submergée de la grosseur d'un continent, comme le dit Platon, dans ces océans. Pire, la Méditerranée se trouve si loin qu'une guerre avec un adversaire européen soulève les mêmes obstacles. (Il est difficile aussi de concevoir comment les anciens Égyptiens auraient pu en connaître autant sur des continents à l'autre bout du monde.) C'était tout simplement trop incroyable d'imaginer qu'un continent immense dans l'océan Indien ou le Pacifique aurait pu non seulement posséder une civilisation capable de se battre avec les Athéniens pour le contrôle de la Méditerranée (ou pourquoi elle voudrait le faire), mais également qu'il pourrait être détruit au point de ne laisser absolument aucune trace.

La quête pour l'Atlantide, même avec des paramètres plus larges, ne paraissait donc pas très prometteuse. C'était comme si l'endroit avait complètement disparu de la surface de la Terre – à supposer qu'il ait déjà existé. Mais disparaître complètement de la surface de la Terre ne s'avère pas une hypothèse si tirée par les cheveux, finalement, du moins si on considère la théorie assez peu connue mais très intéressante de Charles Hapgood.

Le déplacement de la croûte terrestre

Dans un livre intitulé *Les mouvements de l'écorce terrestre*[9], un professeur d'histoire américain appelé Charles Hapgood (1904 – 1982) introduisit une idée nouvelle et assez curieuse, le *déplacement de la croûte terrestre*, qui expliquait que si on n'arrivait pas à retrouver l'Atlantide, ce n'était pas parce qu'elle avait coulé, mais parce qu'elle avait *bougé*!

Selon Hapgood, le poids des calottes polaires durant le plus fort de la dernière période glaciaire exerça une telle tension sur la mince croûte terrestre que celle-ci finit par se déplacer complètement (contrairement au mouvement graduel et lent des différentes plaques engendré par les forces tectoniques). Toute

9. Écrit en collaboration avec le mathématicien James H. Campbell.

la surface aurait bougé d'une seule pièce sur les roches en fusion situées à l'intérieur de la Terre, les continents conservant leurs positions les uns par rapport aux autres, mais se retrouvant à différentes latitudes.

Clairement, si une telle chose s'était produite, les conséquences auraient été catastrophiques. Des continents entiers se seraient retrouvés des centaines ou des milliers de kilomètres plus loin, sous de nouvelles latitudes, plongeant des régions tempérées dans le froid et plaçant les énormes glaciers dans des climats plus chauds où ils auraient rapidement fondu, faisant augmenter le niveau des mers de plusieurs dizaines de mètres. Un tel mouvement ne ferait pas que modifier drastiquement le climat ; l'augmentation de la pression sur la croûte terrestre amènerait d'importants bouleversements géologiques et une instabilité générale. Des tremblements de terre et des ondes sismiques gargantuesques s'ensuivraient, pendant que l'activité volcanique se verrait décuplée, provoquant encore plus de destructions sur la planète. La théorie de Hapgood, donc, pouvait être utilisée pour expliquer n'importe quoi, de la disparition des mammouths laineux à l'absence de glace en Antarctique il y a quelques milliers d'années, comme l'indiquent certaines cartes anciennes (une question que nous allons étudier bientôt).

Non seulement ce déplacement de la surface de la Terre expliquait-il la destruction de l'Atlantide, mais il permettait également de lui dénicher un autre emplacement. Puisque, selon la théorie de Hapgood, la plus grande partie de l'Alaska se trouvait non seulement hors du cercle polaire avant le déplacement, mais qu'elle constituait principalement une terre au climat tempéré, sans glace, avec des rivières et des forêts, et — on peut l'imaginer — des civilisations avancées, les amateurs de l'Atlantide disposaient de l'endroit idéal pour placer leur continent perdu. L'Antarctique se révélait assez vaste (aussi vaste que l'Asie et la Libye combinées) pour respecter les critères de Platon, et en plus, on n'avait pas à prouver que le continent avait été verdoyant, puisque les traces en étaient enfouies sous des centaines de mètres de glace, résultat du déplacement de la croûte terrestre. (Cela expliquait aussi, avantage supplémentaire, la fin de la dernière période glaciaire, puisque l'Amérique du Nord et l'Europe passaient d'une position polaire à un climat tempéré plus au sud, ce qui faisait aussi fondre les calottes polaires et replongeait l'Antarctique dans le gel perpétuel qu'il a conservé depuis.) Le mystère du continent disparu de Platon semblait résolu !

Mais l'était-il vraiment ? En fait, Hapgood n'a jamais prétendu que l'Antarctique avait été l'emplacement de l'Atlantide. (Il n'a fait qu'expliquer comment les continents auraient pu se retrouver sous des latitudes différentes ; il n'a jamais dit que tel ou tel continent avait été la source du récit de Platon ni même que le récit était véridique.) L'assertion fut faite plus tard par d'autres personnes – particulièrement par un couple belge appelé Rand et Rose Flem-Ath, qui popularisèrent cette notion pour le public contemporain dans leur livre de 1995, *When the sky fell*. Se basant sur la théorie du déplacement de Hapgood, ils affirmèrent que la plus grande partie de l'Antarctique avait été couverte de rivières et de plaines fertiles douze mille ans plus tôt et qu'une race de marins y avait vécu. Obligés de fuir lorsque la croûte terrestre se déplaça soudainement – ce qui détruisit leur civilisation avant de l'ensevelir pour toujours sous les calottes polaires –, ce furent ces gens-là qui répandirent leur savoir et leur civilisation partout dans le monde primitif, pendant des siècles, amenant la civilisation jusqu'à des endroits aussi divers que l'Amérique centrale, le Sumer, l'Égypte et la Chine (d'où toutes les mythologies dans le monde qui parlent de héros civilisateurs). Bien que l'idée ne soit pas entièrement neuve (Donnelly avait suggéré à peu près la même chose au XIXe siècle), c'est surtout grâce aux Flem-Ath que l'idée est populaire aujourd'hui et qu'elle représente un des thèmes majeurs de l'Atlantide.

Mais il subsistait encore quelques problèmes avec la théorie de Hapgood et l'hypothèse ultérieure des Flem-Ath. La première difficulté provient de la théorie elle-même : la force d'attraction du renflement de la Terre au niveau de l'équateur est telle qu'il serait presque impossible de générer le genre de forces capables de déplacer toute la croûte terrestre[10]. En outre, la glace elle-même, parce qu'elle contient beaucoup d'air, est beaucoup plus légère que la roche, à volume égal. (Vous pouvez vérifier vous-même la différence de poids en soulevant un morceau de glace, puis en soulevant une roche de la même grosseur.) Par conséquent, même les énormes glaciers qui recouvraient la plus grande partie de l'Europe et de l'Amérique du Nord au sommet de la dernière période glaciaire n'étaient pas assez lourds, laissant la théorie sans aucun mécanisme pour effectuer le déplacement. À l'exception d'un coup porté obliquement par un énorme astéroïde, il semble que rien ne soit en mesure de modifier la rotation de la planète ou de déplacer la croûte terrestre sur son lit en fusion. Il existe d'autres incohérences géologiques et géophysiques – certaines ayant été relevées par Hapgood, d'autres non – qui affaiblissent grandement sa théorie, mais celle-là suffit à en faire douter sérieusement.

Le second problème avec la théorie de Hapgood, c'est qu'elle repose pour beaucoup sur son assertion qu'il n'y avait pas de glace sur de grandes étendues de l'Antarctique il y a aussi peu que six mille ans, ce qu'il défend en montrant d'anciennes cartes de navigation faites à la main où il semble qu'il n'y ait pas de glace sur les côtes de l'Antarctique. Dessiner de telles cartes fut possible, selon lui, uniquement parce que les cartographes du Moyen Âge avaient à leur disposition des cartes beaucoup plus anciennes ayant au moins six mille ans (ou même plus)[11].

Malheureusement, comme il arrive fréquemment chez les gens trop attachés à leur théorie, l'analyse que fait Hapgood de

10. La théorie de Hapgood fut appuyée par nul autre qu'Albert Einstein, un fait qu'on utilise souvent pour lui donner plus de crédibilité ; néanmoins, Einstein n'était pas géologue et il a admis lui-même qu'il pouvait fort bien se tromper, surtout dans les sciences n'entrant pas dans sa spécialité.
11. En fait, Hapgood aimait tellement la cartographie ancienne qu'il écrivit un second livre sur le sujet en 1966, *Les cartes des anciens rois des mers*, dans lequel il affirmait exactement cela – à un public d'érudits décidément peu enthousiastes.

ces cartes s'avère loin d'être concluante. Au risque de faire une légère digression, il faudrait peut-être en profiter pour regarder quelques exemples de sa façon de penser – non pas pour diminuer ses idées, mais pour démontrer que toute sa théorie se base en grande partie sur des interprétations erronées des cartes anciennes, et par extension, à quel point il est facile d'en tirer de fausses conclusions.

La carte de Piri Reis

La carte ancienne qui offre le meilleur exemple de ce problème est peut-être celle de Piri Reis. Pour ceux qui ne sont pas familiers avec ce nom, Reis était un amiral turc et un contemporain de Christophe Colomb qui voyagea pendant plus de cinquante ans sur les mers connues à l'époque pour défendre le sultan de Turquie (jusqu'à ce qu'apparemment, il ait des ennuis avec lui et soit décapité en 1554). Navigateur remarquable, Reis dessina en 1513 une carte de navigation des régions encore mal connues du Nouveau Monde. Avec l'aide d'une vingtaine d'autres cartes originales, il produisit non seulement un superbe exemple de cartographie de la Renaissance, mais aussi l'une des premières cartes montrant la côte est de l'Amérique ainsi que tout l'Atlantique. Bien qu'ayant été complètement oubliée jusqu'à sa découverte fortuite en 1929 dans la bibliothèque d'Istanbul, elle est depuis devenue une espèce de symbole pour les atlantophiles, qui trouvent en elle sans doute beaucoup plus que ce que l'amiral Reis avait prévu.

Comme si une carte des côtes de l'Amérique dessinée seulement vingt-cinq ans après que Christophe Colomb eut découvert le Nouveau Monde n'était pas assez remarquable, elle se révèle également, selon les atlantophiles, « incroyablement précise », et fait encore plus extraordinaire, elle montre apparemment les côtes de l'Antarctique sans glace. C'est si remarquable que pour l'ufologue de renom Erich von Däniken, la carte constitue la preuve que des extraterrestres sont venus sur Terre (parce que selon lui, elle ressemble à une carte dessinée à partir d'une photographie aérienne), comme il le raconte dans son livre à succès de 1969, *Présence des extraterrestres*. Pour Hapgood, l'auteur Graham Hancock et certains autres, elle prouve que des civilisations très anciennes, bien que terrestres, ont existé.

Pour appuyer sa fantastique hypothèse, Hapgood réussit même à obtenir une lettre du 8th Reconnaissance Technical Squadron de la Westover Air Force Base qui affirmait qu'il avait raison, que la carte montrait bien les côtes de l'Antarctique, comprenant des îles maintenant sous la glace, comme il l'était *des milliers d'années plus tôt* ! Cette simple opinion (qui, comme par hasard, coïncidait avec les notions préconçues de Hapgood) fut le début officieux de la théorie de « l'Atlantide en Antarctique » – et le reste, comme on dit, est de l'histoire ancienne.

Avant de continuer, je vais vous laisser voir, vous lecteur, une reproduction de la carte de Reis, afin que vous puissiez juger par vous-même si elle montre vraiment les côtes de l'Antarctique et si elle représente la côte est de l'Amérique de façon si « incroyablement précise ». Pour que cela soit plus clair, je vous présente un dessin plutôt qu'une photographie de la carte, car cette dernière est très pâle et difficile à déchiffrer, même quand elle est bien reproduite.

Remarquez que la carte est très différente de celles auxquelles vous êtes probablement habitué. Pour commencer, elle n'a pas été conçue à partir de latitudes et de longitudes, mais à partir de positions et de distances[12]. Remarquez aussi que l'Antarctique est apparemment attaché à l'Amérique du Sud et que l'Amérique du Nord ne correspond qu'à une ménagerie d'îles confuse.

12. Les latitudes et les longitudes furent inventées au XVIIe siècle.

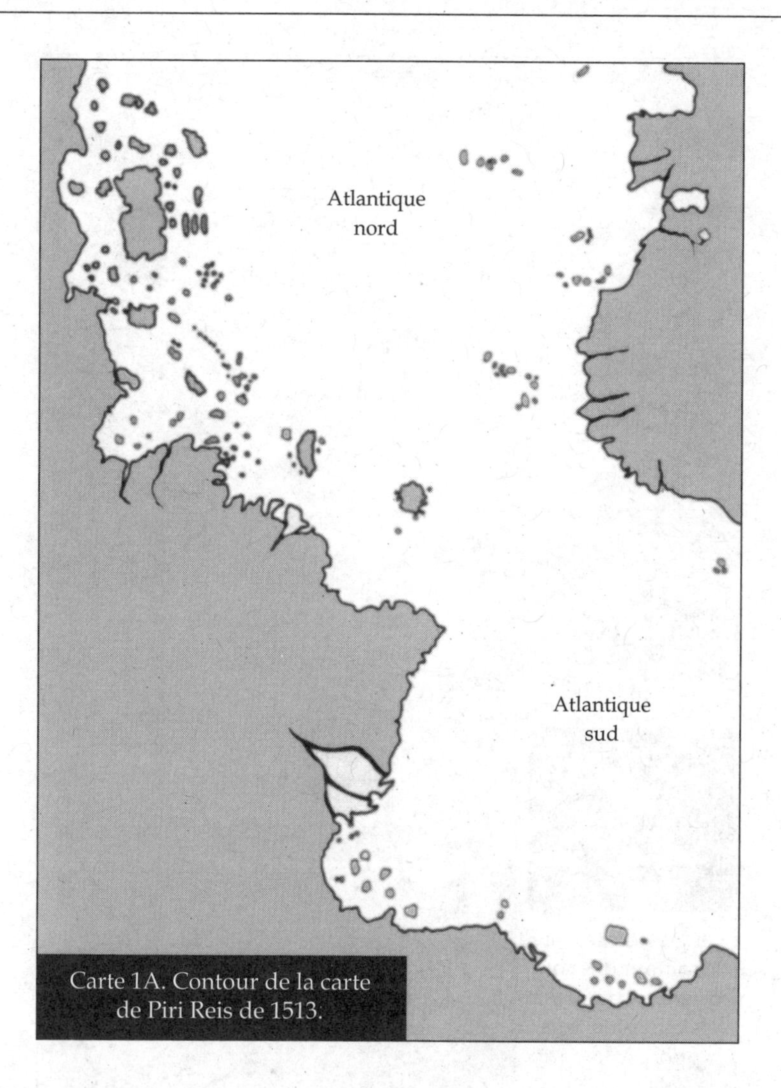

Carte 1A. Contour de la carte de Piri Reis de 1513.

Maintenant, en mettant sur la carte le nom de différents endroits ainsi que le contour des continents tel qu'il devrait être, en gris, selon une projection à azimuts équidistants basée à Alexandrie, en Égypte (d'où Reis a probablement travaillé), on obtient quelque chose de plus clair. J'ai aussi inscrit le nom des points de repère les plus faciles à identifier.

Soudainement, on voit que la carte de Reis, loin d'être « incroyablement précise », se révèle très déformée et même fantaisiste à certains endroits. Des bras de mer et des deltas

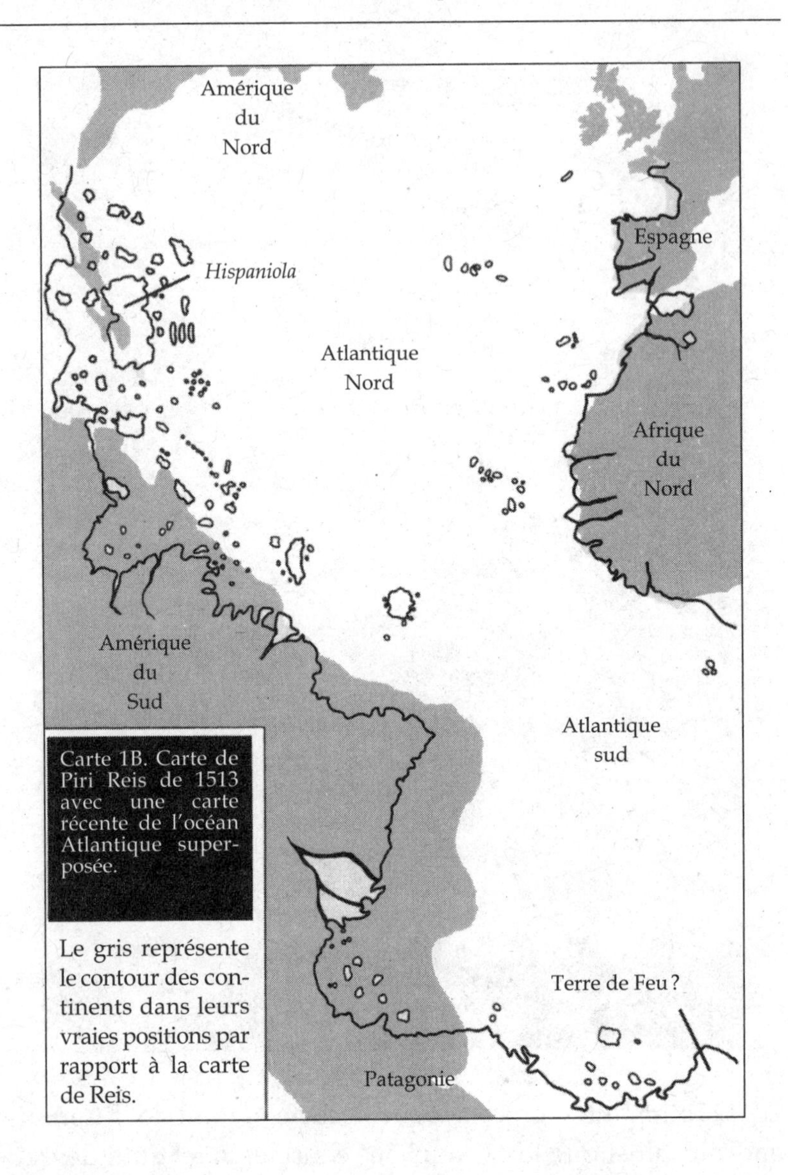

Carte 1B. Carte de Piri Reis de 1513 avec une carte récente de l'océan Atlantique superposée.

Le gris représente le contour des continents dans leurs vraies positions par rapport à la carte de Reis.

se voient représentés beaucoup plus gros que dans la réalité (suivant leur importance, probablement), alors que des aspects géographiques apparemment plus importants sont très sous-estimés ou passés sous silence. Aussi, remarquez que la bande de terre au bas de la carte (l'Antarctique de Hapgood) porte le nom de « Patagonie », une région située à la pointe de l'Amérique du Sud, ce qui, selon les érudits, correspond exactement à l'endroit qui est illustré. En fait, plutôt que de représenter les côtes sans glace de l'Antarctique comme certains le prétendent, Reis n'aurait fait que plier le sud de la côte de l'Argentine afin qu'elle entre sur sa carte, ce qui expliquerait pourquoi l'Amérique du Sud et l'Antarctique se rejoignent alors qu'ils devraient être séparés par des centaines de kilomètres.

Malheureusement, cela infirme complètement l'assertion de Hapgood selon laquelle la carte nous montre les côtes de l'Antarctique dépourvues de glace (en plus de remettre en cause l'expertise cartographique de l'Air Force dans les années 1960[13]). Par conséquent, bien que la carte demeure un exemple remarquable de l'art du XVIe siècle et même si elle devait constituer l'une des meilleures de son temps, elle est loin d'être très précise, comme les lecteurs impartiaux l'auront vu. Qui plus est, elle ne nous montre clairement pas l'Antarctique complètement gelé ou sans aucune glace. Comme un immense test de Rorschach dans lequel on peut interpréter des taches d'encre comme on veut, la carte de Piri Reis peut représenter tout ce qu'on souhaite y voir.

Les cartes de Finaeus, Buache et Mercator

Avant de clore définitivement le sujet, il y a encore quelques détails à régler. À la fois Hapgood et Graham Hancock (dans son livre de 1995, *L'empreinte des dieux*[14]) utilisent deux autres cartes qui paraissent illustrer l'Antarctique beaucoup plus clairement. La plus intéressante est probablement celle d'Oronteus Finaeus, datée de 1531, qui semble effectivement montrer un continent important à peu près là où se trouve l'Antarctique (bien qu'il soit plus gros que dans la réalité). Apparemment, Hapgood demanda à un « expert » d'étudier la carte, lequel en vint à la conclusion que non seulement la carte représentait des régions de l'Antarctique dépourvues de glace, mais que les montagnes et les rivières sur la carte correspondaient de très près à ce qu'avaient révélé des levées sismiques du terrain *sous*

13. Compte tenu des distorsions évidentes dans le reste de la carte, j'ai toujours trouvé suspect que l'Air Force se soit si aisément montrée d'accord avec Hapgood ; la carte n'est tout simplement pas suffisamment claire pour conclure qu'elle correspond aux profils sismiques de 1949, comme le dit la lettre. On peut se demander si un pilote de Westover n'a pas joué une blague au bon professeur pour se désennuyer.
14. Paris, Pygmalion, 2007.

la glace! Nous allons dans un instant comparer cette carte avec le contour connu du continent pour voir si cette affirmation spectaculaire tient debout, mais nous pouvons dire dès maintenant qu'elle est plutôt exagérée.

Trente-huit ans après que Finaeus eut produit sa carte, un autre cartographe, Gerard Kremer (mieux connu sous le nom de Mercator, comme dans la célèbre projection qui porte son nom), en fut si impressionné qu'il l'inclut dans son atlas de 1569, décidant même d'en dessiner une lui-même la même année. La carte de Mercator ressemble beaucoup à celle de Finaeus, qu'il a évidemment copiée, mais elle contient quelques petites différences qui, pour le professeur Hapgood, sont la preuve que des glaciations progressives avaient lieu sur le continent (en seulement trente-huit ans ?). Sur la carte de Kremer, on voit aussi l'Antarctique presque toucher le cap Horn, en Amérique du Sud, alors qu'en fait, les deux continents se trouvent à environ mille kilomètres l'un de l'autre.

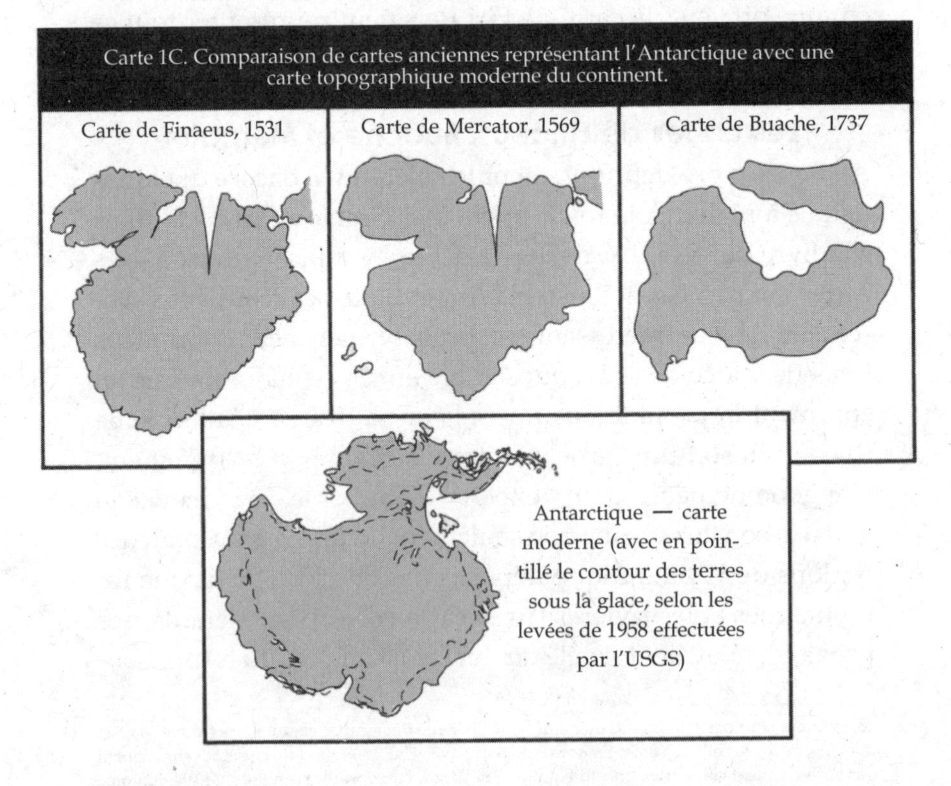

Carte 1C. Comparaison de cartes anciennes représentant l'Antarctique avec une carte topographique moderne du continent.

Hancock a l'air de prouver son point une fois pour toutes lorsqu'il nous montre encore une autre carte de l'Antarctique telle qu'elle devait apparaître *avant qu'il y ait la moindre glace* ! Dessinée par le cartographe français Philippe Buache, qui vivait au XVIIIe siècle, on y voit l'Antarctique en deux parties, une vaste mer au milieu, exactement comme elle se présente sous la glace selon les levées sismiques modernes[15]. Encore une fois, je laisse les lecteurs décider de la valeur de ces affirmations[16].

Bien que ces cartes nous prouvent que les marins connaissaient l'existence de l'Antarctique depuis déjà des siècles lorsqu'il fut « officiellement » découvert en 1818, ce n'est pas évident du tout qu'elles nous montrent un continent sans glace ou même qu'elles étaient très précises. Les chaînes de montagnes et les rivières placées au hasard sur certaines d'entre elles correspondent probablement à de simples embellissements artistiques comme on en voit souvent sur les cartes de l'époque, et non à la représentation de véritables traits géographiques. Et lorsque Hancock affirme que la carte de Buache montre l'Antarctique dépourvue de glace, il ne s'agit que d'une opinion. Bien que les cartes soient importantes en ce qu'elles démontrent que la géographie de la planète était mieux connue par les marins d'autrefois que la plupart des érudits sont prêts à l'admettre, elles ne montrent pas l'existence d'une ancienne civilisation léguant son savoir maritime, ni que l'Antarctique est la source de l'Atlantide de Platon. Elles ne font que démontrer que nos ancêtres en connaissaient davantage qu'on ne le croit sur la véritable géographie de la planète, ce qui s'avère en soi intéressant.

Le continent n'a toujours pas été retrouvé

Hélas, il semble que nous ne soyons pas plus près de retrouver notre continent perdu qu'au début de notre voyage. Thera paraissait un bon choix, le choix classique, mais elle ne concorde pas avec la description de Platon par ses dimensions,

---

15. Selon les géologues, cela fait *au moins* un million d'années que l'Antarctique n'a pas été *absolument* sans glace.

16. Je ne suis pas certain, de toute façon, qu'une carte de l'Antarctique dépourvue de glace aurait eu beaucoup de valeur pour un marin de la Renaissance. Les marins sont généralement plus intéressés par les choses telles qu'elles sont plutôt que telles qu'elles ont déjà été.

sa culture, ses exploits militaires et son époque. Il n'y a pas de continent englouti dans l'Atlantique, le Pacifique ou l'océan Indien, et les quelques îles qu'on a suggérées comme étant la source du continent fantastique de Platon ne semblent guère dignes d'être honorées d'un nom aussi grandiose que celui de l'Atlantide. Et à cause des problèmes avec la théorie de Charles Hapgood, on ne peut même pas retirer l'Antarctique de son congélateur assez longtemps pour y faire naître une civilisation avancée avant qu'il ne gèle de nouveau. Et donc, il semble que notre quête doive s'arrêter ignominieusement.

Mais tout cela devrait nous faire prendre une pause : peut-être avons-nous négligé la possibilité la plus évidente. Cela peut paraître un peu tard pour en parler, mais serait-il possible que Platon se soit trompé, après tout ? Il est temps d'étudier à nouveau son histoire et de voir si nous n'avons pas manqué quelque chose.

DEUX

Platon revisité

Bien que de nombreux amateurs de l'Atlantide prennent les récits de Platon pour des textes sacrés, méprisant ceux qui refusent de les accepter comme historiquement et littéralement vrais, je me demande si nous ne devrions pas émettre certains doutes. Après tout, il s'agit d'une histoire assez fantastique avec peu de pièces à conviction (aucune, diront certains) ; ne devrions-nous pas, par conséquent, nous interroger afin de savoir si Platon n'a pas simplement écrit une bonne fable ?

Après avoir passé beaucoup de temps à chercher un emplacement sur la planète qui aurait pu servir de décor à son histoire, il peut sembler curieux de douter maintenant de sa véracité, mais c'est précisément maintenant qu'il faut reconsidérer notre plan de route. Malheureusement, très peu d'amateurs de l'Atlantide sont prêts à le faire, préférant continuer péniblement sans s'arrêter aux problèmes que contiennent leurs théories, se montrant en général hostiles à quiconque risque de voler leur continent disparu. Mais comme on ne trouvera rien en refusant obstinément de voir les faits, il est donc peut-être temps de revoir les récits de Platon avec un œil plus critique.

Les éléments mythologiques

Même si les dialogues de Platon contiennent plusieurs détails sur l'ancienne nation insulaire qui pourraient faire croire qu'elle a vraiment existé, on y relève aussi des indices suggérant que l'Atlantide ne correspond pas à un fait historique.

La première chose qui devrait nous faire douter que Platon ait écrit une histoire littéralement vraie se situe dans sa première description de l'Atlantide, comme nous la trouvons dans le *Critias*. Dans ce dialogue, Platon décrit les anciens Athéniens et leur culture ainsi que les villes fantastiques et la grande puissance de l'Atlantide, puis informe ses lecteurs que la nation insulaire avait été donnée à Poséidon au temps où les dieux se partageaient la Terre. Qui plus est, dans le même style direct utilisé tout au long des dialogues, Platon nous dit que Poséidon, fidèle à sa nature de dieu de l'Olympe, tomba complètement amoureux de la fille du premier roi de l'Atlantide, l'épousa et eut plusieurs enfants avec elle :

> *Nous avons déjà dit, au sujet du tirage au sort que firent les dieux, qu'ils partagèrent toute la Terre en lots plus ou moins grands suivant les pays et qu'ils établirent en leur honneur des temples et des sacrifices. C'est ainsi que Poséidon, ayant eu en partage l'île Atlantide, installa des enfants qu'il avait eus d'une femme mortelle dans un endroit de cette île que je vais décrire. [...] Lui-même embellit l'île centrale, chose aisée pour un dieu. Il fit jaillir du sol deux sources d'eau, l'une chaude et l'autre froide, et fit produire à la terre des aliments variés et abondants. Il engendra cinq couples de jumeaux mâles, les éleva, et, ayant partagé l'île entière de l'Atlantide en dix portions, il attribua au premier né du couple le plus vieux la demeure de sa mère et le lot de terre alentour, qui*

était le plus vaste et le meilleur ; il l'établit roi sur tous ses frères et, de ceux-ci, fit des souverains, en donnant à chacun d'eux un grand nombre d'hommes à gouverner et un vaste territoire. Il leur donna des noms à tous. Le plus vieux, le roi, reçut le nom qui servit à désigner l'île entière et la mer qu'on appelle Atlantique, parce que le premier roi du pays à cette époque portait le nom d'Atlas.

— Le *Critias*

Maintenant, bien qu'il arrive souvent dans la mythologie grecque qu'un dieu ait des enfants avec une mortelle, cela paraît un peu déplacé dans un récit supposément « historique ». Les amateurs de l'Atlantide qui tiennent absolument à prendre Platon au pied de la lettre, au point d'accepter précisément le nombre de chariots qu'il donne à l'arsenal du roi, réussissent néanmoins à passer sur ce détail. Mais je crois qu'il est juste, si on admet que le récit de Platon est historique, d'admettre également qu'il y a bien eu un dieu appelé Poséidon qui a couché avec la fille unique du roi (qui d'autre, après tout, aurait pu s'en tirer avec un acte aussi ignoble ?), engendrant du même coup des enfants mi-divins, mi-mortels. Il me semble que ce ne serait pas sincère d'accepter qu'il y ait des éléphants sur une île de l'Atlantique sans croire pareillement qu'un dieu de l'Olympe ait pu avoir du succès avec les dames.

La divergence des époques

Le second problème avec cette histoire, c'est qu'elle décrit une guerre importante qui aurait eu lieu entre les Atlantes et une alliance de nations de l'est de la Méditerranée dirigée par les Athéniens neuf mille ans avant la naissance de Platon. Mais si nous acceptons de croire que l'Atlantide a existé il y a si longtemps, ne sommes-nous pas obligés d'accepter aussi que l'Égypte et Athènes (comme toutes les autres entités historiques mentionnées dans le récit) existaient neuf mille ans av. J.-C. ? Sinon, contre qui se battaient les Atlantes ?

Malheureusement, prendre ce récit au pied de la lettre présente un dilemme ; car accepter qu'il y ait eu une guerre entre l'Atlantide et Athènes nous oblige à reculer la formation de la cité athénienne – qui serait apparue, croit-on, au cours du second millénaire av. J.-C. – de presque sept mille ans ! De plus, cela signifie que des civilisations avancées ont existé autour de la Méditerranée six mille ans avant la construction des pyramides, ce qui contredit clairement tous les faits historiques et archéologiques connus. Par conséquent, admettre qu'il y a eu une guerre entre Athènes et l'Atlantide oblige à se débarrasser de tout ce que les scientifiques ont appris sur notre lointain passé durant les deux derniers siècles.

Alors, que se passe-t-il ici ? Platon a-t-il menti en affirmant que l'histoire était vraie ? L'Atlantide était-elle simplement une fable servant à enseigner des impératifs moraux, et ce qu'il dit de la manière dont elle est parvenue jusqu'à lui une ruse pour donner un peu de crédibilité à son histoire ? Ou s'agit-il d'autre chose ? L'histoire aurait-elle pu être fictive, après tout, non pas dans le but de tromper, mais plutôt afin d'éclairer ?

La fonction des métaphores

Les Anciens n'avaient pas l'habitude d'écrire uniquement pour préserver le souvenir des faits historiques. Ils voulaient plutôt préserver l'essence profonde, le sens que contenait une histoire, et ils ne se préoccupaient pas beaucoup de l'exactitude des faits racontés. En deux mots, on ne préservait pas des vérités historiques mais des vérités symboliques. Par conséquent, Platon n'a probablement jamais cru qu'on allait prendre son histoire au pied de la lettre et il n'a jamais essayé de leurrer ses lecteurs. Je crois que Platon a écrit, de bonne foi, une histoire qui possédait peut-être un fondement historique, mais qui était si ancienne, qui avait été tellement diluée à force d'être répétée, que tous les éléments véridiques, mis à part les plus élémentaires, avaient depuis longtemps disparu. Se basant sur de vieilles légendes et une myriade de mythologies contemporaines – sans aucun doute connues des Grecs depuis l'Antiquité – ainsi que sur sa propre imagination et son talent de conteur, Platon a simplement composé une moralité très stylisée dans laquelle il illustre comment la corruption et la cupidité finissent toujours par être punies par les dieux.

Il a peut-être été inspiré en partie par la destruction bien réelle de Thera qui avait eu lieu mille ans plus tôt (une catastrophe dont les Grecs se souvenaient sans doute) et il l'a incorporée, ainsi que la culture minoenne, dans son histoire. Un tel procédé littéraire n'est pas seulement parfaitement acceptable, mais on s'en sert même de nos jours ; utiliser les Minoens comme décor ou inspiration est la même chose qu'employer l'Allemagne nazie comme modèle pour écrire l'histoire fictive d'un régime autoritaire et répressif de l'avenir. Les nazis, tout en n'étant pas nommés, servent alors de véhicule sur lequel on construit cet avenir oppressif, donnant à toute l'histoire un air d'authenticité qui, sinon, lui manquerait peut-être. La vérité des détails importait peu à Platon ; c'est la morale *derrière* l'histoire qui se révélait essentielle, le reste n'étant qu'une scène sur laquelle placer les personnages. Il a peut-être fait quelques emprunts aux légendes et aux mythes alors en vogue, les embellissant lorsque nécessaire et réalisant une riche mosaïque de mythologies encore populaires aujourd'hui, mais l'histoire s'avère essentiellement fictive. Lorsqu'on la comprend dans ce contexte, l'histoire de Platon acquiert un sens nouveau – un sens qui est perdu si on la prend littéralement, mais qui demeure si on la voit comme une métaphore.

Mais comment savoir si c'est ce qu'a fait Platon ? Évidemment, on ne peut pas le lui demander, mais on a au moins une raison de croire que non seulement l'histoire constituait une espèce d'hyperbole fictive, mais qu'elle représentait aussi une hyperbole inachevée.

Une fable inachevée

De tous les écrits de Platon, le *Critias* est le seul qui est inachevé. Bien qu'il soit possible que la fin ait simplement été perdue, la manière qu'il s'achève laisse penser le contraire. Voici le dernier paragraphe :

> *Alors le dieu des dieux, Zeus, qui règne suivant les lois et qui peut discerner ces sortes de choses, s'apercevant du malheureux état d'une race qui avait été vertueuse, résolut de les châtier pour les rendre plus modérés et plus sages. À cet effet, il réunit tous les dieux dans leur demeure, la plus précieuse, celle qui, située au centre de tout l'Univers, voit tout ce qui participe à la génération, et, les ayant rassemblés, il leur dit :*
>
> – Le *Critias*

Remarquez que le récit se termine brusquement à l'un des endroits les plus dramatiques. Il ne se termine pas au milieu, mais au point culminant, comme si Platon avait posé sa plume pour réfléchir à la suite, mais avait oublié d'achever son histoire. On sait que le *Critias* ne fut pas son dernier livre — il en écrivit plusieurs autres par la suite —, de sorte que ce n'est pas la mort qui a rendu sa plume silencieuse, et pourtant, il ne l'a jamais complété. Qu'aurait-il pu arriver pour qu'il laisse son récit inachevé, et à un moment particulièrement important ?

Est-ce possible qu'il ne l'ait jamais terminé parce qu'il s'en est désintéressé ? En d'autres mots, même si créer cette histoire fictive l'avait amusé au début, aurait-il pu s'ennuyer après un moment, préférant ensuite travailler à des projets plus sérieux ?

Il s'agit d'une possibilité qu'il faut étudier. Il était déjà vieux, après tout, quand il rédigea ses dialogues, et peut-être qu'en réalisant qu'il n'avait plus beaucoup de temps, il décida d'écrire sur des sujets plus sophistiqués plutôt que de finir l'histoire très simple et fantaisiste d'une nation insulaire condamnée à disparaître à cause de son arrogance et de sa cupidité. Pour autant que nous le sachions, l'épopée de l'Atlantide constituait peut-être un brouillon qu'il avait commencé, mais dont il s'était désintéressé avant de pouvoir le finir. Il s'agit d'un phénomène que connaissent les auteurs de toutes les époques; tous les grands érudits ont écrit des choses qu'ils ont ensuite regrettées ou ont abandonné un manuscrit à l'état embryonnaire parce que cela ne correspondait tout simplement pas à ce qu'ils voulaient dire. Malheureusement, une fois qu'un homme comme Platon devient célèbre, il est normal de supposer que tout ce qu'il a écrit est sacro-saint. En conséquence, les brouillons, les tentatives avortées, même les notes et les songeries acquièrent un statut de textes sacrés et sont préservés, même si l'auteur lui-même aurait peut-être préféré que les pages soient jetées au feu.

En outre, deux autres éléments militent en faveur d'une histoire fictive : premièrement, le récit de Platon sur l'Atlantide est le premier et le plus ancien, ce qui s'avère surprenant compte tenu de la puissance de cette histoire[17]. Doit-on croire qu'un fait historique aussi important – une guerre énorme mettant aux prises toutes les nations du monde connu dans une lutte jusqu'à la mort et qui se termina dans une catastrophe qui oblitéra toute une race – aurait pu être dédaigné par nombre d'auteurs pendant des millénaires ? J'avoue qu'une énorme quantité de textes a été perdue au fil des siècles, dû aux incendies et à divers actes de destruction insensés, mais je trouve quand même suspect que le compte-rendu de Platon représente le seul et dernier mot sur le sujet.

Ensuite, les amateurs de l'Atlantide font tout un cas du fait que Platon dit l'histoire vraie. En rejetant cela, donc, ne le traitons-nous pas de menteur, et ne remettons-nous pas en cause l'image d'homme intègre et scrupuleusement honnête que l'histoire nous en donne ?

17. Certains atlantophiles ont affirmé, de façon plus ou moins convaincante, qu'on peut trouver des références à l'Atlantide avant l'époque de Platon. Mais aucune de ces descriptions n'utilise le terme *Atlantide* et elles ne donnent pas des détails comme l'a fait Platon.

Remettre en cause l'honnêteté de Platon

En fait, Platon ne dit *pas* que l'histoire est vraie. Si on lit attentivement, on voit que c'est Critias qui *dit* à Socrate que l'histoire est vraie, ce qui n'est pas précisément la même chose que si Platon – par exemple dans un préambule – nous disait que l'histoire est vraie. Son récit sur l'Atlantide s'insère dans un dialogue imaginaire entre son vieil ami et mentor Socrate et des collègues philosophes. Les dialogues correspondent à un procédé littéraire que Platon utilisait pour exposer ses idées et jamais il n'a voulu qu'on les prenne pour des conversations qui auraient vraiment eu lieu. Par conséquent, lorsque Platon fait dire à Critias que l'histoire qu'il va conter est vraie, il ne s'agit pas d'un mensonge mais d'une tactique littéraire courante faite pour attirer les lecteurs et dont les romanciers se servent encore aujourd'hui ; faire dire par un personnage à un autre que l'histoire qu'il va raconter est vraie constitue une technique aussi vieille que la littérature de fiction elle-même. Ainsi, Platon ne faisait rien de malhonnête. Il savait tout simplement bien raconter.

Finalement, que penser du fait que l'histoire a supposément été passée à Platon par Solon lui-même, homme d'État grec légendaire ? Platon n'aurait certainement pas inventé une telle chose.

Deux possibilités se présentent : ou Platon a bel et bien inventé l'histoire de Solon lui passant la fable par l'intermédiaire de plusieurs générations, tout comme il a inventé un dialogue imaginaire entre Socrate et Critias (un autre procédé littéraire courant et accepté), ou bien Solon lui-même a inventé l'histoire et Platon l'a acceptée comme une vérité. D'ailleurs, elle aurait pu être inventée par n'importe lequel des intermédiaires entre Solon et Platon, et simplement attribuée au grand homme d'État. Mais le fait que Platon n'a pas terminé l'histoire me fait plutôt pencher pour la première possibilité ; si l'histoire lui était vraiment parvenue du légendaire Solon (mort plus de deux siècles plus tôt), il semble inconcevable qu'il ne l'aurait pas retranscrite complètement. Il est plus probable que cette narration de la manière dont l'histoire lui est parvenue n'équivaut qu'à une anecdote fictive, une licence dramatique.

Donner une fiction pour un fait

Mais maintenant, un autre problème apparaît. Si les récits de Platon ne sont que des œuvres de fiction, que faire avec l'idée d'un continent disparu ? Ne vaut-il pas mieux oublier tout le concept comme étant une mauvaise blague et passer à autre chose, comme la plupart des érudits l'ont justement fait ?

Mais c'est ici qu'il y a un hic : ce n'est pas parce qu'une histoire est fictive qu'elle ne contient aucun fait ou qu'elle ne possède aucune valeur historique. En fait, la majorité des œuvres de fiction utilise des lieux, des gens et des événements réels pour servir de décor à l'histoire. Un bon exemple est le grand roman de Margaret Mitchell *Autant en emporte le vent*, dans lequel le lieu est réel (Atlanta, en Georgie), les personnages historiques sont réels (Jefferson Davis, le général Sherman, Abraham Lincoln), et l'événement historique est réel lui aussi (la guerre de Sécession américaine), et tous servent de contexte dans lequel raconter la romance entre Scarlett O'Hara, aristocrate et gâtée, et Rhett Butler, fringant et plein d'assurance. Bien que les personnages principaux soient totalement fictifs, c'est toute la richesse des détails historiques qui les rend plausibles et qui nous donne l'impression qu'il s'agit d'une véritable biographie.

Mais supposons que l'histoire soit perdue et oubliée pour n'être redécouverte ensuite que des centaines d'années plus tard par des spécialistes de la littérature et des historiens. Voyant que les détails historiques de l'histoire sont plutôt justes, ne supposerait-on pas que tout le récit est littéralement vrai et que Scarlett O'Hara et Rhett Butler ont vraiment vécu pendant la guerre de Sécession ? Clairement, comme Rhett et Scarlett ne donnent aucune indication de n'avoir pas déjà été des gens en chair et en os (en d'autres mots, ce ne sont pas des créatures magiques et ils n'ont pas de pouvoirs surnaturels, comme dans les contes de fée), ne prendrait-on pas tout le roman pour une histoire vraie ? Sinon, au nom de quels critères déterminerait-on quelles parties de l'histoire sont fausses et quelles autres sont véritables ?

D'après moi, quelque chose du genre est arrivé avec l'histoire de Platon. En se servant comme base d'histoires de déluges bien connues et probablement acceptées généralement, Platon a écrit une histoire fictive autour d'événements anciens bien réels, tout comme le font souvent les romanciers actuels.

Mais cela nous aide-t-il dans notre quête pour l'Atlantide ? Énormément, en fait. Pour revenir à notre analogie avec *Autant en emporte le vent*, des historiens de l'avenir pourraient apprendre beaucoup de choses sur la situation militaire, économique et géopolitique de la région d'Atlanta avant, pendant et un peu après la guerre de Sécession en lisant attentivement le roman. Mettez de côté les éléments romantiques et superflus du récit, et on y trouve une assez bonne leçon d'histoire qui pourrait se révéler valable pour des historiens de l'avenir cherchant des détails sur une époque et un endroit qui leur seraient mal connus. De la même façon, donc, si on met de côté les détails superflus dans le récit de l'Atlantide, on peut quand même en déduire que quelque chose s'est produit dans l'Antiquité, quelque chose ayant servi de base à son histoire.

Et ce quelque chose n'était peut-être pas une île fantastiquement riche et puissante détruite par un cataclysme, mais l'indice de l'existence d'un passé très ancien et remarquable que Platon lui-même n'a peut-être pas bien compris. Et c'est ici que nous pouvons reprendre notre recherche du continent disparu, maintenant que nous réalisons que la carte que Platon nous a donnée ne constitue qu'une approximation de ce que nous cherchons et non une carte au trésor. Cela ne facilitera peut-être pas notre voyage, mais au moins, nous pouvons à présent aller dans la bonne direction et réfléchir « à l'extérieur de la boîte » sur l'Atlantide, et c'est là que nous allons repérer notre continent – pas dans les pages de Platon, mais dans les mythologies de son époque, là où elle s'est toujours trouvée, attendant que nous la découvrions.

TROIS

L'histoire universelle du déluge

C'est un fait historique que des mythologies se rapportant à un déluge ont fait partie de presque toutes les cultures sur Terre depuis aussi longtemps que les hommes ont aimé se raconter des histoires. Bien plus, il semble qu'elles ont pratiquement toujours été parmi les plus anciennes, ayant souvent été d'abord racontées oralement, longtemps avant l'invention de l'écriture. Bien sûr, le déluge le plus célèbre est celui de Noé, relaté dans la Genèse, un des livres de l'Ancien Testament, une histoire qui a été rédigée croit-on il y a au moins deux mille six cents ans, et probablement encore plus tôt. Ce que beaucoup de gens ne réalisent pas, par contre, c'est que le déluge de Noé est beaucoup plus ancien, puisqu'il s'agit essentiellement d'une modification de l'épopée sumérienne de Gilgamesh, histoire qui est antérieure à la Bible de plusieurs siècles, peut-être de plusieurs millénaires — et elles ne représentent que deux histoires de déluges parmi toutes celles connues des archéologues.

Ce qui s'avère particulièrement intéressant dans ces histoires — hormis leur caractère universel — est le remarquable degré de cohérence que possèdent la plupart d'entre elles. Par exemple, comme dans l'histoire de l'Atlantide, la majorité des mythologies racontent que les gens ont déplu à leur dieu (ou leurs dieux) par leur méchanceté ou leur arrogance et qu'ils devaient donc être détruits ; que les gens étaient riches et puissants avant de se détourner de Dieu ; et que toutes les personnes sur Terre furent tuées par une immense inondation à l'exception de quelques-unes qui, pour la plupart, se réfugièrent sur un bateau. Elles ne parlent pas toutes d'un sauvetage d'animaux (comme dans l'histoire de Noé), bien sûr, et il y a quelques variations sur les individus qui ont été sauvés et pourquoi, mais le degré de similitude se révèle stupéfiant, surtout quand on songe à la grande distance dans le temps et l'espace qui sépare fréquemment les différents conteurs. Bien que les variations culturelles de l'histoire aient été embellies avec le temps, il semble que chaque société a développé ses propres histoires de déluges indépendamment des autres[18], ce qui laisse supposer que les gens un peu partout sur Terre ont connu la même catastrophe, ou une catastrophe similaire, dans leur lointain passé, et qu'ils ont créé des légendes s'y rapportant, chacune destinée à s'insérer dans leurs traditions et leurs croyances.

Les érudits expliquent ce phénomène en affirmant que chaque société parlait simplement d'un désastre local ou régional — en général une grande inondation — et qu'étant donné que chaque société s'imaginait être la seule sur Terre, chacune supposa évidemment que le cataclysme était « planétaire ». En outre, puisque, dans toutes les cultures, on croit à un dieu ou à plusieurs dieux, il devenait naturel de croire que le désastre résultait d'une colère divine et que les survivants (« ceux qui restèrent ») furent sauvés parce qu'ils étaient bons et justes (et parce qu'ils étaient nécessaires pour que la culture subsiste et que les légendes puissent se former par la suite). Donc, lorsqu'une inondation exceptionnellement puissante frappait un

18. L'histoire de Noé constitue peut-être une exception, car selon la majorité des érudits contemporains, les Juifs en exil l'ont prise des Babyloniens et l'ont simplement modifiée pour la rendre plus « juive ».

territoire ancien, tuant la majorité des animaux domestiques et un grand pourcentage de la population, la mémoire collective de cette culture s'en souvenait naturellement sous la forme d'une légende. Puisqu'une grande calamité a frappé presque toutes les cultures à un certain point dans leur histoire, cette explication s'avère assez raisonnable et pourrait en fait justifier un pourcentage important de ces légendes.

Mais elle ne justifie pas tout. Sûrement, les tremblements de terre importants, les éruptions volcaniques et les grandes inondations auraient été retenus par la mémoire collective aussi, mais ce qui se révèle inhabituel dans les histoires de déluges, c'est que la nature et l'étendue du désastre sont presque toujours les mêmes. Aucune ne dit simplement qu'il s'agissait d'un événement plus gros que d'habitude, mais bien que l'événement détruisit tout, obligeant les gens à reconstruire à partir de rien. De plus, elles indiquent toutes que c'est de l'eau qui a fait le plus de dommages et non différents phénomènes comme on pourrait s'y attendre si des événements isolés en étaient la cause. (Certaines cultures, par exemple, devraient être beaucoup plus sujettes aux désastres géologiques qu'aux désastres météorologiques, et pourtant, presque toutes affirment que c'est une inondation qui a provoqué le gros des dommages.) Certaines cultures très différentes parlent de la même « noirceur » qui s'installa sur les terres pour un certain temps, les choses changeant radicalement suite à l'événement — ce qui laisse soupçonner bien plus une catastrophe universelle qu'un événement localisé.

Évidemment, dans ce cas, nous pouvons supposer que Platon connaissait bien ces histoires, car celles-ci étaient de l'histoire ancienne même à son époque, comme elle l'est aujourd'hui. Par conséquent, ces légendes servirent-elles de base à son histoire de l'Atlantide (avec peut-être la destruction des Minoens comme « modèle ») ou bien Platon a-t-il tout inventé ? Et si c'est la première hypothèse qui s'applique, à quel événement (ou événements) du lointain passé l'histoire de Platon faisait-elle référence ? Considérons les propres mots de Platon, tels qu'écrits dans le *Timée* :

> *Tout d'abord, vous ne vous souvenez que d'un seul déluge terrestre, alors qu'il y en a eu beaucoup auparavant ; ensuite, vous ignorez que la plus belle et la meilleure race qu'on ait vue parmi les hommes a pris naissance dans votre pays, et que vous en descendez, toi et toute votre cité actuelle, grâce à un petit germe échappé au désastre. Vous l'ignorez, parce que les survivants, pendant beaucoup de générations, sont morts sans rien laisser par écrit.*
>
> — Le *Timée*

Ici, Platon fait clairement allusion à un certain nombre de déluges qui se seraient produits au cours des âges, et fait plus significatif encore, il sépare l'histoire de l'Atlantide des autres histoires de déluges plus anciennes dont elle est issue, faisant ainsi de l'Atlantide un récit fictif tout en permettant aux mythes sur le déluge de demeurer factuels, du moins dans leur essence.

Mais cela nous aide-t-il à retrouver le continent disparu ? Cela ne fait-il pas que rendre sa recherche inutile, puisqu'il s'agit de toute évidence d'une fiction construite à partir d'un événement plus ancien ?

Pas du tout. En fait, en reconnaissant qu'il y a *bien* une catastrophe à retrouver, nous nous libérons du poids des détails donnés par Platon, ce qui nous permet d'élargir notre quête et de chercher une véritable civilisation ancienne en la séparant de l'île ancienne et fictive de la tradition. Pour repérer l'Atlantide, donc, il faut regarder derrière l'histoire en tant que telle et examiner ses fondements mythologiques ; il faut faire de l'Atlantide la métaphore d'une civilisation encore plus ancienne et plus fantastique, ayant existé bien avant Athènes, l'Égypte ou n'importe quelle autre civilisation connue.

Mais où ? Et, facteur encore plus déterminant, quelle est l'importance de cette civilisation à retrouver ?

La quête ancienne d'un passé récent

Je crois que Platon faisait référence, bien qu'inconsciemment, non pas à une petite île détruite par un quelconque cataclysme, mais à une civilisation globale comme on n'en vit de nouveau que dans les temps modernes — une civilisation, en fait, assez près de la nôtre par plusieurs aspects, qui se détruisit elle-même d'une manière ou d'une autre des milliers d'années avant l'émergence de la plus ancienne civilisation connue des archéologues. Je ne crois pas que Platon savait à quel point elle était vaste et moderne — il travaillait, après tout, à partir de mythes et de légendes, probablement embellis au fil des siècles et modifiés au goût des sensibilités du temps. Conséquemment, en la décrivant dans les dialogues, il ne faisait qu'essayer d'imaginer ce qui, pour lui, était indescriptible, de sorte qu'il utilisa le seul langage à sa disposition : la métaphore.

Mais avant d'examiner cette théorie plus en détails, il faut s'efforcer de découvrir un emplacement sur Terre où cet endroit extraordinaire aurait pu exister, car à moins de le mettre dans un contexte géographique quelconque, nous ne disposons d'aucun site où amorcer nos recherches. Mais si nous avons déjà examiné tous les endroits habituels associés à l'Atlantide — la Crète, l'océan Atlantique, les Bahamas, l'Antarctique — sans rien dénicher de convenable, où pouvons-nous chercher ? Après tout, si la civilisation que je viens de décrire a réellement existé, elle devait être encore plus étendue que ce que nous avons de disponible, rendant nos explorations encore plus difficiles.

Sauf, bien sûr, si nous arrêtons de chercher un *endroit* et commençons à chercher une *époque* !

Et c'est là que se situe la clé pour découvrir où se trouve l'Atlantide — ou plutôt *ce qu'est* l'Atlantide. Il suffit de regarder sous nos pieds — ou, plus précisément, à une époque où le

niveau des océans était des dizaines de mètres plus bas qu'actuellement — et le continent disparu apparaîtra sous nos yeux comme par magie.

Un nouveau regard porté sur un vieux monde

Lorsqu'on observe un globe terrestre, il est facile de croire que la géographie de la Terre a toujours plus ou moins ressemblé à celle d'aujourd'hui. Néanmoins, certaines personnes seront peut-être surprises d'apprendre que la planète qu'elles croient si bien connaître est en fait un maître en déguisements, capable de changer d'apparence selon son caprice ; les océans montent et descendent, inondant certains endroits pendant que d'autres, en hauteur, restent secs, tandis que des couches de glace d'un kilomètre d'épaisseur recouvrant des millions de kilomètres carrés avancent et se retirent, creusant dans la roche d'immenses lacs d'eau douce et des fjords aux parois escarpées ; les volcans font apparaître des îles nouvelles là où il n'y en a jamais eu alors qu'ils en détruisent d'autres par une explosion de chaleur et de violence si puissante que la topographie des îles proches s'en voit altérée. Qui plus est, la Terre se montre également capable de modifier ses tendances climatiques selon son caprice, changeant sans merci des prairies fertiles en déserts ou transformant généreusement des toundras gelées en forêts tempérées — et elle peut accomplir tout cela assez rapidement, géologiquement parlant.

En plus de sa capacité à se réinventer avec une régularité presque monotone, la Terre reçoit une incroyable raclée de ses voisins célestes. Des météores frappent fréquemment sa surface et des astéroïdes, de même que des comètes, s'écrasent parfois sur sa croûte mince comme du papier, détruisant des continents entiers dans leur apathique voyage vers leur propre destruction. La Terre, donc, loin d'être un endroit tranquille et reposant où les choses bougent à la vitesse d'un escargot, est en fait un organisme vivant qui respire et qui se trouve constamment en mouvement, obligeant les créatures qui habitent sur son instable surface à s'y adapter ou à disparaître, comme l'ont fait tant d'autres espèces ratées.

Et là se trouve la solution pour localiser notre continent manquant. Nous ne devons pas chercher une île reposant paisiblement au fond de l'océan ou une ville enfouie sous la glace d'un continent recouvert de glaciers ; nous n'avons qu'à regarder le monde présent avec les yeux de l'Antiquité et remonter jusqu'à une époque où notre planète semblait, et était vraiment, un endroit bien différent de ce qu'elle est aujourd'hui. Et pour cela, inutile de reculer des millions d'années dans le passé ; il suffit de jeter un coup d'œil à une période récente de la Terre, quand les océans étaient plus petits et les continents plus gros, lorsque les îles et les continents si familiers pour nous se révélaient très différents et que le climat l'était encore plus. Par conséquent, tout ce que nous avons à faire pour retrouver l'Atlantide consiste à revenir douze mille ans dans le passé. Et alors, comme une magnifique peinture cachée derrière un rideau, elle apparaîtra et commencera à dévoiler ses secrets.

La science appelle cette époque la période glaciaire du pléistocène. Je préfère l'appeler simplement l'âge de l'Atlantide.

À la découverte d'un monde perdu

Comme le savent tous les écoliers, il se produit périodiquement sur Terre un phénomène appelé période glaciaire. Ce qui est moins clair, par contre, c'est *pourquoi* il se produit. Il existe plusieurs théories pour expliquer pourquoi la planète connaît une alternance de cycles chauds et de cycles froids, mais la science ne sait pas avec certitude ce qu'il en est. Toutefois, même si la science ne comprend pas pourquoi les périodes glaciaires se produisent, on connaît les effets qui en résultent sur le climat, la biologie et même sur la topographie de la planète. Des climats tempérés deviennent très froids pendant que des couches de glace épaisses avancent inexorablement sur des continents entiers, creusant d'immenses canyons et déposant de gigantesques rochers à des centaines de kilomètres de leur point d'origine. Parallèlement, à mesure que la température descend et que la glace s'accumule, le niveau des océans descend lui aussi, dévoilant de nouvelles masses terrestres importantes là où il n'y avait auparavant que de l'eau.

Il a été estimé qu'au plus fort de la dernière période glaciaire – qui correspond à l'époque où Platon place l'Atlantide[19] –, le niveau des océans sur toute la Terre, à cause de toute l'eau retenue par les calottes polaires, se situait environ cent cinquante mètres plus bas qu'actuellement. Bien que cela puisse sembler peu à prime abord, surtout quand on considère qu'à certains endroits, la mer a plusieurs kilomètres de profondeur, un tel abaissement du niveau des océans a eu un impact très profond sur la topographie de la planète, principalement là où les hauts-fonds des plaques continentales dépassaient de beaucoup les côtes d'aujourd'hui.

Même si certaines régions montrèrent très peu de changements (la côte ouest de l'Afrique et la côte pacifique de l'Amérique du Sud, par exemple), d'autres furent grandement modifiées. La Baltique, la mer du Nord et les eaux autour des îles Britanniques étaient alors de la terre ferme, tout comme la région autour des Bahamas et de la Floride (comme j'en ai parlé plus tôt). La mer de Béring, qui sépare de nos jours la Russie de l'Alaska, n'existait pas, ce à quoi se sont beaucoup intéressés les anthropologues ; à la place, un pont terrestre reliait les deux continents, permettant aux nomades d'Asie de se rendre facilement en Amérique du Nord.

Mais c'est le sud-ouest du Pacifique et l'océan Indien qui furent les plus transformés. Il est difficile d'imaginer à quel point la ceinture du Pacifique n'avait pas la même apparence qu'aujourd'hui. Pour illustrer les différences importantes dans la topographie de la région il y a douze mille ans, vous trouverez sur la page suivante une carte de l'Indonésie, des Philippines et de l'Indochine comme elles sont actuellement (la perspective regarde vers le sud-ouest, le nord étant à votre droite).

---

19. La période glaciaire du pléistocène fut en fait à son apogée voilà environ seize mille ans, mais ses effets se faisaient encore sentir, bien que moins fortement, à l'époque indiquée par Platon.

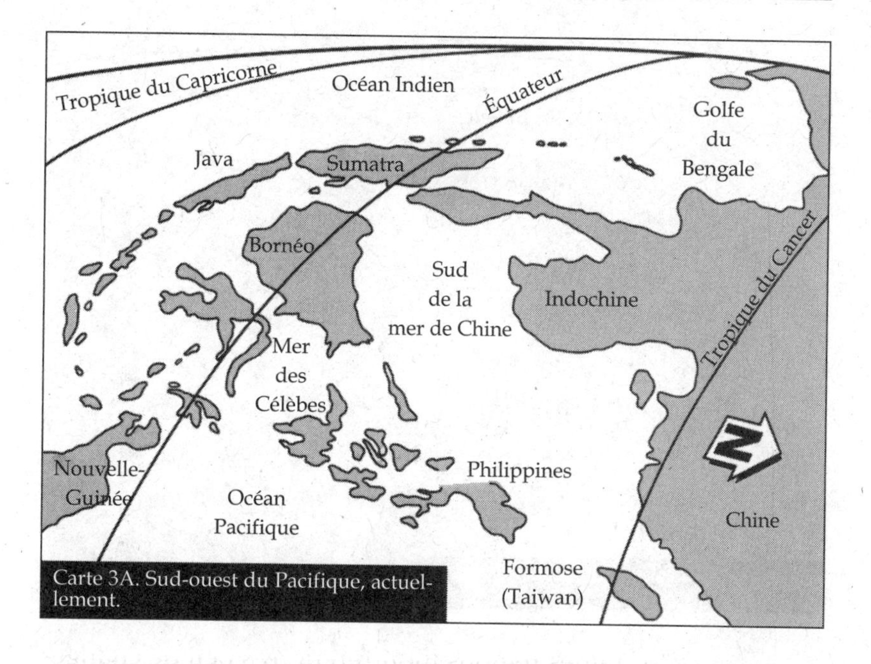

Carte 3A. Sud-ouest du Pacifique, actuellement.

Remarquez que l'Indonésie correspond à un vaste archipel dominé par six îles importantes – Bornéo au nord, Sumatra à l'ouest, Java et Timor au sud, ainsi que les Célèbes et la Nouvelle-Guinée à l'est – et contenant en plus des milliers d'îles plus petites éparpillées sur un grand territoire. Aussi, la côte du Vietnam s'avère facile à reconnaître, et Hainan et Formose sont de grandes îles au sud et à l'est de la Chine. Maintenant, regardez ce qui arrive à ces régions si on abaisse le niveau de l'océan de cent cinquante mètres, comme ce fut le cas au sommet de la dernière période glaciaire.

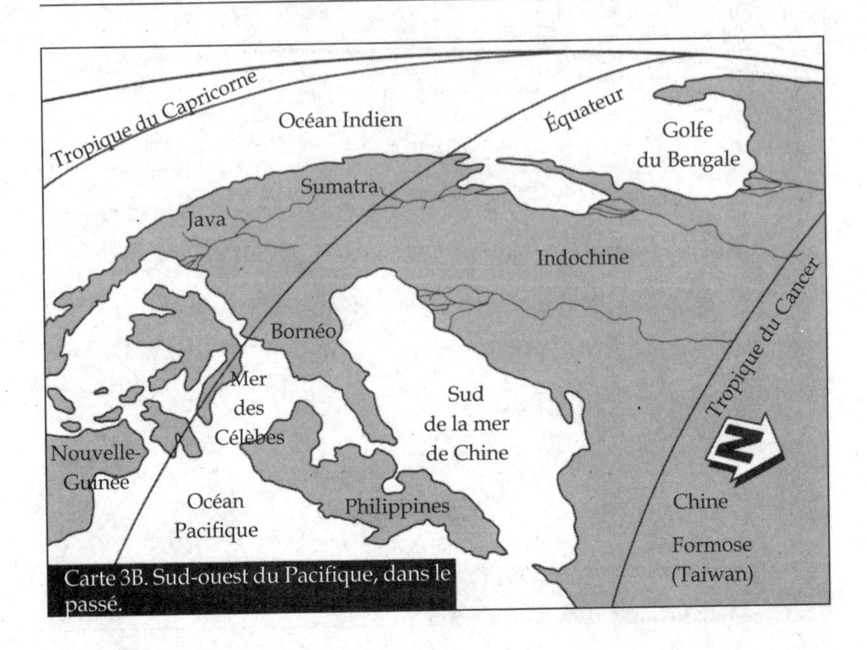

Carte 3B. Sud-ouest du Pacifique, dans le passé.

Remarquez à présent comment l'archipel indonésien que nous connaissons a été remplacé par un vaste continent s'étendant du sous-continent indien jusqu'aux côtes de l'Australie. Plus important encore, cette nouvelle masse terrestre devait posséder des plaines fertiles de plusieurs milliers de kilomètres carrés et l'immense Mékong la traversait en son milieu dans sa partie est, entre Bornéo et Java, avant de se vider dans les eaux de la Nouvelle-Guinée. D'autres grands fleuves devaient passer par le nouveau continent, faisant de l'endroit un paradis tropical d'environ huit cents kilomètres de large par trois mille deux cents kilomètres de long, soit approximativement la grosseur de l'Europe actuelle.

Qui plus est, l'assèchement de la mer Jaune et d'une grande partie de l'est de la mer de Chine avança la côte de la Chine jusqu'à six cent quarante kilomètres – transformant les îles de Hainan et de Formose (Taiwan) en chaînes de montagnes côtières – pendant que le sud de la mer de Chine et la mer Andaman devenaient d'immenses baies intérieures avec quelques passages étroits vers le Pacifique et l'océan Indien. Les Philippines, un autre archipel important aujourd'hui, devinrent également une seule grande île – aussi grosse que Madagascar l'est actuellement, et bien que la carte ne le montre pas, l'Australie et la Nouvelle-Guinée s'unirent aussi en un seul grand continent, séparé de l'Indonésie par une petite mer. Seul le Japon, que la carte n'indique pas non plus, se révélait essentiellement comme aujourd'hui (sauf qu'il était rattaché à la péninsule coréenne par un pont terrestre large et plat).

Les changements apportés à l'océan Indien furent moins dramatiques, mais quand même significatifs d'une certaine façon. Premièrement, une carte du sous-continent indien tel qu'il est de nos jours (la perspective regarde vers le nord-est, vers l'Himalaya) :

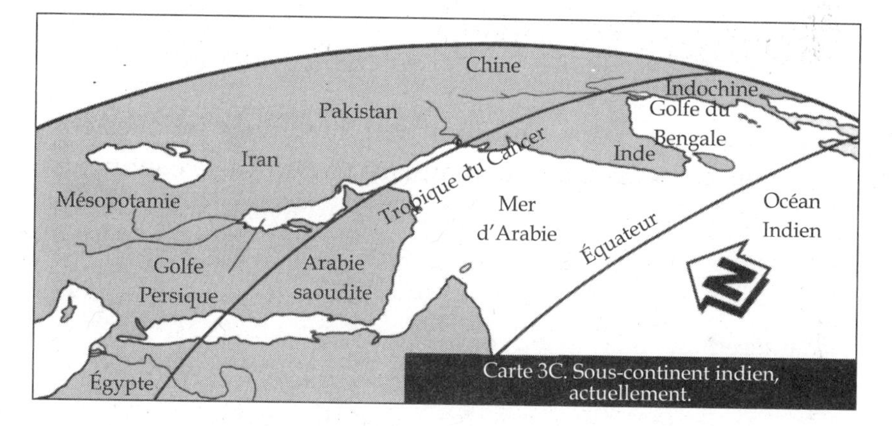

Carte 3C. Sous-continent indien, actuellement.

Toutefois, au plus fort de la dernière période glaciaire, l'endroit ressemblait plutôt à ceci :

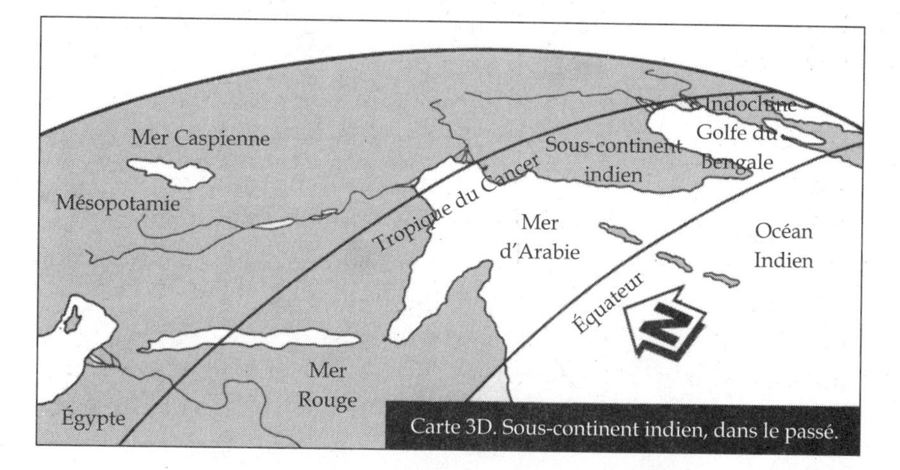

Carte 3D. Sous-continent indien, dans le passé.

Encore une fois, on peut voir des changements subtils mais importants, en particulier le fait que la côte ouest de l'Inde se situait cent soixante kilomètres plus à l'ouest qu'aujourd'hui. Aussi, notez que l'île du Sri Lanka correspondait alors à une péninsule montagneuse sur la côte sud de l'Inde, et que les îles très petites formant actuellement les Maldives constituaient à cette époque des îles plutôt grosses et fertiles s'enfonçant profondément dans l'océan Indien.

Constatation encore plus significative, le golfe Persique n'existait pas ; à la place, on distinguait le large et fertile delta du Tibre et de l'Euphrate (et, en tant que tel, un excellent endroit où placer le jardin d'Éden de la mythologie biblique, si quelqu'un voulait absolument le placer quelque part). Autre détail, la mer Rouge n'était qu'un lac allongé (ce qui, en passant, empêchait de se rendre jusqu'à la Méditerranée en bateau), tandis que la mer Noire et la mer Caspienne étaient de grands lacs d'eau douce.

La zone fertile

Bien que l'importance de tout ceci ne soit peut-être pas évidente, cette nouvelle topographie s'avère très critique. Premièrement, il faut bien comprendre que même si la Terre se trouvait prisonnière d'une période glaciaire, il ne faisait pas froid partout. Entre le tropique du Capricorne et celui du Cancer, il faisait encore chaud, et en général, le climat était tropical ou subtropical, ce qui permettait aux vastes forêts tropicales d'Asie, d'Amérique du Sud et d'Afrique centrale d'exister à peu près comme aujourd'hui. Qui plus est, le sous-continent indien était lui aussi luxuriant et tempéré (tout comme la plus grande partie de la Chine et une large portion de la Sibérie), et les climatologues croient que le nord de l'Afrique et le Moyen-Orient, où on observe maintenant de vastes déserts, étaient des savanes similaires à ce qu'on retrouve au Kenya et en Afrique du Sud aujourd'hui.

Ce qu'il est essentiel de reconnaître, c'est que même si la température moyenne de toute la planète était partout uniformément plus basse de plusieurs degrés, ces endroits-là se révélaient assez chauds pour permettre de cultiver la terre toute l'année, ce qui en faisait des emplacements idéaux pour faire pousser presque n'importe quoi (tout en étant habités par tous les animaux évoqués par Platon dans ses dialogues). Cela aurait fait du nord de l'Afrique, du sud et du centre de l'Asie, ainsi que du nord de l'Australie une vaste zone tempérée de presque six mille cinq cents kilomètres de large et de vingt mille kilomètres de long, et le grenier du monde, potentiellement capable de nourrir une population de plusieurs milliards d'individus. Cette carte illustre cette zone plus clairement :

Carte 3E. La zone tempérée au pléistocène, vers 10 000 av. J.-C.

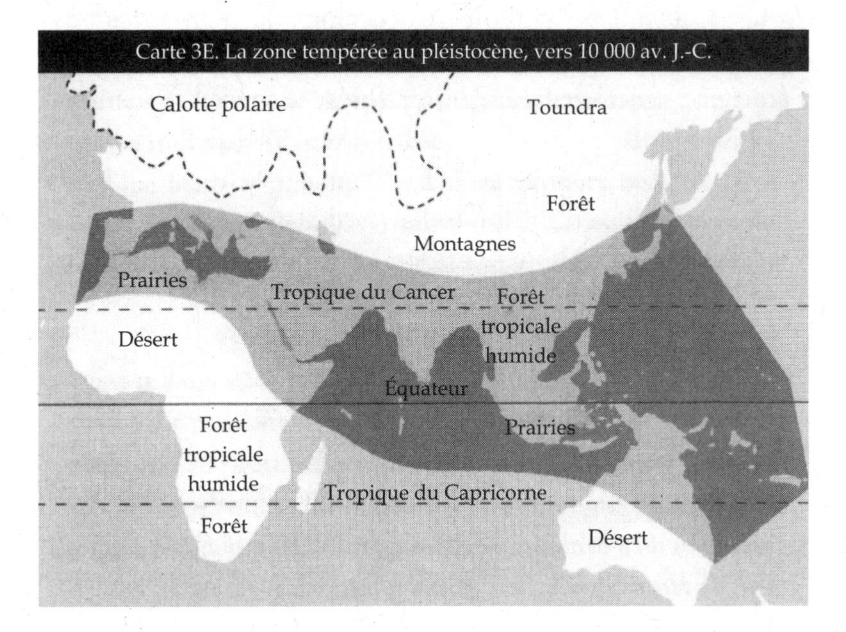

Le tiers de l'Amérique du Nord et la moitié de l'Europe étant enterrées sous une épaisse couche de glace, les terres au nord du tropique du Cancer se voulaient de peu d'utilité, agriculturellement parlant. D'ailleurs, les régions au sud du tropique du Capricorne n'avaient pas grande valeur non plus : la Patagonie, en Amérique du Sud, correspondait à une toundra froide et désolée, et les forêts tropicales du sud de l'Afrique étaient aussi infranchissables à cette époque qu'aujourd'hui, pendant qu'une bonne partie du sud et de l'ouest de l'Australie constituait encore un désert, comme elle l'est depuis très longtemps. Bien que la plus grande partie de l'Amérique du Sud et de l'Amérique centrale fût dans cette zone tempérée, elle formait surtout une immense forêt tropicale plus ou moins inaccessible (même si des poches importantes d'agriculture ont pu exister ici et là).

Trois des sept continents étant relativement inhabitables à cause du froid et de la glace, cette bande de terre fertile et tempérée représente le seul endroit, géographiquement parlant, où une ancienne civilisation avancée aurait pu se développer. Certes, il aurait pu y avoir des colonies ou même des pays entiers en voie de développement à l'extérieur de cette région, mais c'est cette dernière qui aurait formé le centre économique, agricole, industriel, politique et technologique de toute la planète – comme les pays de l'Amérique du Nord, de l'Europe de l'Ouest et de la ceinture du Pacifique le sont aujourd'hui. Il n'y avait tout simplement aucun autre endroit permettant à une civilisation de se développer, ses paramètres étant fixés par la nature elle-même.

La prochaine étape de notre recherche

Maintenant que nous avons localisé l'endroit idéal où placer notre continent disparu, où allons-nous ? Tout ce que nous avons fait, après tout, c'est démontrer qu'un vaste continent existait il y a douze mille ans à l'emplacement actuel de mers peu profondes et d'archipels, mais cela ne prouve pas qu'une civilisation importante y a déjà habité. Si les *Homo sapiens* n'étaient rien d'autres que des chasseurs-cueilleurs primitifs voilà douze millénaires, que la majeure partie de l'Indonésie ait été sous l'eau ou hors de l'eau fait peu de différence. Il faut qu'une civilisation ait réussi à s'y installer, sinon notre discussion s'avère sans intérêt.

Et c'est là que notre recherche va à présent nous amener. Nous devons regarder en détail pour vérifier si, au moins théoriquement, il est possible qu'une civilisation — une innovation relativement récente selon la science moderne — soit apparue beaucoup plus tôt que nous ne le croyons. Mais pour y arriver, nous devons commencer par analyser le processus par lequel une civilisation apparaît ; en d'autres mots, il faut comprendre pourquoi nos ancêtres ont quitté la forêt pour s'organiser en sociétés et, ultimement, devenir la grande civilisation que nous formons aujourd'hui. Heureusement, il s'agit d'une histoire presque aussi intéressante que la quête pour l'Atlantide elle-même, et une histoire qu'il faut raconter si on souhaite jamais trouver le continent disparu.

QUATRE

La civilisation apparaît

La plupart des anthropologues et des archéologues s'entendent pour dire que la civilisation a débuté quelque part au Moyen-Orient il y a sept ou huit mille ans, avant de s'étendre en Asie, en Afrique et, ultimement, en Europe et en Amérique. C'est encore la théorie officielle et même si les détails de cette émergence continuent à être modifiés et débattus, il semble qu'on la considère comme un fait, au même titre que n'importe quel fait historique.

Mais si cette supposition était une erreur?

Bien qu'il paraisse ridicule de suggérer autre chose, la science serait-elle en train de passer à côté de quelque chose? Même si tout le monde admet qu'on puisse faire remonter la civilisation moderne au Moyen-Orient, cela prouve-t-il qu'il s'agit de la seule fois où la civilisation est apparue sur Terre? En d'autres termes, d'autres civilisations auraient-elles pu apparaître plus tôt sans laisser de traces ou la chose s'avère-t-elle tout à fait impossible ?

La science, dans ce qu'elle a de pire, incarne une institution rigide qui refuse de considérer quoi que ce soit sortant de l'orthodoxie, ce qui fait stagner le savoir et étouffe le feu de la recherche ; dans ce qu'elle a de meilleur, par contre, lorsqu'elle admet qu'il y a encore beaucoup de choses à apprendre dans le monde, la science peut être un phare. Et si la science acceptait, au moins cette fois, de poser les quelques questions que la plupart des érudits refusent de poser, et faisait taire l'incrédulité générale le temps de considérer la possibilité que la civilisation soit un phénomène récurrent et non un événement unique ? Et si, comme le laissent suggérer les textes de Platon et toutes les mythologies de déluges qui existent sur Terre, nous n'étions pas la première civilisation à avoir atteint le summum de la gloire et de la puissance, mais seulement la plus récente à l'avoir fait ? Nous vivons dans un monde d'enchantement et de mystère nous faisant signe de poser un nouveau regard sur ce qui nous entoure ; la légende de l'Atlantide serait-elle simplement la dernière de ces invitations ?

La prochaine étape pour trouver l'Atlantide, donc, consiste à déterminer s'il est au moins théoriquement possible que l'humanité ait créé une civilisation avancée dans un passé préhistorique. Mais pour ce faire, il s'avère nécessaire de comprendre comment une civilisation apparaît, ce qui nous oblige à faire appel, à côté de l'archéologie, de l'anthropologie et de l'océanographie, à une science très différente. Il est temps d'étudier la science de la nature humaine, c'est-à-dire la sociologie, afin de voir si la capacité humaine de s'organiser en communautés était inhérente aux premiers hommes ou s'il s'agit de quelque chose que nous avons appris au cours de milliers d'années d'évolution. En fait, il faut carrément se demander pourquoi nous sommes devenus civilisés.

L'émergence de l'agriculture

En vérité, le processus qui a amené l'*Homo sapiens*, d'abord chasseur nomade et vivant dans la forêt, à former des communautés sédentaires est assez simple. On ne sait pas exactement quand et où tout a commencé, mais à un certain moment, dans un passé lointain, les hommes se sont rendu compte que les graines qui tombaient sur le sol avaient tendance à germer et à pousser. Au début, il ne s'agissait que d'une curiosité, mais comme les hommes continuaient à devoir lutter pour nourrir leur famille, certains se sont dits qu'après avoir reconnu quelles graines venaient de quelles plantes, il valait mieux les planter soi-même et recueillir les bénéfices éventuels. Initialement, la nourriture ainsi obtenue ne servait peut-être qu'à complémenter une diète assez maigre, en particulier là où le gibier était rare, mais rapidement, les fruits, les légumes et les céréales amassés sont devenus l'essentiel, et c'est la viande qui est devenu un complément. Finalement, quand ils ont réalisé qu'il était plus pratique (mais pas toujours plus facile) de faire pousser leur propre nourriture au lieu de chasser ou de ramasser ce qu'ils pouvaient trouver, les *Homo sapiens* cessèrent d'être nomades et l'agriculture – le fondement de la civilisation – naquit.

Avec ce changement dramatique survenu dans leur façon de vivre, d'autres changements apparurent. Environ à la même époque où les hommes découvraient qu'on pouvait faire pousser les plantes comestibles à partir de leurs graines, ils constataient aussi que certains des animaux les plus dociles de la forêt et de la savane pouvaient être capturés au lieu d'être chassés, puis gardés jusqu'au moment où on aurait besoin de s'en nourrir. Ensuite, quand on réalisa que ces animaux pouvaient être élevés afin d'augmenter les réserves de viande, l'élevage de troupeaux devint pour les anciens chasseurs une autre option leur permettant de ne plus avoir à chasser toute la journée des animaux agiles et insaisissables, ou encore d'être contraints à ramasser des baies et des racines. Dorénavant, ils avaient de la viande et des légumes à volonté.

Grâce à ces deux découvertes — que les plantes poussent à partir de graines et que certains animaux peuvent être domestiqués —, les hommes réussirent à assurer leurs besoins alimentaires, rendant obsolète leur existence nomadique. Ce n'était pas une vie facile — l'agriculture représente un travail difficile —, mais il s'agissait d'une amélioration par rapport à l'existence courte et brutale des chasseurs-cueilleurs[20].

Ces changements apportés à la façon de se procurer la nourriture ne mirent pas seulement fin à la vie de chasseur nomade, ils eurent un impact profond sur toute la société. Maintenant que les hommes pouvaient se nourrir sans chasser, la nécessité d'émigrer vers de nouveaux terrains de chasse se voyait éliminée, permettant aux hommes de se fixer à un endroit de manière plus ou moins permanente. Bien que certains choisirent de demeurer chasseurs, se fiant à leur adresse, la plupart trouvèrent préférable de se fixer et de vivre d'agriculture ou d'élevage de troupeaux.

Mais même pour ceux qui restèrent des chasseurs, les choses avaient changé. Ils découvrirent bientôt qu'ils avaient besoin des fermiers et des éleveurs pour survivre, tout comme ces derniers avaient besoin d'eux. Lorsque la chasse était mauvaise, les chasseurs pouvaient se tourner vers les fermiers, et ceux-ci dépendaient des chasseurs ou des éleveurs en temps de sécheresse. Le chasseur pouvait améliorer sa diète en échangeant ses peaux contre le pain des fermiers ; et les fermiers pouvaient de leur côté obtenir de la viande et du lait des éleveurs. De cette façon, une alliance précaire se forma entre ces trois spécialités dans laquelle chacune répondait aux besoins des deux autres tout en améliorant son propre sort.

20. Certaines personnes ont affirmé que la vie des chasseurs-cueilleurs n'était pas si difficile qu'on ne le croit généralement, car les chasseurs, fréquemment, n'avaient à travailler que quelques heures par jour pour tuer ce dont ils avaient besoin (contrairement aux heures beaucoup plus longues des fermiers), de sorte qu'ils devaient disposer de beaucoup plus de temps libre, mais pour moi, ce n'est pas très convaincant. Même quand le gibier était abondant, il fallait quand même marcher des heures pour trouver les animaux et les tuer, puis passer encore plus de temps à rapporter les carcasses jusqu'aux feux de camp, les préparer et les cuire. Les chasseurs avaient peut-être un peu plus de temps libre que les agriculteurs, mais il est difficile de croire qu'il s'agissait d'une vie plus facile. De plus, si ce mode de subsistance était tellement plus agréable que l'agriculture, pourquoi l'avoir abandonné ?

L'émergence du spécialiste

Bien sûr, il ne s'agit pas tout à fait de la fin de l'histoire, car il y a une grande différence entre l'émergence de quelques communautés agricoles très simples et la véritable civilisation. Une sophistication et une complexité sociale plus grandes étaient nécessaires pour que la civilisation apparaisse et ce besoin fut comblé par ce qu'on appelle en anthropologie le *spécialiste*.

Une fois que le fermier, l'éleveur et le chasseur (et le pêcheur, dans la majorité des endroits) eurent constitué leur alliance, on se rendit compte qu'il fallait aussi des gens pour remplir d'autres fonctions. Les fermiers avaient besoin de greniers pour entreposer leurs récoltes et les éleveurs avaient besoin de clôtures pour retenir leurs troupeaux. Le pêcheur avait besoin d'un bateau et de filets, et le chasseur d'armes plus efficaces. Tous avaient besoin de maisons, et encore plus important, d'un moyen d'échanger leurs produits. Bien qu'au début, ils aient pu se débrouiller seuls, éventuellement, ils se rendirent compte que leurs besoins excédaient leurs compétences et qu'ils avaient besoin des autres pour obtenir certains services dont ils ne pouvaient plus s'occuper eux-mêmes.

Ainsi apparurent les ouvriers du bâtiment, les artisans, les forgerons, les maçons et, finalement, les marchands, qui faisaient tourner les roues de l'économie sociale en fournissant aux chasseurs, aux fermiers et aux éleveurs les outils dont ils avaient besoin, mais également en permettant à leurs produits d'être disponibles pour tout le monde (à un certain prix, bien sûr). En outre, lorsque les fermiers, chasseurs, pêcheurs et éleveurs réalisèrent qu'en formant des communautés, ils pouvaient mieux se protéger, eux et leurs produits, des voisins envieux, tout en facilitant la vie aux fournisseurs de services, des villages commencèrent à apparaître. Et naturellement, ces villages avaient besoin de se défendre contre les ennemis venus de l'extérieur, et d'une autorité centrale pour coordonner tout cela, et donc le soldat professionnel et une classe dirigeante firent leur apparition. Rapidement, des villages se transformèrent en cités, des cités s'unirent pour devenir des nations, et éventuellement, comme de par sa propre volonté, la civilisation se développa.

Ce qui s'avère significatif ici, c'est qu'un changement en entraîna naturellement et inévitablement un autre, lequel amena une autre innovation et la nécessité d'avoir un autre spécialiste. Par exemple, un pêcheur nécessite un bateau, mais il ne possède ni les compétences ni les matériaux pour en construire un, de sorte qu'il se tourne vers le constructeur de bateaux. Ce dernier, de son côté, ayant besoin d'outils et de matériaux pour construire ses bateaux, il se tourne donc vers le ferronnier qui lui construit ses outils et il demande au bûcheron du village (un autre spécialiste) d'abattre et de tailler des arbres afin d'avoir les matières premières dont il a besoin. Bien sûr, le ferronnier a aussi besoin de matières premières pour fabriquer les outils exigés par le constructeur de bateaux (et le bûcheron pour couper des arbres), et il se tourne alors vers le mineur qui déterre le minerai nécessaire à la fabrication des outils (et même là, le ferronnier a besoin de quelqu'un qui inventera les outils requis, de façon à ce qu'il sache ce qu'il doit fabriquer). Par conséquent, tout était interconnecté et entrelacé dans un processus inexorable qui finit par s'appeler civilisation.

Je ne dis pas que le processus fut complété en une nuit ; effectivement, le passage de chasseur-cueilleur vivant dans la forêt à fermier a certainement pris des siècles, et l'arrivée des fournisseurs de service encore plus de temps (et seulement au fur et à mesure que naissait un besoin précis). Néanmoins, en gros, cette évolution s'est avérée inévitable et autosuffisante ; dès que fut découvert le fait que les graines, une fois plantées et soignées, fournissaient une source de nourriture relativement fiable, la spécialisation, et avec elle la civilisation, devinrent inéluctables.

La question de savoir pourquoi

Bien sûr, cela explique *qu'est-ce* qui s'est produit, mais pas *pourquoi* il fallut plus de quatre-vingt-dix mille ans à l'*Homo sapiens* pour se rendre compte que les plantes comestibles provenaient de graines — processus assez visible pour le plus nonchalant des observateurs —, permettant ainsi à la civilisation de se développer. Est-il possible qu'une observation aussi simple ait tardé aussi longtemps ?

Il est possible que cela ait vraiment pris autant de temps — pour des raisons sur lesquelles on ne peut que spéculer —, mais dans ce cas, on peut également se demander pourquoi seuls les hommes sont capables de le faire ; les éléphants, par exemple, n'ont fait aucun effort similaire pour former des cités, malgré des millions d'années d'évolution. Les dauphins, sans doute les animaux les plus intelligents sur la planète après l'être humain, n'ont pas montré, eux non plus, qu'ils progressaient vers des niveaux de communication ou de structure sociale de plus en plus sophistiqués. Pourquoi, donc, les hommes devraient-ils être les seuls animaux capables d'abandonner leur style de vie naturel, traditionnel — celui de chasseurs-cueilleurs — pour aller vivre dans des huttes de terre et cultiver le sol dix-huit heures par jour ?

Et pourtant, c'est exactement ce que l'humanité a fait, démontrant du même coup que de tous les animaux, nous sommes les seuls voulant et pouvant modifier dramatiquement notre style de vie — sinon, effectivement, notre propre nature — en un temps relativement court. Toutefois, cette aptitude n'était-elle due qu'à un cerveau plus gros, nous donnant la conscience de nous-mêmes nécessaire et la volonté (peu importe pour quelles raisons) de modifier notre nature essentielle, ou bien s'agissait-il d'autre chose ? En d'autres mots, qu'est-ce qui a poussé les premiers hommes à faire disparaître leur envie de voyager pour constituer des communautés remplies de monde et, surtout, pourquoi leur a-t-il fallu autant de temps avant de le faire ?

Considérez le problème d'un point de vue logique. La science nous dit que l'homme moderne est apparu il y a environ cent mille ans. Elle nous dit aussi que la capacité crânienne et les modes de pensée des premiers hommes étaient identiques à ceux de l'*Homo sapiens* d'aujourd'hui (en fait, *c'étaient* des *Homo sapiens* comme aujourd'hui). Par conséquent, les premiers hommes modernes devaient être aussi intelligents que nous le sommes actuellement, ni plus ni moins. Et donc, il n'y a aucune raison sérieuse pour croire que les premiers hommes étaient incapables de créer et de penser de manière abstraite, comme nous le faisons de nos jours; ils auraient donc pu inventer le boulier, la roue, le feu et l'ordinateur moderne tout comme aujourd'hui. Autrement dit, si nous acceptons le fait que les fonctions du cerveau des premiers *Homo sapiens* étaient identiques aux nôtres, quelles raisons avons-nous pour croire qu'ils ne purent pas, ou ne voulurent pas, utiliser ces aptitudes à réfléchir pour sortir de la jungle beaucoup plus tôt qu'ils ne le firent finalement? Même si, au départ, tout ce dont ils disposaient était leur puissance de réflexion et leur talent d'observation, nos lointains ancêtres avaient-ils beaucoup plus lorsqu'ils commencèrent à s'organiser en sociétés voilà sept mille ans? Est-il possible que nous soyons aveuglés par une sorte d'arrogance intellectuelle qui refuse d'admettre que nos prédécesseurs aient pu être aussi intelligents que nous croyons l'être actuellement?

Bien sûr, cela ne prouve pas que des civilisations sont apparues spontanément dans un passé lointain, mais cela nous indique qu'il n'y a aucune raison logique pour croire qu'elles n'auraient pas pu le faire, ou, pour être plus direct, n'auraient pas dû le faire. Après tout, ils auraient dû remarquer que les plantes poussent à partir de graines au même moment où ils découvraient le feu, sinon plus tôt, puisque la découverte du feu en est une beaucoup plus abstraite; alors, où est le problème? Pris d'un autre point de vue, qu'est-ce qui a empêché l'*Homo sapiens* de quitter son rôle primitif et traditionnel de chasseur-cueilleur avant une période relativement récente ?

Le problème s'alourdit encore par une autre question : pourquoi la civilisation semble-t-elle être apparue spontanément au sein de cultures différentes un peu partout dans le monde ? L'opinion habituelle voulant que la civilisation soit apparue en Mésopotamie avant de s'étendre ailleurs est maintenant contestée, en particulier depuis que des découvertes récentes ont prouvé que la civilisation fut un phénomène global et non régional. Bien que la civilisation se soit peut-être développée en premier lieu en Mésopotamie (pour autant que l'on sache), rien ne prouve qu'elle fut à l'origine des civilisations ultérieures de la Chine, de l'Égypte ou des Amériques. En fait, il semble que ce soit justement le contraire ; les données scientifiques commencent à montrer que des cités sont apparues spontanément à divers endroits et à diverses époques indépendamment les unes des autres, prospérant sans être influencées par l'extérieur.

Alors, qu'est-ce qui a déclenché l'émergence de toutes ces civilisations voilà sept mille ans ? Qu'est-il arrivé en 5000 av. J.-C. pour civiliser l'homme après presque *cent* siècles d'indifférence et de simplicité primitive apparentes ?

L'hypothèse des extraterrestres

Selon certains, ce processus a pris autant de temps parce qu'il manquait à l'humanité la capacité de se « démarrer », et il a donc fallu une influence extérieure pour que les choses se mettent à bouger. Qui plus est, on a suggéré que cet ingrédient manquant – « l'étincelle » dont l'homme primitif avait besoin pour commencer à se civiliser – fut fourni par des extraterrestres venus ici il y a très longtemps, notion popularisée pour la première fois par Erich von Däniken dans son livre à succès de 1968 *Chariots of the gods,* et reprise depuis par de nombreux ouvrages sur l'Atlantide.

La théorie affirme essentiellement que des extraterrestres ont soit amélioré génétiquement des primates supérieurs voilà des centaines de milliers d'années pour créer l'homme moderne, soit accéléré simplement l'évolution naturelle de l'homme en offrant une technologie avancée à ceux qui étaient essentiellement des primitifs il y a des milliers d'années, « démarrant » par le fait même la civilisation. Toutefois, bien qu'il soit possible – et même probable, diront certains – que l'humanité ait été visitée par des extraterrestres dans le passé, cette solution n'est ni probable ni nécessaire, et en fait, elle fait naître plus de problèmes qu'elle n'en résout. Même si on suppose un instant que des cultures extraterrestres avancées avaient cette envie – et qu'ils ont obtenu la permission de le faire des autres races voyageant dans l'espace[21] – d'intervenir profondément dans l'évolution de l'homme de cette façon, on peut se demander comment ils sont parvenus à faire participer des habitants très simples de la forêt au processus de civilisation si, au départ, ces habitants n'étaient pas assez intelligents pour créer la civilisation eux-mêmes. Cela paraît aussi improbable que de forcer des chimpanzés à apprendre à jouer de la guitare.

En supposant que l'*Homo sapiens* primordial s'est plu à devenir « civilisé », cela fait néanmoins surgir un second problème : puisqu'il semble que plusieurs civilisations sont apparues spontanément sans se connaître (du moins pas avant de s'être développées jusqu'à un certain degré), il faut se demander pourquoi ces extraterrestres ont choisi de répéter le processus plusieurs fois avec différentes races plutôt que d'introduire une seule civilisation qui, éventuellement, assimilerait toutes les autres races et cultures « primitives ». Il semble, tout au moins, que cela constituerait le moyen le plus rapide et le plus facile d'introduire la civilisation à l'échelle de toute une forme de vie, tout en ayant l'avantage supplémentaire d'empêcher plusieurs des complications (comme les luttes pour la possession des

---

21. S'il y a une seule civilisation avancée dans notre galaxie, la logique exige qu'il y ait plusieurs races, chacune avec ses propres intérêts dans ce qui se passe sur toutes les planètes se situant dans sa sphère d'influence. Par conséquent, je trouve difficile d'imaginer qu'une race obtienne la permission de s'immiscer dans le développement d'une planète sans causer des problèmes à d'autres races plus anciennes et peut-être aussi plus avancées. Bien que cela soit possible, bien sûr, ce n'est pas très logique, surtout si on suppose que ces races sont aussi avancées culturellement et spirituellement que technologiquement.

ressources, des terres, du pouvoir, etc.) inhérentes à l'introduction de civilisations rivales dans un environnement fermé. Ces extraterrestres avancés n'auraient-ils pas pu trouver une meilleure méthode ou bien prenaient-ils plaisir aux guerres et aux conflits inévitables résultant de leurs « expériences » ?

Bien sûr, la théorie de l'homme amélioré génétiquement comporte ses propres difficultés, la plus sérieuse étant son conflit avec la théorie de l'évolution. L'évolution progressive de primates avancés peut être vue assez clairement dans les fossiles, rendant très apparente n'importe quelle introduction abrupte d'un « superprimate » dans le groupe ; et pourtant, aucun saut semblable n'a été identifié jusqu'à présent. En ce qui concerne la science, il semble que l'*Homo sapiens* a évolué naturellement à partir de primates avancés au cours de centaines de milliers d'années, rendant l'hypothèse d'une manipulation génétique purement spéculative et même inutile pour essayer de comprendre comment les hommes ont pu inventer la civilisation.

Par conséquent, jusqu'à ce qu'on ait des preuves qu'il y a eu des influences extérieures, il faut supposer que l'homme est très capable de créer des civilisations par lui-même, sans aide extérieure, et même que cette habileté lui est inhérente. La question n'est donc pas tellement de savoir *comment* cette habileté s'est manifestée, mais *quand*, et c'est là qu'intervient l'histoire de l'Atlantide.

CINQ

La montée et la chute – puis la montée encore – de la civilisation

La thèse de ce livre affirme que si la civilisation était capable d'émerger il y a sept mille ans, elle était pareillement capable de le faire il y a douze, trente, même soixante-dix mille ans, et ce avec autant de probabilité. En outre, je soutiens que pour qu'une mythologie de l'Atlantide – tout comme les nombreuses mythologies similaires de déluges racontées par la plupart des cultures – ait pu émerger et se maintenir, il faut qu'une telle civilisation soit apparue beaucoup plus tôt que ne le permet la science, mais il s'agissait de bien plus qu'un mélange de cités ou de communautés agricoles paléolithiques primitives. Une société primitive ou même un État de l'âge du bronze analogue à la Grèce ancienne ou à la Rome impériale n'aurait pas l'impact nécessaire pour entrer dans la mythologie ; pour que cela se soit produit, il fallait une société vraiment moderne, avancée et même globale – d'une certaine façon comparable à la nôtre.

Mais comment cela aurait-il pu se produire ? Même en supposant que des sociétés relativement avancées aient existé des dizaines de milliers d'années avant celles de la Mésopotamie, comment passe-t-on de cités primitives à une société globale moderne ? Pour y arriver, il faut quelque chose de plus. Il faut qu'en plus d'une révolution agricole, une révolution technologique soit survenue. C'est ici que les sceptiques ne suivent plus en général, car il semble que la technologie soit une innovation assez récente, du moins selon la sagesse contemporaine. Et donc, à moins de prouver que les hommes pouvaient développer des technologies avancées il y a des milliers d'années, mon hypothèse ne peut aller nulle part. Toutefois, avant de donner des arguments en faveur de l'existence d'une ancienne technologie avancée, il s'avère nécessaire de regarder ce qu'est la technologie, comment elle naît et pourquoi les hommes l'ont développée aujourd'hui jusqu'à des niveaux aussi extrêmes.

En un mot, la technologie n'est que la capacité de prendre les matières premières de la Terre et de les transformer de façon à les rendre utiles ; ainsi, la technologie a toujours existé d'une manière ou d'une autre depuis l'apparition de l'homme. Par exemple, dès les tout débuts, les chasseurs ont eu besoin de flèches et de lances pour chasser et pour se défendre, et donc il est apparu que certains membres de la tribu avaient le don de développer les outils nécessaires pour assurer la survie du clan.

Poussée par la nécessité d'avoir de meilleurs outils et armes sans lesquels survivre n'eût pas seulement été plus difficile mais presque impossible, la technologie est devenue une excroissance importante du besoin de survivre de l'humanité. Mais qu'est-ce qui a fait décoller la technologie de façon si foudroyante ces derniers siècles ? Dans les premières cultures, bien sûr, c'est la nécessité qui poussait les hommes, mais lorsque les besoins essentiels en technologie furent comblés, qu'est-ce qui a poussé l'humanité à raffiner ses outils de base pour produire la révolution industrielle des temps modernes ?

Il existe deux forces agissantes derrière la technologie, hormis la nécessité. La première est la défense de soi et la seconde est le profit. En ce qui concerne la première, la volonté élémentaire de se défendre et de protéger sa tribu et ses possessions poussa les gens à produire des armes de plus en plus efficaces. Ainsi, le gourdin fit place à la lance, l'arc et les flèches à l'arbalète, et finalement, le mousquet à la mitraillette. Ce n'est pas un hasard si les guerres sont souvent des périodes d'avancées technologiques importantes, car les nations s'efforcent alors de trouver de meilleurs moyens de se protéger des nations considérées comme ennemies.

L'autre motivation derrière les avancées technologiques, c'est le profit, lequel se voit lui-même poussé par le désir naturel de l'homme d'améliorer ses conditions de vie[22].

Si quelqu'un possède quelque chose que d'autres souhaitent avoir mais ne peuvent fabriquer eux-mêmes (et c'est là qu'intervient l'entrepreneur ou l'inventeur qui, apparemment, existe dans toutes les cultures), des avancées technologiques peuvent survenir rapidement, surtout si une concurrence pour la même clientèle oblige l'inventeur et le marchand à créer des produits toujours plus utiles et plus efficaces. Cela n'est pas uniquement fait pour s'enrichir, mais aussi pour conserver son gagne-pain, et le besoin de conserver son gagne-pain (qui, bien sûr, correspond à une forme subtile du besoin de survivre) constitue un puissant instinct. En d'autres mots, si la première technologie fut développée pour assurer la survie immédiate de l'espèce, la technologie qui suivit le fut afin de permettre aux individus d'améliorer leurs conditions de vie. Tout comme la civilisation est un effet secondaire de l'agriculture, la technologie avancée est un effet secondaire de la civilisation ; il s'agit en fait des deux faces de la même pièce.

Cependant, ce n'est pas assez d'avoir le besoin, le désir et l'habileté de produire une technologie avancée ; encore faut-il aussi disposer d'un environnement qui l'encourage ; l'habileté de l'inventeur à influencer la société d'une façon significative

22. La quête du profit peut également présenter un mauvais côté, toutefois, lorsqu'elle pousse à la conquête. Des armes conçues pour se défendre peuvent facilement servir à s'emparer de terres et de ressources voisines, par exemple, faisant ainsi naître un autre motif que de créer des avancées technologiques.

dépend largement de l'existence d'une économie de marché, sans laquelle l'avancée de la technologie, du moins certains de ses aspects, peut être coincée.

Le meilleur exemple de cela, sans doute, est l'ancienne Union soviétique. Cette superpuissance de niveau mondial attribuait une énorme quantité de ses ressources naturelles au développement d'armes militaires des plus sophistiquées, mais se montrait incapable de fabriquer une machine à laver convenable. Son économie socialiste et centralisée ne permettait pas aux individus de vendre des articles ménagers (puisque théoriquement, tout appartenait à l'État), de telle sorte que la motivation pour développer des biens de consommation et des technologies non militaires se révélait presque inexistante. Le résultat était un pays possédant une des forces militaires les plus modernes au monde et ayant même un programme spatial important, mais qui, en termes de technologie non militaire et de disponibilité des biens de consommation, équivalait pratiquement à un pays du tiers-monde. Sans la possibilité de faire des profits, le progrès technologique s'avère souvent moribond.

Par conséquent, n'importe quelle civilisation ayant une économie de marché relativement ouverte développera probablement des technologies avancées. Qui plus est, au fur et à mesure que ces technologies deviennent de plus en plus sophistiquées, la vitesse avec laquelle elles le font augmente exponentiellement. Plus le progrès est grand, plus il avance rapidement – un phénomène que l'on observe facilement dans notre propre histoire. Par exemple, il fallut cinq mille ans pour passer du chariot en bois à l'automobile, mais seulement soixante-quinze ans pour passer du premier avion à la navette spatiale. Les avancées technologiques commencent souvent lentement, mais elles prennent de la vitesse une fois le génie sorti de la bouteille.

Les preuves d'un ancien génie

Cependant, même si la technologie représente un effet secondaire de la civilisation, cela n'explique pas pourquoi cette dernière mit tant de temps pour parvenir au présent niveau de technologie. Après tout, la civilisation existe depuis des milliers d'années, mais l'invention du téléphone, de l'ampoule électrique ou de la télévision est apparemment assez récente. Donc, même si l'homme préhistorique était capable de mettre en place une civilisation voilà des dizaines de milliers d'années, pourquoi devrions-nous supposer qu'une telle civilisation puisse avoir été particulièrement avancée, du moins du point de vue technologique ?

Pour répondre à la question, il faut d'abord digresser un peu afin de démontrer que la croyance générale affirmant que la technologie constitue un fait récent, et que les premiers hommes n'étaient pas assez sophistiqués intellectuellement pour développer des machines, est tout simplement fausse. Il existe des preuves que les hommes du passé possédaient un degré de sophistication technologique étonnamment élevé des siècles avant l'avènement de la révolution industrielle, et on a même suggéré que les grandes inventions des derniers siècles n'étaient pas du tout des inventions, mais des réinventions de technologies disparues ayant existé il y a très longtemps avant d'être oubliées par l'Histoire. Bien que la science moderne ne soit pas très confortable avec ces curiosités archéologiques étant donné qu'elles contredisent l'orthodoxie contemporaine, elles n'en prouvent pas moins que les hommes d'il y a très longtemps étaient beaucoup plus capables que nous le croyons de produire une technologie avancée. Pour le prouver, deux exemples archéologiques parmi plusieurs devraient suffire.

La pile de Bagdad et l'ordinateur grec

En 1938, un archéologue autrichien, le Dr Wilhelm König, était en train de fouiller le sous-sol du musée archéologique de Bagdad lorsqu'il découvrit un objet inhabituel, un pot en argile haut d'une dizaine de centimètres, vieux de deux mille ans et contenant en son centre un cylindre de cuivre. Ne sachant quoi penser de cet objet au départ, le Dr König réalisa ensuite – ayant étudié l'ingénierie mécanique – qu'il s'agissait rien de moins que d'une pile électrique antique[23] ! On ignore quelle était son utilité (sans doute la galvanoplastie) et où les Parthes de Perse ont pu apprendre comment construire un tel objet, mais le fait que les principes de base de l'électricité étaient connus et apparemment utilisés par les ancêtres des Iraniens contemporains s'avère indéniable et tout aussi mystérieux aujourd'hui qu'en 1938.

Un autre exemple encore plus spectaculaire correspond à un remarquable appareil découvert par des pêcheurs d'éponges en 1900 près de la petite île grecque d'Antikythera. Fouillant le site d'une ancienne épave romaine, les pêcheurs rapportèrent à la surface, en plus de quelques statues de marbre et autres objets de valeur de l'époque de Jules César, un petit morceau de bronze corrodé contenant des roues dentées similaires à celles qu'on trouve dans les horloges. Puisque l'horloge mécanique n'a été inventée qu'au XVIe siècle, les archéologues se trouvèrent devant un mystère pendant plus d'un demi-siècle.

Mais dans les années 1970, un professeur de l'université de Yale, le Dr Derek de Solla Price, qui étudiait l'appareil d'Antikythera depuis vingt ans, le fit radiographier afin de voir les autres mécanismes se dissimulant sous sa couche extérieure recouverte de coraux. Après quelques recherches méticuleuses, il découvrit que cet artefact n'était rien de moins qu'un ordinateur céleste capable de calculer les mouvements annuels du Soleil et de la Lune avec une étonnante précision. Sa construction et sa précision étaient telles qu'un objet de cette nature aurait dû être impossible à fabriquer avant le début du XIXe siècle, et pourtant, il avait plus de deux mille ans, ce qui permit au Dr de Solla Price de démontrer que les hommes de l'Antiquité possédaient une sophistication mécanique et mathématique élevée, et ce, des milliers d'années avant ce que l'on avait cru.

---

23. Cela fut confirmé par la suite et des reproductions précises de l'appareil ont produit des charges électriques allant jusqu'à 1,5 volt.

Bien sûr, si les gens d'il y a deux mille ans se révélaient aptes à fabriquer des piles et des ordinateurs célestes remarquablement précis et sophistiqués, peut-on alors être si certains qu'ils en étaient incapables voilà vingt mille ans — ou même soixante mille ans.

Nous nous retrouvons donc à la case départ. S'il est impossible de prouver de manière convaincante que les premiers *Homo sapiens* étaient incapables de créer une civilisation beaucoup plus tôt que ne l'autorise la science moderne, disons des dizaines de milliers d'années plus tôt, il s'avère tout aussi impossible de prouver de manière convaincante qu'une telle civilisation n'aurait jamais pu produire une technologie aussi avancée que la nôtre. Pour le dire plus simplement, des hommes auraient pu développer des civilisations avancées durant ces derniers cent mille ans, car il n'existe aucune raison sérieuse de prétendre qu'ils n'auraient pas pu le faire. Cela ne prouve pas qu'ils l'aient fait, bien sûr, mais cela signifie que cette prémisse n'est pas impossible.

Clairement, le fait que des artefacts suggèrent précisément que cela se soit produit devrait à tout le moins inciter les gens raisonnables à considérer cette possibilité.

L'évolution de la civilisation

Afin d'étayer ma théorie, il est nécessaire d'examiner de plus près comment la civilisation et les technologies qui la définissent sont passées d'un niveau assez élémentaire de complexité à des niveaux de sophistication de plus en plus élevé. Pour cela, j'ai réalisé le tableau suivant, qui essaie de cataloguer de façon concise — et, dirons peut-être certaines personnes, un peu trop simplifiée — comment les civilisations et les technologies qu'elles produisent passent de stades primitifs et très simples à des stades de plus en plus avancés.

Tableau 5A. Les étapes du

NIVEAU TECHNOLOGIQUE / ÉQUIVALENT EN ÉPOQUE TERRESTRE	PRINCIPALES INVENTIONS / INNOVATIONS	SOPHISTICATION MÉDICALE ET SCIENTIFIQUE
ÉTAPE I Primitif Avant 3000 av. J.-C.	Feu, roue, langage, canot, métallurgie, poterie, outils en pierre.	Médicalement très simple et surtout, homéopathique. L'astrologie est la science la plus importante.
ÉTAPE II Primitif avancé 3000 av. J.-C. – 1400 apr. J.-C.	Agriculture, textiles, écriture, architecture, poudre à canon, cadran solaire, poulie et treuil, énergie éolienne.	Médicalement peu avancé et surtout, homéopathique. Développement de l'astronomie et des mathématiques.
ÉTAPE III Préindustriel 1400 – 1790 apr. J.-C.	Presse typographique, télescope, horloge, canon/mousquet, sextant, arc de guerre.	Première véritable science médicale. Début des sciences de la terre. Émergence du naturalisme.
ÉTAPE IV Industriel inférieur 1790 – 1880 apr. J.-C.	Énergie de la vapeur, locomotive, télégraphe, téléphone, carabine/cartouche, dynamite, photographie, microscope.	Apparition de la science médicale moderne, la théorie des germes est introduite. Les sciences de la terre sont plus matures. Le darwinisme est introduit.
ÉTAPE V Industriel supérieur 1880 – 1990 apr. J.-C.	MCI*/automobile, avion, électricité, radio, télévision, moteur à réaction, laser, fusée, énergie et armes nucléaires, ordinateurs.	La science médicale tourne de plus en plus autour de la technologie. Les sciences naturelles sont à leur apogée. Apparition de la physique quantique. Début de l'ère spatiale.
ÉTAPE VI Technologie Niveau 1 1990 – 2100 apr. J.-C.	Ordinateurs avancés, premiers robots, intelligence artificielle, énergies alternatives, eugénisme.	La science médicale est avant tout technologique. Les vols spatiaux interplanétaires sont courants. Apparition de la génétique et du clonage humain.
ÉTAPE VII Technologie Niveau 2 Env. 2100 - ? apr. J.-C.	Robots et androïdes avancés, voyages interstellaires, armes anti-planètes, technologie antigravitationnelle.	La science médicale est avant tout technologique. Les vols spatiaux interstellaires sont courants. L'homme vit jusqu'à plus de deux cents ans.
ÉTAPE VIII Technologie Niveau 3 ?	La technologie est intégrée au monde naturel. Capacité de manipuler la matière et l'énergie.	Technologique et homéopathique. L'homme vit jusqu'à plus de cinq cents ans. Les maladies n'existent plus. Les capacités extrasensorielles sont courantes.

* Moteur à combustion interne (inclut le moteur diesel).

progrès technologique

CROYANCES RELIGIEUSES ET TYPES DE GOUVERNEMENT PRINCIPAUX	PDE *	PDH**
Clans de chasseurs-cueilleurs dirigés par des chefs de tribus et des vieillards. Dieux tribaux/animisme.	BAS	BAS
États militaristes dirigés par des rois guerriers. Plusieurs croyances religieuses font leur apparition.	BAS	BAS
Empires coloniaux dirigés par des monarques multigénérationnels. Le monothéisme devient le principal système de croyances.	BAS MOYEN	BAS
Majorité de régimes autoritaires et quelques démocraties. Monothéisme à l'Ouest et polythéisme à l'Est.	MOYEN	BAS MOYEN
La plupart des régimes autoritaires deviennent des démocraties. Premières tentatives d'intégrer diverses traditions religieuses.	ÉLEVÉ	ÉLEVÉ
On s'achemine vers un gouvernement mondial unique. La spiritualité et des systèmes de croyances « alternatifs » dominent.	EXTRÊME	EXTRÊME
Gouvernement mondial unique. La spiritualité et des systèmes de croyances « alternatifs » dominent.	EXTRÊME	EXTRÊME
Il n'y a plus de gouvernement, car la société est spirituellement sophistiquée. Monde utopique.	BAS	BAS

* PDE = Potentiel de destruction — environnemental
** PDH = Potentiel de destruction — humain et culturel

Pour être clair, j'ai divisé ce processus en huit étapes différentes, et pour chacune, j'ai noté les plus importantes inventions, le niveau de sophistication médicale et scientifique, le type de gouvernement et de croyances religieuses les plus courants, ainsi que le potentiel d'autodestruction et de dégradation de l'environnement[24]. Certaines de ces étapes sont nécessairement arbitraires, bien sûr – il y a une différence considérable entre les technologies du début et de la fin du XIXe siècle, par exemple –, mais elles représentent une progression générale des standards technologiques.

J'ai aussi indiqué approximativement où chaque étape se situe en relation avec l'histoire de la Terre, uniquement pour servir de cadre. Évidemment, les dates que j'ai choisies pour chaque étape sont un peu arbitraires, mais elles sont suffisamment justes pour nos besoins. Il faut noter également que ces étapes mentionnent la plus grande avancée d'une technologie particulière et ne s'appliquent pas toujours à toutes les sociétés. Par exemple, certaines nations industrielles avancées se trouvent présentement à l'étape six, alors que d'autres, moins industrialisées, en sont encore à l'étape cinq (et certaines nations en développement ou du tiers-monde ne sont même pas encore à cette étape). Qui plus est, dans certains endroits reculés de la planète, il y a des cultures primitives – celles qu'on dit souvent être à l'âge de pierre – qui sont toujours à l'étape un (bien qu'elles se fassent de plus en plus rares au fur et à mesure que la civilisation s'infiltre dans tous les coins du monde). Par conséquent, il faut comprendre que ces étapes s'appliquent uniquement aux cultures les plus avancées d'une période donnée et non pas à toutes les cultures de la planète.

En ce qui concerne les inventions que j'ai répertoriées pour chaque étape, elles ne représentent qu'un échantillon des plus importantes inventions de la période ; il ne s'agit pas du tout d'une liste exhaustive. Remarquez aussi que certaines des dates séparant les étapes sont inhabituelles. Par exemple, l'année 1990 sépare les étapes cinq et six, ce qui surprendra peut-être

24. Je reconnais qu'il pourrait facilement y avoir plus de huit étapes, mais j'ignore complètement comment pourraient fonctionner des niveaux très avancés, de sorte que j'ai limité le nombre d'étapes dans mon tableau à huit.

certaines personnes s'attendant à voir 1945, année de l'invention de la bombe atomique, comme date charnière. Mais 1990 est l'année, grosso modo, où l'ordinateur personnel est vraiment devenu pratique, abordable et un pilier de la technologie, où Internet révolutionna la manière de communiquer et où le communisme s'effondra en Europe de l'Est et en Russie. Puisque ces trois événements ont eu sur la société un effet beaucoup plus important que l'introduction de l'énergie atomique (qui n'a qu'un effet assez limité sur la vie quotidienne), j'ai choisi 1990 plutôt que la date traditionnelle. De plus, puisque — selon mon tableau — nous sommes présentement au début de l'étape six, une grande part des inventions, des avancées médicales et scientifiques ainsi que des institutions religieuses et gouvernementales que j'ai notées pour les deux étapes suivantes sont évidemment spéculatives. Il ne s'agit que de suppositions basées sur mon instinct et mon imagination.

En outre, on pourrait se demander pourquoi j'ai inclus une colonne sur les institutions gouvernementales et les croyances religieuses si le but de l'exercice consiste à démontrer la progression de la technologie. Je l'ai fait pour illustrer comment les croyances morales et spirituelles d'un peuple influencent la forme de son gouvernement et, par extension, sa technologie. Par exemple, les peuples à l'étape deux vénèrent fréquemment de puissantes divinités tribales, et par conséquent, ils sont habituellement dirigés par des rois guerriers qui décident des besoins en technologie de leur peuple. En général, plus une société manifeste des croyances spirituelles sophistiquées, plus son gouvernement est éclairé, et plus l'impact sur sa technologie est grand.

Aussi, bien que des sociétés militaristes aient déjà démontré un progrès technologique très important en relativement peu de temps (comme la Rome impériale ou l'Allemagne nazie dans les années 1930 et 1940), ce développement rapide se limite généralement aux technologies qui peuvent avoir une utilité militaire. Je définis le progrès technologique sur une échelle beaucoup plus grande, en supposant que les régimes démocratiques progressistes connaissent un progrès technologique plus grand que les régimes autoritaires. Effectivement, la technologie d'une société est souvent le reflet de son degré de sophistication spirituelle, et vice versa.

Finalement, j'ai noté des potentiels de destruction, à la fois pour l'environnement et la société, qui démontrent que le danger augmente à mesure que la technologie progresse. Même si tout cela sert surtout à illustrer un point qui sera évident plus loin dans ce livre, les niveaux de potentiels sont là pour jauger à quel point chaque étape peut détruire l'environnement et la société elle-même (les espaces gris représentent ces niveaux). Remarquez également que l'étape huit, tout en étant la plus avancée technologiquement, affiche un potentiel de destruction bas. C'est que je suppose que pour atteindre un tel niveau de technologie, une civilisation doit être suffisamment avancée moralement et spirituellement pour avoir résolu les tensions naturelles existant entre la technologie et la nature. En d'autres mots, j'émets l'hypothèse qu'une société capable de gérer un si haut niveau de technologie serait assez mature pour ne pas se détruire, de telle sorte qu'elle ne poserait aucun danger à la civilisation ou à l'environnement.

L'avènement de la civilisation — Les points de vue traditionnel et conceptuel

Pour résumer la thèse centrale de mon argument, le prochain tableau montre comment la science et les historiens présument que la civilisation a évolué depuis cent mille ans.

Tableau 5B. Évolution de la civilisation et de la technologie. Point de vue traditionnel.

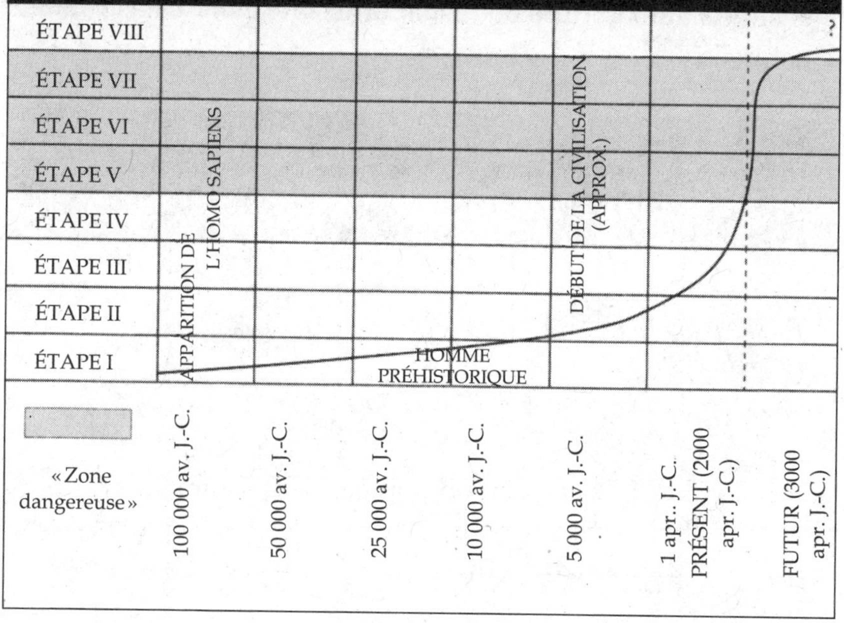

ÉTAPE VIII
ÉTAPE VII
ÉTAPE VI
ÉTAPE V
ÉTAPE IV
ÉTAPE III
ÉTAPE II
ÉTAPE I

APPARITION DE L'HOMO SAPIENS
HOMME PRÉHISTORIQUE
DÉBUT DE LA CIVILISATION (APPROX.)
?

« Zone dangereuse »

100 000 av. J.-C.
50 000 av. J.-C.
25 000 av. J.-C.
10 000 av. J.-C.
5 000 av. J.-C.
1 apr.. J.-C.
PRÉSENT (2000 apr. J.-C.)
FUTUR (3000 apr. J.-C.)

Comme vous pouvez le voir, l'histoire de la civilisation fut essentiellement une ligne droite qui resta à l'étape un jusqu'à une époque relativement récente. Une fois que l'étape deux fut atteinte il y a environ cinq mille ans, par contre, la ligne du progrès s'éleva dramatiquement et rapidement jusqu'à ce qu'elle atteigne le niveau présent. Pour l'avenir, j'ai supposé qu'elle allait continuer à s'élever jusqu'à ce que presque toutes les technologies imaginables aient été inventées, avant de se stabiliser à l'étape huit, l'étape utopique. Bien sûr, il existe de petites fluctuations à l'intérieur de chaque étape de développement quand les sociétés perdent du terrain — comme cela est survenu durant le Moyen Âge —, des fluctuations que le tableau ne peut pas afficher, étant trop petit, mais en général, le progrès fut continuel, assez récent et dirigé vers le haut.

Le prochain tableau montre de quoi aurait l'air la même évolution si la civilisation était cyclique — c'est-à-dire si la civilisation était apparue plusieurs fois au cours de l'histoire, pour ensuite s'autodétruire ou disparaître suite à une catastrophe naturelle.

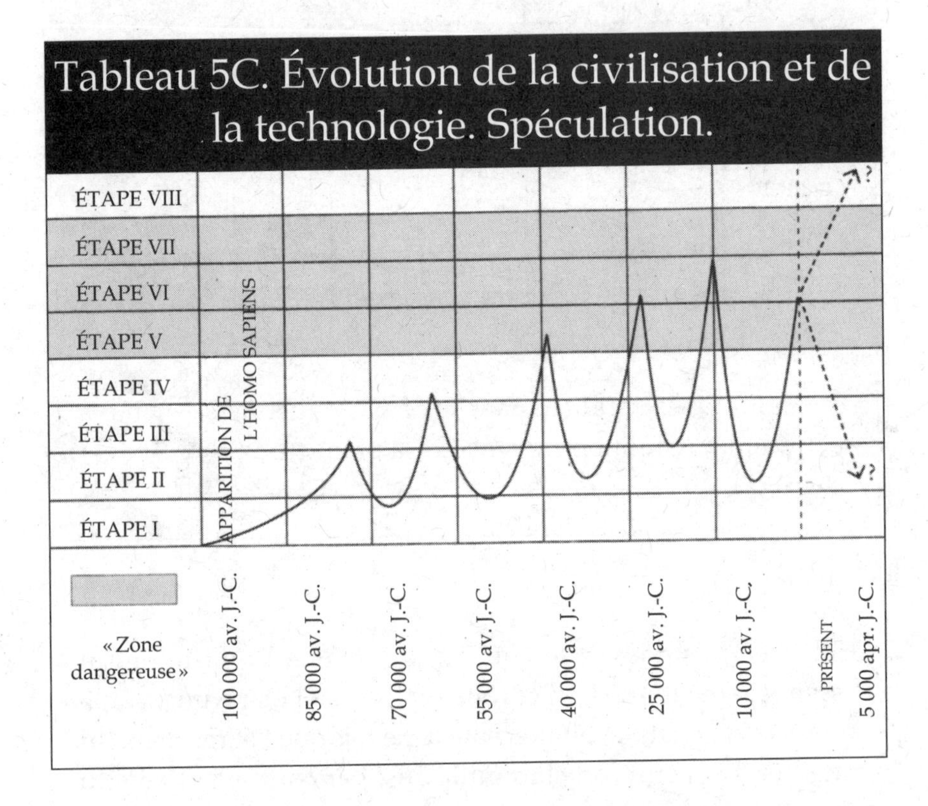

Ce tableau illustre ce qui arriverait chaque fois que la technologie atteindrait la zone dangereuse et que la civilisation serait détruite, rejetant les survivants aux étapes primitives, où ils se verraient obligés de repartir à zéro. Dans certains cas, c'est la mauvaise gestion de la technologie elle-même qui provoqua la miniextinction; dans d'autres, cette dernière put être le résultat d'un désastre naturel important, comme la collision avec un astéroïde ou une énorme éruption volcanique, contre lequel la technologie existante ne put rien faire. Par exemple, un astéroïde d'environ quinze kilomètres de diamètre qui frapperait la Terre à l'étape cinq ou plus tôt détruirait la civilisation, alors qu'aux étapes six et supérieures, la société disposerait peut-être d'une technologie capable de détecter et de détourner l'astéroïde avant qu'il ne frappe la planète, ou qui lui permettrait de survivre aux effets de la collision. Qui plus est, du moins au début, les cultures technologiquement avancées seraient peut-être plutôt isolées et conséquemment, survivre à un désastre important se révélerait plus difficile, alors que plus tard, les cultures avancées seraient plus internationales et donc, survivre à une collision serait plus facile, à condition qu'il ne s'agisse pas d'un coup mortel. La période s'avère donc importante, surtout en ce qui concerne les désastres naturels.

Je réalise que le tableau est largement conjectural, mais il démontre bien comment des civilisations ont pu apparaître et disparaître assez régulièrement au cours des derniers cent mille ans, chaque civilisation croyant être la première à parvenir à un haut niveau de sophistication. Passer de l'étape cinq ou six à l'étape un ou deux effacerait presque complètement une civilisation de la mémoire collective et les descendants de la société détruite croiraient que cette civilisation n'aurait jamais existé. Chaque civilisation posséderait ses propres mythes sur une ancienne culture avancée – sa propre Atlantide –, mais chacune ignorerait n'être que le dernier pic dans l'évolution de la civilisation, comme notre société l'est aujourd'hui.

J'admets que l'idée que des civilisations soient apparues pour ensuite disparaître plusieurs fois depuis cent mille ans est peut-être tirée par les cheveux, mais ce n'est pas plus remarquable que le fait que la civilisation soit apparue en soi. En d'autres mots, le fait que l'humanité ait appris à fabriquer toutes sortes de choses, du sous-marin nucléaire au lecteur de DVD, au cours des derniers cinq mille ans, est-il plus remarquable que l'idée qu'elle l'a peut-être déjà fait une demi-douzaine de fois auparavant ? De ce point de vue, il n'existe aucune objection logique contre le concept que plusieurs civilisations avancées ont peut-être déjà existé ; ce n'est que le manque de preuves démontrant l'existence de ces époques technologiques du passé qui nous font supposer qu'elles n'ont pas pu exister. Au bout du compte, qu'une civilisation préhistorique ait existé ou non est encore une question d'opinion plutôt qu'un fait scientifique démontré.

Le paradoxe de la civilisation

Ces tableaux et les idées qu'elles représentent reposent peut-être beaucoup trop sur de la spéculation pour être utilisés par des érudits, mais ils nous obligent en tout cas à reconsidérer ce que nous connaissons vraiment de notre lointain passé, ainsi que notre certitude d'être la première société à avoir atteint le présent niveau d'expertise technologique. De nombreux siècles nous sont totalement inconnus et le peu que nous savons du passé se trouve rempli de mystères ; nous n'avons que quelques outils de pierre grossiers et une mer de suppositions pour remplir les larges brèches de nos connaissances.

Bien sûr, la science a peut-être raison sur tout cela. Peut-être que notre civilisation est réellement la première à avoir atteint un tel progrès, comme les savants le prétendent. Mais si c'est vrai, qu'est-ce qui a changé les données et rendu la civilisation soudainement *possible* alors qu'elle avait été si obstinément *impossible* depuis des générations et des générations ? Y a-t-il autre chose à l'histoire de l'*Homo sapiens*, plus que nous pouvons l'imaginer, et si c'est le cas, qu'est-ce que cette histoire peut avoir à nous dire aujourd'hui ?

Et c'est là que réside tout l'attrait de l'Atlantide. Il ne s'agit pas seulement d'une curieuse histoire racontée il y a très longtemps par un homme dont les os sont en poussière aujourd'hui, mais d'une métaphore de notre passé et, ironiquement, de notre avenir aussi. Je crois que c'est pour cela que nous cherchons toujours le continent perdu de l'Atlantide — parce qu'en le trouvant, nous nous trouverons nous-mêmes.

SIX

Un ancien empire

Si nous pouvons accepter la prémisse qu'il est au moins théoriquement possible que des civilisations anciennes avancées aient existé, il est normal de se demander à quoi l'une de ces civilisations aurait pu ressembler. Quelles en seraient l'apparence, la sensation et même l'odeur ? Si un tel monde a existé, quelles étaient ses traditions, ses coutumes, et à quel point était-il avancé, du moins par rapport à nous ? Par exemple, connaissait-il l'énergie nucléaire, possédait-il des vaisseaux spatiaux habités ? Quelles étaient ses croyances religieuses et son système de gouvernement ? Avait-il des colonies pénitentiaires, des esclaves, la peine de mort ?

Je soupçonne qu'il s'agit d'un bon endroit pour laisser aller notre imagination, car nous allons maintenant essayer de nous faire une image plausible du continent perdu de Platon. Par bonheur, nous disposons de quelques lignes directrices. Nous parlons encore de l'*Homo sapiens* ici, une espèce de mammifère dont nous connaissons bien certaines choses. Et par conséquent, il devrait être possible, en examinant notre propre civilisation et en comprenant comment elle a progressé dans l'histoire, d'avancer des hypothèses sur la manière dont une ancienne civilisation aurait pu fonctionner. Les civilisations, après tout, sont comme les glands d'un chêne ; elles apparaissent peut-être indépendamment les unes des autres à travers l'histoire, mais elles naissent toutes à partir d'une graine identique, ce qui nous permet de supposer qu'elles commencent probablement toutes de la même façon et qu'elles connaissent un développement similaire.

Les détails du développement de chaque culture peuvent varier, bien sûr, et certains éléments du processus seront très importants dans une société particulière et presque inconnus dans une autre, mais quand même, il y aura toujours une grande similitude entre eux. Par exemple, une société insulaire dépendant pour une grande part de la pêche pour sa survie peut avoir un développement très différent de celui d'une région sans débouché sur la mer et particulièrement propice à l'agriculture. Mais même si une société peut accentuer le développement d'une technologie, aucune ne serait sans armes ou sans outils agricoles. Chacune jouirait de tous les instruments d'une civilisation ; elles ne donneraient tout simplement pas la priorité au développement de la même technologie. Avec cela en tête, donc, et en considérant les besoins et les limitations uniques des anciens Atlantes, il devient possible d'imaginer avec assez de justesse ce à quoi ressemblait leur monde.

La visite d'un endroit très ancien et très familier

La première erreur que font les atlantophiles quand il s'agit de se représenter l'apparence du continent perdu consiste à laisser Platon en brosser une image avec son pinceau vieux de deux mille quatre cents ans. Le tableau qui vient le plus souvent à l'esprit est alors celui d'une ville immaculée, élégante et très belle ressemblant assez à ce que nous imaginons qu'Athènes devait être au sommet de sa gloire, avec ses pittoresques rangées de colonnes en marbre, ses palais finement travaillés et ses temples magnifiques placés autour de routes merveilleusement conçues, pavées et en spirale. Avec un peu d'effort, nous pouvons même apercevoir des chariots dorés faisant la course sur de larges avenues bordées d'arbres, en chemin pour le sénat impérial, et faisant attention à ne pas renverser l'une des milliers de magnifiques statues en pierre et en laiton qui bordent le boulevard principal de la cité.

Même si cette description d'une société avancée avait pu avoir du sens pour un homme qui vivait il y a plus de deux mille ans, elle ne fonctionne plus du tout aujourd'hui. La description de Platon, bien que fascinante et ingénieuse, ne doit pas être prise au sens littéral. Platon nous fournissait une description très stylisée et romancée d'une chose trop magnifique pour que même lui puisse l'imaginer, mais en tentant de décrire ce monde, il n'avait que le vocabulaire de 360 av. J.-C., de sorte qu'il a réduit la grandeur d'une civilisation moderne à des symboles que ses lecteurs pouvaient comprendre. Par conséquent, des automobiles modernes sont devenues des chariots et les armes monstrueuses de la guerre moderne furent réduites à des épées, à des boucliers et à des armures en argent. Je ne dis pas que Platon comprenait vraiment à quel point l'Atlantide avait été une civilisation avancée ; en fait, je suis certain que la vérité sur le sujet ne s'est jamais rendue jusqu'à son époque, les détails s'étant perdus dans le temps à cause de l'ignorance et de la superstition, ce qui l'a amené à utiliser non pas la vérité littérale, mais la vérité métaphorique sous un décor du IVe siècle av. J.-C. pour décrire l'endroit.

En conséquence, pour voir ce à quoi une civilisation avancée avait *vraiment* l'air, il nous faudra repousser la description de Platon et employer un pinceau plus récent pour peindre notre image. Plutôt que des palais en marbre et des citoyens en toge paressant au soleil, il faut voir une société résolument moderne, avec des avions à réaction, des centrales nucléaires, des automobiles, des autoroutes, des téléphones, des télévisions, des dîners surgelés et des tours en acier et en verre. En d'autres termes, il faut prendre le monde que nous connaissons aujourd'hui et le placer dans un passé lointain, préhistorique.

Puisque ce livre encourage la spéculation, laissons aller notre imagination pour un moment et considérons cette civilisation plus en détails. Notre imagination, cependant, doit être tempérée par le bon sens et dirigée par ce que nous savons sur l'humanité contemporaine, mais avec un petit effort, il ne sera pas difficile de se faire une idée assez réaliste de ce monde fantastique de l'Antiquité. J'avoue que c'est difficile à faire, mais si on admet que les Atlantes ont atteint un degré de technologie suffisant pour s'autodétruire (étape cinq ou plus), il faut apprendre à imaginer l'Atlantide comme une sorte de monde contemporain équivalent au nôtre de plusieurs façons. En fait, il faut absolument le faire ; sinon, il n'y a pas moyen de comprendre ce qui a provoqué sa chute.

L'Atlantide : une société mondiale ?

Premièrement, on imagine d'habitude l'Atlantide comme étant une grosse île ou un continent, ce qui est naturel, puisque c'est ainsi que la décrit Platon. Mais si les dialogues de Platon correspondent à la description stylisée d'un monde moderne réduit au langage de l'Antiquité, l'Atlantide a dû exister bien au-delà des limites d'un seul endroit géographique. Si une telle civilisation a réellement existé, elle n'a pu qu'être internationale.

Remarquablement, j'ai rencontré peu d'atlantophiles prêts à considérer une telle idée. Bien que la plupart d'entre eux acceptent que de petites colonies puissent être répandues un peu partout sur Terre, on croit encore que l'Atlantide était un phénomène régional, précisément comme le suggère Platon.

Cette notion persiste pour deux raisons : premièrement, modifier les écrits de Platon afin qu'ils puissent signifier autre chose remet en question la véracité de toute l'histoire, et puisque les mots de Platon sont sacro-saints pour la majorité des atlantophiles, y voir plus que ce qui est vraiment écrit est considéré comme présomptueux et, pour une étrange raison, presque une insulte à l'authenticité de l'homme. Pour plusieurs, il semble que toucher aux textes de Platon équivaut à revoir la Bible, avec toutes les répercussions émotionnelles que cela implique.

La seconde raison pour limiter l'Atlantide à un seul endroit géographique, toutefois, est la simple nécessité. La plupart des gens réalisent qu'une civilisation mondiale serait très difficile à détruire en une nuit et un jour, même dans des conditions extraordinaires, de sorte que la confiner à un seul endroit permet d'expliquer plus facilement sa disparition soudaine. Une île, même une île assez grande, peut être beaucoup plus aisément annihilée par un tremblement de terre, une inondation ou un volcan qu'une civilisation mondiale, ce qui rend sa destruction plus facile à imaginer. Nous verrons dans le chapitre suivant comment une destruction globale est possible, mais pour l'instant, contentons-nous d'admettre que tant que l'Atlantide demeurera un empire insulaire comme la décrit Platon, elle n'a rien à nous apprendre. Mais si nous acceptons que l'Atlantide correspondait à une culture très semblable à la nôtre, il faut comprendre qu'elle ne pouvait pas rester confinée à un seul endroit géographique. Si elle était aussi avancée que la nôtre, elle devait être mondiale et assez cosmopolite, des Atlantes vivant sur presque tous les continents.

Bien qu'a priori, une telle prémisse puisse paraître un peu trop fantastique, il s'agit de quelque chose que nous pouvons déduire assez facilement en regardant simplement notre propre histoire. Les êtres humains ont toujours été naturellement des explorateurs et des expansionnistes, et il semble donc improbable que l'humanité puisse atteindre l'étape deux de la civilisation sans tester ses frontières et s'étendre au-delà de ses côtes. Il est dans notre nature d'être curieux du monde qui nous entoure et de vouloir se l'approprier. Lorsque les Atlantes atteignirent l'étape quatre, ils devaient déjà former une civilisation mondiale depuis plusieurs siècles, possédant des villes un peu partout sur Terre. En effet, l'Atlantide existait avec les mêmes biens immobiliers que notre civilisation actuelle.

Néanmoins, l'étendue de cette civilisation n'était pas la même que la nôtre, car le monde était très différent voilà douze mille ans, tant au point de vue géographique que climatique. Par conséquent, une société mondiale durant une période glaciaire ne pouvait pas être aussi étendue que la nôtre. Nous vivons à l'époque la plus chaude de l'histoire humaine, le niveau des océans étant beaucoup plus bas et les climats tempérés s'étendant beaucoup plus au nord qu'au plus fort de la dernière période glaciaire, ce qui permet à des populations importantes de vivre sur pratiquement tous les continents. L'Atlantide, quant à elle, avait un champ d'action beaucoup plus restreint. Puisqu'une grande partie de l'Europe et de l'Amérique du Nord était inhabitable à cause des calottes de glace qui les recouvraient, et que la Patagonie et l'Australie souffraient d'un climat anormalement froid, il aurait été difficile à des centres de civilisation de se maintenir hors de la « zone tempérée » décrite au chapitre trois. Sans aucun doute, de petits avant-postes, ou même des villes moyennes, auraient pu survivre (tout comme les villes qu'on trouve aujourd'hui en Sibérie, en Alaska et dans les Territoires du Nord-Ouest canadiens), mais elles auraient dépendu énormément de leurs cousins plus au sud. En conséquence, on ne doit pas trop s'arrêter sur la possibilité d'avant-postes importants ayant existé loin du tropique du Cancer ou de celui du Capricorne ; ce n'était tout simplement pas possible à ce moment-là.

Le monde atlante

Ayant établi les paramètres de notre empire mondial, il suffit maintenant, pour imaginer de quoi l'Atlantide avait l'air, de regarder attentivement le monde qui nous entoure ; ce faisant, nous verrons que nous sommes plus proches de nos ancêtres atlantes que nous ne l'avons jamais imaginé.

On ne peut que deviner ce à quoi la société ressemblait dans cette civilisation mondiale, mais il est aisé de supposer que la vie au jour le jour en Atlantide devait être aussi variée qu'elle l'est actuellement. On devait y voir le bon comme le mauvais, le beau et le laid, le juste et l'injuste juxtaposés dans une vibrante mosaïque de couleurs et de cultures (tout comme notre société apparaîtrait aux gens de l'Antiquité si on pouvait changer de place). Cela devait être un monde aussi divers et dynamique que le nôtre, avec des avions supersoniques côtoyant les occasionnelles charrettes tirées par des bœufs, et des gratte-ciel élancés dominant des baraques en tôle. Les riches et les puissants avaient leurs palaces, et les pauvres leurs cabanes et leurs immeubles, le reste du monde vivant à un niveau situé entre ces deux extrêmes. En d'autres mots, ce monde ne devait pas être très différent du nôtre et une technologie fabuleuse devait exister côte à côte avec un manque primitif de technologie, d'une manière considérée même aujourd'hui comme la norme.

Il devait y avoir de grandes villes reliées entre elles par des liens aériens, maritimes, routiers et ferroviaires, rendant les voyages aisés et presque sans limite, tout comme de nos jours. On devait retrouver des fermes et des usines, de petites villes et d'immenses métropoles, des régions reculées et presque inhabitées ainsi que des villes avec des densités de population égales à celles de Calcutta, Hong Kong, Tokyo ou Mexico. Sans aucun doute, il y avait des régions vastes et éloignées recouvertes de forêts tropicales ou de déserts, et peuplées de races primitives, tout comme on en trouve aujourd'hui dans les coins les plus reculés de la planète, mais la plupart des gens devaient vivre dans les villes, être éduqués et dépendre de la technologie.

Par conséquent, à l'exception de masses terrestres existant là où, actuellement, on ne trouve que de l'eau, et d'une langue inconnue, l'Atlantide ressemblait énormément à notre monde. En fait, un visiteur d'aujourd'hui ne la verrait probablement pas comme étant bizarre ou étrangère ; il aurait plutôt l'impression d'être dans un pays étranger, avec une architecture différente mais familière, fonctionnelle et semblable à la nôtre, avec des automobiles, des avions et des trains similaires à ceux d'aujourd'hui et avec des gens habillés presque comme nous. Peut-être que l'endroit paraîtrait un peu inhabituel – comme pour un Américain du Midwest visitant l'Europe de l'Est pour la première fois –, mais pas complètement étranger.

Ethnicité et population

En termes de races, il est impossible de savoir quelles espèces d'*Homo sapiens* prédominaient. Les anthropologues commencent à peine à comprendre comment diverses races se sont déplacées sur les continents il y a des milliers d'années ; par conséquent, il est impossible de savoir avec certitude quelles races[25] formaient le gros des civilisations préhistoriques. Néanmoins, on peut faire quelques suppositions.

Une évidence semble s'imposer : puisque l'Atlantide se situait dans la zone tempérée du Pacifique et de l'océan Indien, on peut supposer que l'endroit était principalement asiatique, et donc que les gens d'origine orientale (c'est-à-dire mongole) formaient la race prédominante. Qui plus est, puisque les Amérindiens descendent physiologiquement des Mongols, il est raisonnable de supposer que l'Amérique du Nord et du Sud étaient surtout peuplées d'Orientaux également. L'hypothèse selon laquelle les descendants des Amérindiens sont arrivés par le pont terrestre du détroit de Béring n'est que cela, une hypothèse. Si une civilisation ancienne a existé avant l'époque où on suppose que les premiers Asiatiques ont traversé le détroit de Béring, il est raisonnable d'imaginer que les Amérindiens descendent d'Orientaux qui vivaient en Amérique depuis des siècles, et non pas en tant que chasseurs migrateurs primitifs comme on le croit généralement, mais en tant que citoyens de l'Atlantide[26].

25. Bien sûr, il a été démontré qu'il n'existe pas réellement de races parmi les êtres humains, selon la définition scientifique du terme. Mais pour les besoins de ce livre, je vais conserver ce terme traditionnel pour différencier les multiples « espèces » d'*Homo sapiens*.

26. Je n'affirme pas que des nomades asiatiques n'ont pas non plus traversé le détroit de Béring ou qu'ils ne sont pas les descendants des Amérindiens ; je dis seulement qu'ils n'ont peut-être pas été les premiers Asiatiques dans l'hémisphère Ouest, mais un ajout relativement récent.

Qui plus est, comme il n'y avait pas d'autres races en Amérique lorsqu'elle fut découverte par les Européens il y a cinq siècles, on peut supposer que non seulement les Orientaux formaient la majorité de la population il y a douze mille ans, mais qu'ils constituaient également la race prédominante sur la planète. Les Orientaux, donc, devaient être considérés comme la norme pour l'*Homo sapiens*, puisqu'ils représentaient la majorité de la population. Bien sûr, on retrouvait d'autres races sur la planète ; les Sémites (comme ceux du Moyen-Orient aujourd'hui) formaient peut-être un grand pourcentage de la population et une grande population d'Africains devait exister elle aussi. Puisque l'Europe était un continent secondaire à l'époque, il est même possible que les Européens à peaux claires, peut-être confinés aux climats plus froids de l'Europe et du nord de l'Asie, n'aient été considérés que comme une race très minoritaire.

Le nombre d'habitants que comptait la Terre au sommet de l'ère atlante s'avère difficile à évaluer. Les estimations des anthropologues sont généralement basses, environ quelques millions ou au plus quelques dizaines de millions d'être humains vivant sur Terre voilà douze millénaires, mais ces chiffres sont basés sur l'hypothèse que les hommes étaient des chasseurs-cueilleurs primitifs jusqu'à il y a quelques milliers d'années, avec un taux de mortalité infantile très élevé et une durée de vie très courte.

Mais si la civilisation est apparue il y a longtemps, la population a pu atteindre rapidement plusieurs centaines de millions d'individus grâce à l'agriculture et à l'apparition de grandes villes, tout comme cela s'est produit récemment dans notre propre histoire. Et une fois que la civilisation atteignit l'étape quatre, les sciences médicales se trouvèrent bien développées et la population, moins vulnérable désormais aux maladies et autres dangers, a dû augmenter exponentiellement tout comme dans les temps modernes, jusqu'à atteindre peut-être plusieurs milliards de personnes.

Bien que l'idée que des milliards de personnes aient existé voilà seulement douze mille ans puisse sembler fantastique, il suffit de prendre en considération que pratiquement la moitié de la population actuelle vit sur le sous-continent indien et dans l'est de l'Asie. Par conséquent, si on accepte que l'Atlantide était une vaste zone tempérée s'étalant du Maroc à l'Australie, elle devait être plus que capable de faire vivre presque autant de milliards de personnes qu'elle ne le fait aujourd'hui.

Parler atlante

Quelles langues parlaient les Atlantes est évidemment une affaire de pure spéculation. Si on se fie au monde moderne, cependant, on peut supposer que des milliers de dialectes existaient en Atlantide. Certains, comme aujourd'hui, devaient être parlés par seulement quelques centaines de personnes, tandis qu'une demi-douzaine de langues devaient servir aux deux tiers de la planète. Une ou deux de ces langues, comme l'anglais, l'espagnol ou le français actuellement, devaient être internationales (surtout à l'étape cinq et par la suite), servant de base à la plupart des transactions culturelles, financières et industrielles – une éventualité qui fut le résultat naturel de l'évolution culturelle, au fur et à mesure qu'une technologie de plus en plus sophistiquée et que les moyens de télécommunication réduisaient le monde à une taille de plus en plus facile à gérer.

Malgré tout cela, néanmoins, d'importantes barrières culturelles divisaient la population de la planète, laquelle formait peut-être des camps hostiles et méfiants, sentiments exacerbés par l'absence d'une langue unique les réunissant. À quel point cela a-t-il contribué à leur chute n'est pas clair, mais l'impossibilité de communiquer avec son adversaire mène toujours à la catastrophe.

Comment sonnaient les langues de l'Atlantide ou comment fonctionnaient les différents alphabets, voilà des détails impossibles à savoir, bien sûr, mais puisque les langues sont construites suivant une certaine logique, on peut parier qu'elles n'étaient pas très différentes des nôtres. D'un autre côté, certaines de leurs langues étaient peut-être vraiment exotiques et incompréhensibles, tout comme l'étaient les hiéroglyphes avant la découverte en 1799 de la pierre de Rosette, qui permit de traduire les anciens pictogrammes. Ce n'est pas tiré par les cheveux non plus d'imaginer que certaines de ces langues et certains de ces alphabets ont survécu, du moins en partie, pour ensuite servir de base à plusieurs des plus anciennes langues connues sur Terre aujourd'hui. Certainement, puisque certains Atlantes ont survécu à leur destruction, permettant à la civilisation de continuer, il est raisonnable d'imaginer que certaines langues indigènes survécurent et servirent à échafauder quelques langues modernes[27].

L'art, la science et la religion atlantes

En ce qui concerne les arts et la science, on peut supposer qu'ils étaient très avancés. D'ailleurs, il est fort possible que dans ce domaine, l'Atlantide nous ait de beaucoup dépassé, particulièrement en médecine, dans les sciences de la terre et dans le développement aérospatial. Par exemple, les anciens textes sanscrits de l'Inde parlent d'anciennes machines volantes appelées *vimana*, qui ne semblent être rien d'autre que des avions très développés. De plus, les textes védiques décrivent même des batailles ayant eu lieu autour de la Lune et des vaisseaux spatiaux capables d'effectuer des vols interplanétaires !

On ignore aussi ce qu'étaient les croyances religieuses et spirituelles de l'Atlantide, mais en se servant de notre monde comme guide, on peut supposer qu'il y avait différentes pratiques et croyances religieuses tout comme aujourd'hui, du polythéisme oriental au monothéisme occidental, de même que quelques religions tribales simples, de nombreuses traditions mystiques et même un puissant lobby athée pour faire bonne mesure. Tout comme dans notre monde, trois ou quatre croyances devaient prédominer et une demi-douzaine de

27. Cette idée n'est pas aussi fantastique qu'elle semble l'être, car les plus anciennes langues que nous avons découvertes paraissent être pleinement formées et complètes dès le départ, ce qui laisse suggérer l'existence d'une langue source beaucoup plus ancienne et sophistiquée. Est-il possible, donc, que les racines des plus vieilles de nos langues soient beaucoup plus anciennes qu'on ne le croit ? D'ailleurs, se pourrait-il qu'on utilise aujourd'hui des alphabets antérieurs aux pyramides de plusieurs milliers d'années ? Il s'agit d'une possibilité intéressante à considérer.

croyances ou de sectes plus petites étaient présentes. Comme pour les langues, il est probable que certaines de ces religions ont survécu à la destruction de l'Atlantide, servant de fondation aux plus anciennes croyances existant actuellement. (Il est curieux qu'on croie que la plus ancienne religion est l'animisme, qui possède plusieurs points communs avec les religions traditionnelles basées sur la Terre et certaines structures nouvel âge. Les anciens animistes pratiquaient-ils une forme primitive du culte Gaïa moderne ayant survécu à la destruction de l'Atlantide ? Débarrassé des éléments plus sophistiqués et métaphysiques inhérents aux religions actuelles basées sur la Terre, l'animisme ne serait-il pas tout ce qui survivrait ?) Tout comme aujourd'hui, j'imagine que les dogmes, les doctrines et les livres sacrés de chaque religion représentaient des sources de disputes et même de conflits. Les Atlantes ont-ils été assez avancés pour avoir évité leurs propres cycles d'inquisitions, de croisades, de djihads, de chasses aux sorcières et de périodes sombres, ou bien tout cela constitue-t-il un effet secondaire nécessaire à la peur et à la superstition inhérentes à l'être humain ? Ce serait fascinant de savoir comment une autre culture s'est occupée de ses croyances religieuses et d'y apprendre quelque chose sur notre propre passé (ou avenir, en fait).

La technologie atlante

Toute cette spéculation amène une question intéressante, par contre : comment la technologie atlante se mesurait-elle face à la nôtre ? Leurs machines étaient-elles semblables aux nôtres ou complètement différentes ? Par exemple, avaient-ils des moteurs à combustion interne ou utilisaient-ils une technologie plus exotique pour propulser leurs machines ? Brûlaient-ils des carburants fossiles ou de l'hydrogène (comme certaines personnes souhaiteraient qu'on le fasse aujourd'hui) ? Leurs avions ressemblaient-ils aux nôtres et volaient-ils comme eux ?

En d'autres mots, à quel point le monde *d'aujourd'hui* se retrouvait-il *à cette époque* ?

Je crois qu'une grande similitude existerait entre notre technologie moderne et la technologie d'une ancienne civilisation, jusqu'aux matériaux employés dans leurs procédés manufacturiers et la manière de concevoir leurs inventions. La raison est simple : l'ingénierie humaine est une constante universelle.

Nous concevons nos technologies comme nous le faisons en partie à cause de la forme et de la construction du corps humain. Par exemple, parce que la distance entre notre bouche et nos oreilles n'a pas changé depuis cent mille ans, un téléphone portable aura toujours plus ou moins la même grosseur et la même forme, peu importe où et quand il aura été fabriqué. La couleur, les matériaux, l'esthétique peuvent varier, mais ce sera toujours essentiellement le même appareil fonctionnant à peu près de la même façon. Qui plus est, puisque les principes du vol sont les mêmes aujourd'hui qu'il y a douze millénaires, il faut s'attendre à ce qu'un avion atlante s'apparente beaucoup à un avion moderne (sauf si les Atlantes utilisaient un système bizarre de propulsion antigravitationnelle permettant aux avions d'avoir des formes inhabituelles). Et finalement, même si les Atlantes employaient peut-être un courant standard de 166 volts, par exemple, au lieu de nos 110 volts conventionnels, je suis prêt à parier que leur équivalent du grille-pain possédait quand même deux ou quatre fentes, tout simplement parce que l'être humain a une propension pour la symétrie et les nombres pairs plutôt qu'impairs !

Le côté pratique constitue un autre facteur, et un facteur aussi important pour un inventeur de l'Antiquité que pour un inventeur contemporain, ce qui nous permet d'imaginer que les appareils de la vie quotidienne pour la plupart des Atlantes devaient avoir à peu près les mêmes formes et les mêmes fonctions qu'aujourd'hui. Les matériaux et l'esthétique étaient peut-être différents, mais il est probable qu'on ne pourrait pas dire la différence entre un ouvre-boîte moderne et un ouvre-boîte construit en Atlantide voilà douze mille ans, un point qui deviendra encore plus important dans un chapitre ultérieur.

Bien sûr, tout cela dépend du chemin parcouru par les Atlantes avant leur destruction ; il est possible qu'ils ne se soient pas rendus beaucoup plus loin que nous. La seule chose dont on peut être assez sûr, c'est que les Atlantes n'étaient pas loin derrière nous, sinon ils n'auraient pas pu développer les moyens de se détruire si complètement. Pour cela, il faut une technologie avancée et un mélange volatile d'objectifs politiques, deux points que nous allons examiner maintenant.

Le climat géopolitique

En ce qui concerne les institutions politiques, j'ai dit plus tôt qu'à cause des caractères géographiques uniques de la Terre en 10 000 av. J.-C., il y avait de grandes chances pour que les Atlantes aient été un peuple très compétitif et par conséquent militariste. Compte tenu que le gros de la population habitait un espace limité sur la planète (la zone fertile dont j'ai déjà parlé), il devait nécessairement y avoir une atmosphère de compétition entre les différents États de la région. Malgré la présence de masses terrestres très vastes, la quête de terres arables a dû pousser les pays à adopter des politiques à la fois protectionnistes et expansionnistes, créant ainsi un climat propice au déclenchement sporadique de guerres probablement importantes.

On peut supposer que les régimes militaristes et autoritaires ont prédominé (comme Platon y fait allusion), mais il y a peut-être eu aussi des poches de gouvernements démocratiques plus éclairés. En tous les cas, il devait y avoir des alliances importantes de nations, s'unissant pour se protéger de voisins plus puissants et envieux ; et sans aucun doute, la guerre était perpétuelle dans des pays plus petits et situés à des endroits stratégiques, car ils devaient sans cesse être conquis et reconquis par leurs voisins plus grands et plus puissants, luttant pour avoir la meilleure position stratégique possible.

Si on admet que ces alliances et ces empires étaient assez avancés et qu'ils possédaient des technologies parallèles, ils pouvaient facilement se détruire eux-mêmes et ce potentiel de destruction a dû augmenter au fur et à mesure que leurs technologies, dont l'invention était surtout motivée par la peur et la compétition, devenaient de plus en plus sophistiquées et meurtrières. Par conséquent, on peut supposer que les Atlantes, ou peu importe comment ils se nommaient eux-mêmes individuellement ou collectivement, étaient habitués à faire appel à la violence pour régler leurs problèmes. À quel point ce militarisme était-il étendu ? Difficile à dire, mais même une société moyennement militariste (comme les États-Unis) aurait représenté une force avec laquelle il fallait compter. S'il y avait un abîme entre deux puissances majeures — comme ce fut le cas pendant la guerre froide — dû à leur proximité géographique, alors l'atmosphère devait être très tendue et de petites guerres devaient avoir lieu, sans parler des conflits importants occasionnels[28].

Il est certain qu'un tel climat a profondément affecté la structure des gouvernements et le progrès technologique de ces pays. Selon moi, au moins une des superpuissances était plus rigidement autoritaire que l'autre, peut-être même une dictature totalitaire (comme l'Union soviétique sous Staline ou comme l'Allemagne nazie), alors que l'autre conservait probablement une forme de gouvernement plus démocratique — bien que soumise à une discipline très militaire. Si c'était le cas, cependant, il s'agissait d'un cocktail explosif, tout comme ce le serait aujourd'hui, et c'est peut-être là qu'il faut chercher comment des cultures si spectaculaires ont disparu.

Des histoires parallèles ?

Les plus importantes différences — et similitudes, ironiquement — existant entre notre propre civilisation et celle des anciens Atlantes sont évidentes. Comme nous, ils ont suivi leur

28. Une des raisons pour lesquelles la guerre froide n'est pas devenue une vraie guerre fut parce que le gros de la population et les centres industriels des États-Unis et de l'URSS étaient très éloignés, et aussi parce que les deux pays n'avaient aucun précédent d'animosité entre eux. S'ils avaient partagé une frontière et qu'ils avaient été des ennemis depuis des siècles, comme le furent peut-être les Atlantes, il est difficile d'imaginer comment nous aurions survécu au XXe siècle.

propre chemin pour atteindre la civilisation, un chemin qui a connu des à-coups, des culs-de-sac et parfois des obstacles. Comme nous encore, ils ont persévéré et renversé les obstacles parsemant la route menant vers une société très sophistiquée. On sait, par notre propre histoire, que l'humanité évolue généralement, bien que parfois assez lentement, vers une plus grande complexité et une plus grande sophistication — quelque chose que l'on observe aussi chez d'autres cultures et d'autres races qui évoluent indépendamment de nous ; par conséquent, on peut supposer que les hommes de l'Antiquité ont évolué de la même façon.

La nature humaine tend à fonctionner selon certains paramètres constants et prévisibles, et c'est ce qui permet d'imaginer une histoire atlante pas tellement différente de la nôtre. Même si leurs succès et leurs erreurs ont peut-être été très différents, ils ont avancé sur la même route. Peut-être ont-ils cheminé plus rapidement dans certains domaines ou ont-ils pris beaucoup plus de temps pour atteindre notre niveau de sophistication, mais puisque l'évolution humaine est un processus déterminé et inexorable, leur progression est restée en général orientée vers le haut.

Et cela nous amène à nous demander ce qui a pu provoquer la fin de cette histoire. Qu'est-ce qui a fait tomber cette fantastique civilisation mondiale et l'a complètement effacée, comme si elle n'avait jamais existé ? Aussi, comment peut-on détruire une civilisation mondiale sans détruire du même coup toute vie sur la planète ? Comprendre ce qui a anéanti l'Atlantide, c'est comprendre ce qui nous menace aujourd'hui, car il s'agit des mêmes choses. En nous posant cette question, nous examinons par voie de conséquence notre propre destin et il faut très attentivement considérer ce que peuvent être ces menaces.

Alors, comment détruit-on une civilisation mondiale sans laisser de trace ? Après tout, il ne peut pas être si facile d'effacer une société bien établie et pleine d'énergie pratiquement du jour au lendemain.

Ou est-ce que ça l'est ?

SEPT

Quand nos jours sont comptés

Les textes de Platon suggèrent que l'Atlantide fut détruite par une série de désastres naturels – tremblements de terre, ondes sismiques, inondations monstres – et c'est ce qu'on croit habituellement aujourd'hui. Selon moi, cependant, si la nature a joué un rôle dans la chute de l'Atlantide, il y a également eu autre chose. À l'époque où Platon écrivait ses dialogues, l'humanité était incapable de détruire toute une civilisation, de sorte qu'il est peu probable qu'il se trouvait en mesure de comprendre que l'homme pouvait se montrer capable de développer ce qu'il fallait pour s'annihiler totalement. Du point de vue de l'Antiquité, comme seules des forces naturelles – que l'on croyait en général être dirigées par des divinités – pouvaient raser des villes entières, il est normal que Platon ait mis la destruction de l'Atlantide sur le compte de forces naturelles, ou « divines » si vous voulez.

Mais depuis, nous avons appris le potentiel de destruction que possède la technologie et je crois que c'est là que nous trouverons un scénario plus plausible pour expliquer la destruction de l'Atlantide, et non en faisant de la Terre, ordinairement calme, un bouc émissaire. La Terre, même si elle dispose d'un grand pouvoir de destruction, est essentiellement une entité qui guérit : elle passe la majeure partie de son temps à effacer les dommages causés par la nature et l'homme, essayant de rétablir l'équilibre ainsi que l'intégrité de son écosystème et de son environnement. C'est l'homme qui se comporte en destructeur, et selon moi, c'est l'homme qui a détruit l'Atlantide.

Les potentiels de destruction

Avant de continuer, il faut d'abord préciser ce que nous cherchons. Fondamentalement, nous devons identifier un mécanisme susceptible à la fois d'anéantir une civilisation avancée et d'en effacer tous les signes, mais sans tuer tous les hommes — ou la vie en général. Qui plus est, ce qui l'a déclenché ne doit pas laisser de traces faciles à voir aujourd'hui, mais doit effacer ses propres traces en plus de la civilisation qui a disparu. C'est un peu comme chercher un meurtrier qui n'a laissé ni corps ni armes, un crime qui n'a eu aucun témoin et qui n'a rien laissé prouvant même qu'un crime a eu lieu. Tout ce qui nous reste, dans ce cas, ce sont les rumeurs chuchotant qu'un horrible crime s'est produit, et notre propre intuition. Espérons que cela sera assez.

Ce n'est pas que nous manquions de suspects. Il y a plusieurs éléments, naturels ou créés par l'homme, capables d'éradiquer toute une civilisation mondiale, ou du moins de la renvoyer à l'âge de pierre. On peut voir sur le tableau de la page suivante les agents destructeurs susceptibles de détruire une planète, les naturels comme ceux créés par l'homme. Leur capacité à annihiler une civilisation mondiale, la vie en général et l'environnement est notée successivement de 1 à 5, le potentiel le plus faible étant représenté par 1.

Tableau 7A. Les potentiels de destruction globale.

POTENTIEL DE DESTRUCTION OU D'IMPACT SIGNIFICATIF SUR :	Civilisation globale	Toute la vie	Environnement
CAUSES NATURELLES			
Tremblement de terre	1	1	1
Onde sismique/ raz-de-marée	1	1	1
Volcan important	1-3*	2	4
Collision avec une comète ou un astéroïde	5	4-5	4-5
Changement climatique global	2-3*	2	3-4
Déplacement de la croûte terrestre **	1-4	1-3	1-4
CAUSES CRÉÉES PAR L'HOMME			
Guerre conventionnelle	1-3*	1-2	1-2
Guerre nucléaire	4	3	3-4
Attaque chimique	1	1	3
Attaque biologique	5	4-5	1-2
Pollution industrielle	1	1-3	3-4

Échelle : 1 = Peu ou pas d'impact 2 = Un certain impact/dommages légers 3 = Impact moyen/dommages significatifs 4 = Impact significatif/dommages majeurs 5 = Impact majeur/destruction totale

* Le potentiel de destruction dépend du niveau de technologie de la société affectée.
** Le potentiel de destruction dépend de la vitesse du déplacement. Plus il est rapide, plus le potentiel de destruction massive est élevé.

Pour déterminer la capacité de destruction de toute une civilisation d'un agent spécifique, il faut d'abord comprendre qu'on parle d'une civilisation étendue sur toute la Terre, et non d'une poche isolée de civilisation avancée. En outre, l'expression *toute la vie* ne signifie pas seulement les êtres humains, mais toute la vie sur la planète (à l'exception peut-être de certains animaux marins, des micro-organismes et des insectes). Finalement, le terme *environnement* inclut l'atmosphère, l'eau, les écosystèmes et le climat de la Terre.

La première chose que l'on peut remarquer sur le tableau, c'est que les causes naturelles généralement données pour la destruction de l'Atlantide ont une capacité assez faible de détruire la civilisation ou toute vie sur Terre. Les tremblements de terre, par exemple, bien que puissants et destructifs, sont des événements très localisés qui peuvent faire tomber des immeubles mal construits et modifier le cours d'une rivière, mais ils n'ont à peu près aucun impact hors de la zone du tremblement[29].

L'idée qu'un tremblement de terre, même très puissant sur l'échelle de Richter et très long, puisse détruire une civilisation mondiale est erronée — une ville importante, peut-être, mais pas une société vraiment mondiale.

C'est vrai aussi des ondes sismiques qui, bien que capables d'inonder des kilomètres de côtes et de dévaster des villes côtières, sont bien incapables d'annihiler toute civilisation sur Terre. Même les plus grands raz-de-marée perdent leur puissance après avoir touché les côtes — et bien que l'élan puisse les pousser vers l'intérieur des terres sur une distance de quelques kilomètres, ils s'effondrent rapidement sous leur propre poids et retournent à la mer (mais pas avant, en général, d'avoir causé de grands dommages à l'environnement et aux populations assez malchanceuses pour s'être trouvées sur leur passage). En outre, comme les tremblements de terre, les raz-de-marée sont également des événements localisés dont le potentiel de destruction se voit limité par la géographie et d'autres considérations de nature océanographique. Par conséquent, même une série d'énormes raz-de-marée ne pourrait pas détruire une civilisation mondiale[30].

---

29. On peut aussi déduire que les Atlantes, sachant que leur région était active géologiquement, ont construit des immeubles à l'épreuve des tremblements de terre, comme on le fait au Japon actuellement.

30. Le raz-de-marée qui eut lieu dans l'océan Indien en 2004 démontra parfaitement ce fait. Bien qu'il tuât 250 000 personnes et détruisit complètement des villages entiers, il ne détruisit pas la civilisation.

Un volcan – autre candidat à la mode pour anéantir un continent – est potentiellement plus destructif (en particulier pour l'environnement), mais il est assez improbable que toute une civilisation puisse être détruite par un volcan, peu importe la force de l'éruption. Premièrement, tout comme les tremblements de terre et les raz-de-marée, même les plus grandes éruptions constituent des événements localisés qui dévasteraient uniquement une zone précise sur Terre. Les villes et les autres centres de population situés à des centaines ou à des milliers de kilomètres de l'épicentre, tout en ressentant peut-être de petits tremblements de terre et des ondes sismiques, resteraient intacts. De plus, une civilisation aussi avancée que l'Atlantide aurait anticipé une éruption importante des semaines ou même des mois à l'avance et elle aurait évacué les zones dangereuses, réduisant ainsi énormément le nombre de victimes.

Bien sûr, ce n'est pas l'éruption elle-même qui se révélerait le plus nuisible. Les dommages à long terme seraient causés par la poussière et les cendres rejetées dans l'atmosphère par le volcan, ce qui bloquerait la lumière solaire et modifierait sérieusement le climat. Des sécheresses et peut-être même dans certaines régions des famines représenteraient les plus grandes menaces, mais encore une fois, une société assez avancée posséderait sans doute la technologie nécessaire pour contrecarrer les effets néfastes d'un tel événement. Même s'il pouvait y avoir un manque de nourriture et des bouleversements sociaux à court terme, éventuellement, tout reviendrait dans l'ordre et la société continuerait comme avant – blessée et meurtrie, peut-être, mais autrement intacte.

Mais s'il n'était pas question ici d'un volcan ordinaire ? Et si, comme certains l'ont suggéré, l'Atlantide avait succombé à un supervolcan, assez gros pour dévaster tout un continent et modifier drastiquement l'environnement de la planète en cas d'éruption ? Un tel monstre pourrait-il vraiment éradiquer une civilisation mondiale ?

Probablement pas. Même une explosion mille fois plus puissante que celle qui détruisit le Krakatoa[31] n'anéantirait pas la civilisation partout sur Terre. Des colonies situées à l'autre bout de la planète, par exemple, survivraient, et en supposant qu'elles soient assez avancées technologiquement, elles pourraient compenser les effets engendrés par le nuage de cendre qu'une telle éruption produirait. Bien que le scénario d'un hiver nucléaire mondial soit une possibilité, n'importe quelle civilisation à l'étape cinq ou plus devrait survivre à une telle tempête et finalement se remettre sur pied.

Qui plus est, une éruption aussi massive laisserait une caldeira ou une autre marque géologique : une énorme trace de pas, en quelque sorte, qui serait facile à voir aujourd'hui, douze mille ans seulement après l'événement (presque rien en termes de géologie). Mais aucune marque, sur la terre ferme ou dans les océans, ne montre qu'un tel scénario cauchemardesque a eu lieu récemment[32]. Par conséquent, je crains fort que la théorie du supervolcan ne soit pas mieux que celles du supertremblement de terre ou de la superonde sismique, de sorte qu'il faut chercher ailleurs notre coupable.

L'hypothèse suivante est celle d'une comète ou d'un astéroïde frappant la Terre (un scénario de fin du monde populaire à Hollywood), ce qui, selon la composition et la taille de l'objet céleste, pourrait vraiment anéantir une civilisation mondiale. Tout comme, en fait, c'est un astéroïde qui, croit-on, a exterminé les dinosaures (et environ 85 pour cent de toutes les espèces sur Terre) il y a environ soixante-cinq millions d'années, et d'autres objets célestes similaires ont peut-être provoqué d'autres extinctions massives au cours de l'Histoire. En conséquence, si on cherchait un agent naturel capable de détruire une civilisation mondiale, celui-là ferait probablement l'affaire.

---

31. Krakatoa était une île volcanique située dans le détroit de Sunda, entre Java et Sumatra. Elle explosa en 1883, détruisant l'île et tuant approximativement 30 000 insulaires. Bien que l'énergie dégagée à cette occasion ait été estimée à environ 200 mégatonnes, on ne considère pas que ce fut la plus grosse explosion de l'Histoire. Tambora, en 1815, fut plus grosse et eut un impact important sur les tendances climatiques pendant des années.

32. Il semble qu'une telle explosion eut lieu au lac Toba, sur Sumatra, il y a environ 74 000 ans, mais c'est là bien avant notre civilisation atlante. Cependant, si j'ai raison de croire que les civilisations sont cycliques, elle fut peut-être responsable de la disparition d'une civilisation encore plus ancienne dont nous ignorons tout.

Mais le problème, c'est que la destruction de l'Atlantide, ironiquement, ne fut *pas assez étendue* pour qu'on puisse l'attribuer à une comète ou à un astéroïde. N'importe quel objet céleste assez gros pour détruire une civilisation mondiale devrait aussi anéantir toute vie sur la planète, y compris l'*Homo sapiens*. De plus, une collision de cette amplitude qui aurait eu lieu voilà seulement douze mille ans aurait encore des effets sur la planète et le cratère formé par un tel coup serait immense et très visible de nos jours, même à des centaines de mètres sous l'océan.

On a aussi suggéré que des comètes ou des tempêtes de larges météorites auraient pu détruire une civilisation, et encore une fois, ces hypothèses sont crédibles (surtout qu'il n'y aurait vraisemblablement pas d'énorme cratère). Néanmoins, ces scénarios souffrent des mêmes lacunes que la théorie de l'astéroïde, à savoir que n'importe quel événement céleste assez considérable pour raser une civilisation mondiale devrait aussi oblitérer toutes les espèces importantes, y compris l'être humain. Par conséquent, on ne peut pas blâmer les cieux, même si cela nous donnerait une belle explication.

Finalement, il y a la théorie du déplacement de la croûte terrestre de Charles Hapgood (dont nous avons discuté en détail au chapitre un). Je ne reviendrai pas sur tous les détails, sinon pour dire de nouveau que même si la théorie de Hapgood voulant que toute la croûte terrestre puisse déplacer des continents sur une distance de plusieurs milliers de kilomètres était juste, selon ses propres calculs, un tel déplacement nécessiterait plusieurs milliers d'années. Bien qu'une telle période soit assez courte sur le plan géologique, du point de vue humain, il s'agit d'une éternité –, et donc, cela ne représenterait aucune menace pour la civilisation. Cela deviendrait catastrophique uniquement si le mouvement se révélait beaucoup plus rapide – disons quelques jours au lieu de quelques siècles (comme les Flem-Ath l'ont suggéré dans leur livre basé sur le travail de Hapgood, aussi discuté plus tôt) –, mais même dans ce cas, la plupart des régions de l'intérieur et des masses terrestres situées entre les tropiques du Capricorne et du Cancer ne seraient pas tellement affectées. De toute façon, il est difficile d'imaginer comment des continents entiers pourraient bouger de quatre ou cinq cents kilomètres *par jour*, ou comment les énormes calottes polaires pourraient fondre suffisamment vite pour surprendre les résidents (côtiers) de l'Atlantide[33], mais il s'agit tout de même de quelque chose à considérer, bien que cela soit très peu probable.

Donc, à moins de vraiment prouver que l'Atlantide fut détruite par la nature, nous sommes obligés de nous tourner vers l'homme. Après tout, l'humanité est très capable de causer une destruction massive si elle le souhaite véritablement ; à preuve, les guerres et les assassins ont tué plus de gens au cours du XXe siècle que ne l'ont fait les tremblements de terre, les volcans et les raz-de-marée *réunis* au cours de toute l'Histoire. Apparemment, ce que la nature préfère ne pas faire, l'homme, lui, est prêt à le faire, et il en est de plus en plus capable. Quels sont donc ces mécanismes susceptibles de nous faire disparaître et à quel point sont-ils destructeurs ?

Les mécanismes de destruction de l'humanité : la guerre nucléaire

Le premier mécanisme qui vient probablement à l'esprit quand on considère le potentiel de l'humanité à s'autodétruire, c'est une guerre nucléaire généralisée, sous l'ombre de laquelle nous vivons depuis plus de soixante ans. L'explosion de milliers d'ogives nucléaires partout sur la planète, et en l'espace de quelques heures, constitue absolument un scénario cauchemardesque, et bien capable, dit-on, de détruire toute vie sur Terre. Il n'est donc pas surprenant que la perspective d'une guerre thermonucléaire généralisée représente la préoccupation des prophètes de malheur depuis Alamogordo et l'un des pires cauchemars de l'humanité.

---

33. Même une fonte très rapide des calottes polaires prendrait des décennies, compte tenu de l'énorme quantité de glace qui s'y trouve. Le niveau des océans ne s'élèverait donc que de quelques mètres par an tout au plus — ce qui laisserait le temps aux civilisations ayant survécu d'aller s'installer sur des terres plus élevées.

Mais une guerre thermonucléaire pourrait-elle réellement anéantir toute la civilisation sur la planète en un seul après-midi ou est-on carrément en train de surestimer le potentiel de destruction d'un tel scénario ?

Au risque de paraître trop optimiste, les meilleurs modèles informatiques démontrent constamment que malgré les énormes dommages que causerait une guerre nucléaire généralisée à l'humanité et à l'environnement, la civilisation ne serait probablement pas détruite complètement. Sûrement, la civilisation reculerait de plusieurs dizaines d'années, et dans certains domaines devrait repartir à zéro, mais elle survivrait, en particulier dans les endroits les plus reculés de la planète. En outre, la plus grande partie des infrastructures militaires et politiques des pays dévastés – celles-ci étant généralement mobiles ou protégées dans des immeubles spéciaux – serait vraisemblablement intacte aussi, et formerait une base autour de laquelle s'amorcerait la reconstruction. Même si la base industrielle se trouvait en morceaux tout comme le système financier de l'économie mondiale, puisque le savoir élémentaire et l'expertise technologique acquis au cours des siècles auraient survécu, la civilisation pourrait reconstruire. Une fois la guerre terminée, le nombre de morts s'élèverait peut-être à plusieurs centaines de millions, mais la population mondiale approchant les sept milliards, il y aurait raisonnablement plus de survivants que de victimes.

Pour illustrer ce fait, imaginons qu'une guerre nucléaire ait eu lieu entre les superpuissances pendant la guerre froide, détruisant presque toutes les villes importantes sur Terre. Que serait devenu un pays technologiquement avancé et isolé géographiquement comme la Nouvelle-Zélande, par exemple ? Sans doute épargnée par les superpuissances, elle serait probablement restée quasi intacte, ses villes et ses centres de population indemnes. Bien sûr, elle aurait souffert des changements climatiques majeurs qui auraient fait suite à la guerre, mais la plus grande partie de sa population d'environ trois millions d'individus aurait survécu. Les industries principales, qui dépendent beaucoup des importations, auraient rapidement été forcées de cesser leurs activités et la vie quotidienne aurait été difficile, mais éventuellement, la population, à force de détermination, se serait adaptée aux réalités nouvelles et changeantes que les explosions nucléaires auraient fait naître. Ç'aurait été une époque ardue pour les Néo-Zélandais, mais la société aurait sûrement survécu et aurait servi de modèle pour la construction d'une nouvelle civilisation mondiale. Une douzaine d'années après le conflit, la Nouvelle-Zélande aurait peut-être même un rôle majeur à jouer dans l'inévitable processus de reconstruction de l'humanité – faisant de ce genre de pays les germes d'une civilisation reconquise, même si on ne s'en rendait peut-être seulement compte que des dizaines, voire des centaines d'années plus tard.

Par conséquent, si on suppose que le type, la taille et la nature des arsenaux nucléaires que possédait l'Atlantide étaient semblables à ceux d'aujourd'hui, l'utilisation de ces armes ne serait probablement pas suffisante *à elle seule* pour détruire une civilisation mondiale. Elles pourraient peut-être ravager les centres culturels, politiques et industriels d'une ancienne civilisation, mais les hommes sont résistants par nature et, comme des fourmis dont on vient de détruire la maison, ils se mettent à reconstruire rapidement une fois la poussière retombée. Il suffit de regarder les exemples de la Seconde Guerre mondiale pour apprécier comment des villes entières, littéralement réduites en ruines par les bombardements aériens constants, peuvent être reconstruites si rapidement. La dévastation de Berlin et de Tokyo (pour ne rien dire d'Hiroshima et de Nagasaki) était si complète qu'il est difficile d'imaginer qu'elles étaient en pleine activité cinq ans après la guerre, et en grande partie reconstruites cinq ans plus tard. Les Atlantes, dans des circonstances similaires, n'en auraient-ils pas fait tout autant ?

Donc, bien qu'une guerre nucléaire ait peut-être joué un rôle dans la disparition de l'Atlantide, il faut autre chose pour donner le coup de grâce à toute une civilisation. Serait-ce un désastre naturel, causé peut-être par la guerre nucléaire, qui a achevé le travail ?

L'hiver nucléaire

Même s'il s'agit d'un phénomène controversé et pas entièrement compris, l'hiver nucléaire incarne une théorie selon laquelle ce sont les effets secondaires d'une guerre nucléaire — la poussière, la fumée, la suie et les cendres rejetées dans l'atmosphère par les détonations nucléaires et les incendies qui en résulteraient — qui tueraient vraiment la planète. Dans ce scénario, les nuages de fumée des incendies, la vapeur provoquée par des ogives nucléaires explosant au-dessus de l'eau et l'énorme quantité de poussière occasionnée par des milliers de détonations quasi simultanées seraient poussés jusque dans la haute atmosphère par les vents dominants jusqu'à ce qu'ils forment autour de la Terre une couverture impénétrable. Cette couche de poussière et de suie serait si épaisse, en fait, que la lumière du soleil se verrait en grande partie incapable de la pénétrer, ce qui ferait rapidement chuter la température. L'équilibre complexe de l'écosystème terrestre se trouverait alors affecté dramatiquement et l'agriculture serait ravagée, détruisant les ressources alimentaires de la planète et causant la plus grande famine mondiale jamais vue. Cette famine, donc, combinée avec les effets des retombées radioactives, des pluies acides et des sécheresses soudaines, tuerait vraisemblablement des milliards de gens, beaucoup plus que la guerre nucléaire elle-même, et elle passerait très proche d'exterminer l'humanité.

Cependant, la théorie présente quelques problèmes. Premièrement, on ne connaît tout simplement pas la quantité de fumée et de poussière qu'une guerre nucléaire généralisée rejetterait dans l'atmosphère, et on ignore si elle serait distribuée uniformément ou si elle serait réellement assez épaisse pour empêcher la plus grande partie de la lumière solaire d'atteindre la surface de la Terre. Très probablement, cette couche de fumée et de poussière, déplacée par des vents généralement latitudinaux, se trouverait surtout présente aux latitudes où les détonations auraient eu lieu, laissant la plupart des latitudes (comme les pôles, vraisemblablement) assez dégagées. Et on ne sait pas exactement comment la température mondiale réagirait si la lumière solaire pouvait encore atteindre une grande partie de la surface terrestre. De plus, puisque les particules de fumée et de poussière sont plus lourdes que l'air, les nuages se dissiperaient assez vite – raisonnablement en l'espace de quelques semaines – au fur et à mesure que les particules les plus lourdes retomberaient sur Terre, ce qui dégagerait le ciel éventuellement et permettrait à un certain équilibre de revenir sur la planète. Bien sûr, les nuages de fumée et de cendre auraient un effet désastreux sur l'écologie de la planète et modifieraient pour des décennies les tendances climatiques, mais il n'est pas sûr que cela se révélerait suffisant pour faire entièrement disparaître une société mondiale avancée.

Sans aucun doute, comme pour le scénario de la guerre nucléaire, certaines institutions militaires et gouvernementales survivraient, ainsi que certains éléments protégés et privilégiés de la population, lesquels deviendraient les germes de l'effort de reconstruction. Il faudrait peut-être attendre des décennies avant que la vie soit de nouveau plus ou moins normale, mais n'importe quelle civilisation à l'étape cinq ou plus élevée devrait éventuellement renaître des cendres de sa propre stupidité et recommencer le processus à nouveau. Il faudrait quelque chose de plus long et de plus invasif pour altérer la planète de façon permanente au point où la vie humaine se révélerait impossible à un niveau mondial (mais peut-être pas sur une échelle plus petite). Mais quel pourrait être cet agent, si ce n'est pas une combinaison de la guerre et de l'hiver nucléaires ?

Le suicide environnemental

Une autre prophétie populaire de catastrophe mondiale est celle tournant autour de la pollution, capable de détruire le fragile écosystème de la Terre. Thème populaire depuis les années 1960, l'idée que nous sommes peut-être en train de nous empoisonner petit à petit demeure une inquiétude très réelle et elle s'amplifie. La destruction de la couche d'ozone, par exemple, aurait des effets à long terme très importants sur l'humanité, et une eau remplie de toxines pourrait provoquer des modifications génétiques chez l'espèce humaine, menaçant sa capacité à se reproduire et causant donc son extinction. Au cours des dernières décennies, nous avons pu voir clairement que la déforestation, l'augmentation du taux de CO_2 et un étalement urbain incontrôlé menaçaient de modifier si dramatiquement les tendances climatiques que d'ici un siècle, notre planète sera peut-être très différente et passablement moins accueillante.

Le concept en vertu duquel la pollution peut détruire la planète présente cependant deux problèmes. Premièrement, il s'agit d'un processus très lent qui peut prendre des décennies ou des siècles avant que ses effets nuisibles ne se fassent sentir, et deuxièmement, il est inconcevable qu'une civilisation suffisamment avancée puisse se laisser volontairement détruire par ses propres déchets toxiques. Au fur et à mesure qu'une civilisation évolue et qu'elle devient plus sophistiquée technologiquement, non seulement acquiert-elle les moyens de détecter les effets nocifs des polluants industriels, mais puisque les hommes possèdent une très forte volonté de vivre, l'humanité trouverait nécessairement la volonté politique essentielle pour prendre les mesures appropriées lorsque les preuves d'un danger imminent deviendraient évidentes et indiscutables. Sans aucun doute, des sources d'énergie plus propres se verraient introduites et les efforts de recyclage redoubleraient, pendant que des lois dans divers domaines, de la destruction de la forêt tropicale à la gestion des déchets, seraient créées et sérieusement appliquées (tout comme cela se passe dans notre propre pays depuis plus d'une cinquantaine d'années). Même si des pressions politiques ou financières pouvaient retarder le progrès dans certains domaines, éventuellement, les hommes comprendraient et les changements indispensables auraient lieu. Par conséquent, il n'est pas très réaliste d'imaginer que l'humanité se regarderait commettre un suicide écologique sans réagir (bien que des dommages importants puissent être faits avant que des mesures sérieuses ne soient prises); l'instinct de conservation est trop fort et finirait par l'emporter sur l'instinct d'enrichissement personnel. Cela dit, des erreurs de calcul demeurent possibles, de telle sorte que ce scénario ne peut pas être complètement rejeté.

L'extermination chimique et biologique

S'il est peu probable que l'on s'empoisonne par accident, il existe d'autres éléments que la science a développés au fil du temps et qui se révéleraient bien pires et plus destructifs que des polluants industriels si on les relâchait sur la planète. Les agents biologiques et chimiques représentent indubitablement deux des éléments les plus dangereux qui soient. Tous deux pourraient causer des dommages incalculables à une civilisation mondiale et l'un d'eux pourrait vraiment détruire une civilisation.

Une attaque chimique où des milliers de personnes succomberaient à des nuages de gaz empoisonné se répandant dans un centre de population important demeure une des peurs les plus répandues, et pour de bonnes raisons; les scènes de soldats alliés étouffés par du gaz moutarde dans les tranchées de la Première Guerre mondiale nous hantent encore aujourd'hui et l'utilisation de gaz chimiques durant l'Holocauste et même dans les années 1980 en Iraq nous rappelle à quel point il s'agit d'un moyen efficace pour exterminer un grand nombre d'individus. Il devient de plus en plus facile, spécialement à une époque où les attentats suicides nous menacent quotidiennement, d'imaginer des nuages de gaz empoisonné descendant sur des centres de population et des millions de personnes succombant à leurs effets paralysants en l'espace de quelques minutes. Mais à quel point un tel scénario est-il réaliste ? Une attaque au gaz chimique pourrait-elle véritablement anéantir toute une civilisation mondiale ?

En fait, un gaz empoisonné ne constitue pas une méthode efficace pour commettre un massacre, et cela pour deux raisons : premièrement, il peut être difficile et coûteux de le produire, particulièrement en grande quantité, et il en faut de grandes quantités pour recouvrir des villes entières ; deuxièmement, il a tendance à se dissiper très rapidement au grand air (surtout s'il y a du vent ou de la pluie), ce qui le rend assez peu efficace. Certes, employé dans un environnement fermé comme un métro, il peut tuer des centaines ou des milliers de personnes en quelques minutes, mais au grand air, il y aurait probablement plus de personnes tuées parce qu'elles auraient fui dans un état de panique qu'à cause du gaz lui-même. Par conséquent, bien que son utilisation dans un endroit fermé puisse être dévastatrice pour des individus sans protection, sa capacité de provoquer une destruction massive s'avère presque nulle. Il pourrait détruire les centres de population principaux, peut-être, mais ses effets seraient assez limités et ne poseraient aucun danger pour la civilisation mondiale.

Par contre, avec les agents biologiques, c'est une autre histoire. Comme on peut le voir sur le tableau, les agents biologiques peuvent réellement annihiler une civilisation — peut-être même une civilisation mondiale. S'agit-il de ce qui a détruit l'Atlantide ?

Heureusement, exterminer biologiquement toute une population n'est pas facile. Il faut posséder un degré de sophistication scientifique et technologique très élevé pour créer un agent viable, et il faut également se montrer très téméraire. Des gens assez intelligents pour produire un tel germe le sont aussi pour savoir qu'il pourrait revenir les hanter, de sorte que le désir de ne pas s'en servir serait considérable[34]. De plus, si un pays était assez désespéré pour se servir d'armes biologiques contre un ennemi, qu'est-ce qui empêcherait cet ennemi de riposter avec un microbe encore plus mortel ?

Finalement, n'importe quelle civilisation à l'étape cinq ou plus capable de produire un virus pouvant détruire toute une civilisation posséderait également la technologie nécessaire pour le neutraliser. En effet, plus le niveau de technologie est élevé, plus le germe est mortel, mais il a aussi moins de chance de réussir, puisque la civilisation peut le neutraliser. En conséquence, même si on réglait les problèmes scientifiques, technologiques, politiques, militaires et moraux que le développement d'un tel agent sous-entend, on ne songerait à s'en servir que dans les circonstances les plus désespérées. En fait, on peut dire que lorsqu'on en est à considérer l'utilisation d'armes biologiques, la guerre est déjà perdue.

La fin d'un empire

Alors, laquelle de ces causes détruisit le continent légendaire de Platon ? Des tremblements de terre, des volcans, des inondations mondiales ? Ou bien l'homme fut-il responsable : une guerre nucléaire, la pollution, une attaque chimique ou biologique ? Ou s'agissait-il d'autre chose, de quelque chose que nous avons oublié ?

Nous ne le saurons probablement jamais avec certitude, mais je crois qu'il y eut plus d'une cause à la chute des Atlantes. D'après moi, leur disparition fit suite à une série de coups mortels qu'ils reçurent rapidement les uns à la suite des autres, des coups à la fois naturels et d'origine humaine qui les détruisirent au point où, douze millénaires plus tard, on ne trouve toujours pas de trace de leur existence. Comment cela s'est produit est purement spéculatif, mais même une hypothèse pleine d'imagi-

34. Malheureusement, une telle modération n'arrêterait peut-être pas un terroriste souhaitant se suicider, bien qu'il soit difficile d'imaginer comment un tel individu pourrait se procurer un tel agent. Il faudrait quand même disposer d'une technologie sophistiquée pour fabriquer l'arme et beaucoup de témérité pour la vendre ou la donner à une organisation terroriste, de sorte que la même modération s'applique ici.

nation vaut la peine d'être étudiée lorsqu'on réfléchit sur l'inconnu.

Je crois que ce sont les hommes eux-mêmes qui mirent en branle la succession d'événements qui fit pour l'Atlantide ce que l'astéroïde K-T fit pour les dinosaures, et que cela se produisit de manière à ne laisser aucune trace de leur existence. Pour mieux illustrer ce scénario, je vais présenter ma théorie sous la forme d'une histoire fictive – à peu près comme le fit Platon –, ce qui, d'après moi, ne rendra pas seulement le scénario plus plausible, mais lui donnera aussi un certain air contemporain. Considérez-la comme une espèce de parabole, si vous voulez, racontée dans l'espoir que le lecteur y verra quelque chose de nous-mêmes, et que cela lui permettra de trouver la clé pour préserver notre propre avenir du sort qui fut peut-être celui de nos prédécesseurs tout aussi avancés et sophistiqués que nous.

HUIT

La guerre qui mit vraiment fin à toutes les guerres

Il y a eu souvent et il y aura encore souvent des destructions d'hommes causées de diverses manières, les plus grandes par le feu et par l'eau, et d'autres moindres par mille autres choses.

— Platon, extrait du *Timée*.

Pour les besoins de cette analogie, je suppose que la zone tempérée dont j'ai discuté au chapitre trois était divisée en deux, la moitié à l'ouest – allant de l'Afrique du Nord au sous-continent indien – étant dirigée par divers régimes totalitaires (à la tête desquels se trouvait une grande nation), et la moitié à l'est – composée de la plus grande partie du continent terrestre formé par l'Indonésie et l'Australie ainsi que de la plus grande partie de la ceinture du Pacifique – étant dirigée par une alliance de démocraties modérées et de monarchies progressistes (ayant à sa tête, encore une fois, l'une des plus grandes nations). Pour rendre cette séparation plus facile à suivre, j'appellerai la moitié ouest « l'Empire », et la moitié est « la Fédération ». Il faut aussi comprendre que les deux alliances disposent d'une technologie comparable à la nôtre, avec de vastes arsenaux nucléaires et des forces militaires conventionnelles, et qu'elles se sont fait la guerre par adversaires interposés plusieurs fois pendant des dizaines d'années. En fait, imaginez qu'il s'agit d'une version plus ancienne de la guerre froide, les deux superpuissances possédant l'arme nucléaire et leurs alliés luttant pour dominer la planète. Avec ce scénario à l'esprit, donc, regardons quelle série d'événements devrait avoir lieu pour que la Terre soit presque entièrement détruite.

Une époque désespérée

La situation se détériorait rapidement pour l'Empire. L'économie déclinait et les taux de production de nourriture se situaient toujours sous les quotas, troublant encore plus une population importante et agitée, et faisant naître un malaise politique de plus en plus considérable dans tout l'Empire. En outre, certaines colonies importantes de l'Afrique et de l'Amérique du Sud avaient rejoint la Fédération après une série de défaites militaires, affaiblissant encore davantage la fragile alliance impériale au point où plusieurs nations se trouvaient sur le point de l'abandonner. Fait peut-être plus inquiétant encore, de persistantes rumeurs circulaient à l'effet que l'armée, insatisfaite des chefs du gouvernement, préparait un coup d'État, ce qui entraînait des arrestations presque quotidiennes et l'exécution de chefs militaires haut placés. Du point de vue de l'empereur, l'empire vieux de deux siècles qui contrôlait jadis les deux tiers de la planète s'effritait en morceaux, et apparemment, il ne pouvait rien faire pour corriger la situation.

Un jour, cependant, l'espoir revint lorsque le responsable de la guerre biologique, connu seulement du petit groupe gravitant autour de l'empereur tant son travail était secret, vint annoncer une nouvelle qui promettait de changer le cours des choses. Son équipe de généticiens du département des armes biologiques venait de mettre au point — après des années de travail effectué dans le plus grand secret, vingt-quatre heures sur vingt-quatre — un supervirus qui assurait de décrocher la victoire. La nouvelle bestiole, une variation obtenue par manipulation génétique du virus ordinaire de la grippe, était conçue pour rester dormante, afin d'être insensible aux anticorps naturels du corps et indétectable par les tests de routine. En outre, puisque le virus ne donnait aucun symptôme avant les derniers jours de son incubation, ses victimes le transporteraient dans leur corps durant des mois sans réaliser qu'elles étaient infectées, contaminant ainsi sans le savoir toutes les personnes qu'elles approcheraient. Insensible à tous les antibiotiques connus et 100 pour cent fatal aux derniers stades de son développement, le virus aurait déjà infecté un grand nombre de citoyens de la Fédération lorsque des gens commenceraient à mourir, et il serait découvert trop tard pour que les chercheurs puissent trouver un antidote. En l'espace d'un an, telle une peste virulente, il aurait décimé la population ennemie, permettant à l'Empire de reprendre le dessus face à un adversaire affaibli et paniqué.

Le plan se révélait insidieux et très risqué, car les généticiens qui avaient créé la supergrippe n'étaient pas certains de sa virulence, et pire encore, ils n'avaient pas encore développé un moyen efficace de s'en défendre, au cas où elle referait son chemin jusque dans l'Empire. Mais puisqu'il n'y avait aucun contact direct entre les deux superpuissances et que le virus mourait rapidement une fois son hôte décédé, les chances que le virus revienne dans l'Empire paraissaient minimes ; en outre, puisqu'ils avaient eux-mêmes développé le virus, on supposait qu'un moyen de s'en protéger serait assez simple à élaborer si cela devenait nécessaire.

Mais il y avait aussi d'autres facteurs à considérer. Si l'ennemi découvrait que c'étaient des chercheurs de l'Empire qui avaient créé le virus, quelle serait sa réaction ? De plus, ses chercheurs possédaient-ils une bombe biologique similaire dans leur arsenal, qu'ils pourraient utiliser contre l'Empire ?

Les agents biologiques, bien qu'existants depuis des décennies, n'avaient jamais été employés par les deux adversaires ; il semblait que s'en servir maintenant équivaudrait à franchir un seuil important – augmenter la mise, pour ainsi dire, à un niveau stratosphérique. Néanmoins, la situation était désespérée, et une situation désespérée exige une solution désespérée – et donc, discrètement, sans en informer son propre état-major et ses conseillers, l'empereur autorisa le responsable de la guerre biologique d'amorcer son plan diabolique.

Mais comment expédier cette arme mortelle ? Le virus, même s'il vivait longtemps dans le corps d'un hôte humain, ne survivait que quelques minutes à l'air libre. En outre, il fallait absolument qu'il soit introduit à l'insu des victimes ou sinon, une quarantaine serait immédiatement déclarée et le plan se verrait alors compromis.

On envisagea d'infecter un criminel ou un volontaire et de l'envoyer dans la Fédération, mais on jugea que c'était trop risqué, la possibilité d'une autocontamination se produisant quelque part en chemin étant trop grande. De plus, si cette personne se voyait exhaustivement examinée par les chercheurs de la Fédération et que ceux-ci découvraient le virus fortuitement, toute l'opération pouvait être éventée, entraînant probablement des conséquences politiques, et peut-être même militaires, catastrophiques. On imagina également le scénario de laisser un cadavre infecté être rejeté par la mer sur une côte de la Fédération, mais puisque le virus mourait rapidement une fois son hôte décédé, on dut là aussi abandonner ce plan. Finalement, alors qu'il ne paraissait pas y avoir de moyen pour livrer l'agent à l'ennemi, un des lieutenants du responsable de la guerre biologique pensa à un plan simple mais brillamment malveillant. Il proposa de fabriquer une espèce de piège qui infecterait un citoyen ennemi à son insu, pour qu'il propage ensuite le virus sans le savoir. La chose se révélerait assez facile à réaliser : il suffirait de mettre le virus actif dans un contenant aérosol ordinaire, où il serait suspendu dans un matériau inerte le maintenant dans un état de stagnation (et pouvant donc être manipulé sans danger) jusqu'à ce que le mécanisme de vaporisation soit déclenché par un minuscule détecteur de mouvement. Si tout allait comme prévu, la victime inhalerait à pleins poumons le virus actif sans même s'en rendre compte ; ensuite, la nature et les contacts humains normaux feraient le reste.

Le responsable admit que c'était ingénieux et le plan fut rapidement mis en œuvre. Après que le mécanisme en apparence inoffensif eut été prudemment et secrètement installé dans le compartiment avant d'un petit voilier, qu'on laissa aller à la dérive près des couloirs de navigation principaux de la Fédération, l'empereur et son responsable de la guerre biologique attendirent anxieusement de savoir si leur plan tout simple avait fonctionné. Ils ne le surent pas avant plusieurs mois — pas avant que les citoyens de la Fédération ne se mettent à mourir en masse à cause d'un virus mystérieux dont les symptômes étaient similaires à ceux de la grippe et qui s'avérait fatal à 100 pour cent — mais alors, il était trop tard.

Le cargo *Graywind*

Le cargo de dix mille tonnes *Graywind*, en route pour le port de Polon, aperçut pour la première fois le voilier donnant de la bande et semblant abandonné un peu avant dix heures, un matin de printemps. Une équipe de cinq hommes envoyée sur une petite vedette pour examiner l'épave apparemment encore navigable, et donc ayant une certaine valeur, trouvèrent le bateau mystérieux et sans nom absolument désert. Alors qu'ils effectuaient une fouille complète de l'embarcation, un marin de dix-neuf ans pénétra dans la petite et sombre cabine avant, déclenchant involontairement un petit détecteur de mouvement, lequel activa instantanément un contenant aérosol situé sur une étagère. Le jeune homme ne remarqua pas le minuscule nuage de brume que le contenant vaporisa dans l'air, mais avant d'avoir terminé la fouille rapide du compartiment, il avait déjà inspiré dans ses poumons jeunes et sains assez du virus mortel pour tuer chaque homme, femme et enfant qui viendrait près de lui. Après quelques minutes, il était de retour sur son vaisseau et peu de temps après, ses vingt-sept camarades de bord étaient infectés eux aussi, transformant sans le savoir le *Graywind* en navire mortel.

Après avoir attaché solidement l'épave à sa poupe, le *Graywind* continua sa route, le capitaine et l'équipage ignorant qu'ils transportaient dans leur corps les germes de la destruction de la civilisation. Lorsqu'ils arrivèrent au port deux jours plus tard et que l'équipage, ayant besoin de se détendre et le méritant bien, se dispersa dans la ville, la Fédération était perdue. Vingt-quatre heures après l'arrivée du bateau, 1 pour cent de la population de Polon était infectée par le virus. Une semaine plus tard, soit trois jours après que le *Graywind* fut retourné en mer pour livrer une nouvelle cargaison, 40 pour cent de la population de la ville portait le virus mortel, et un mois plus tard, toute la population était sans le savoir condamnée à mourir.

Mais Polon n'était pas la seule victime. Des équipiers sur d'autres bateaux, en ville au moment où le *Graywind* se trouvait là, ou peu de temps après qu'il fut parti, furent aussi infectés, et ils propagèrent le virus mortel à d'autres ports de la ceinture du Pacifique. De plus, à partir de l'aéroport international très actif de Polon, des citoyens contaminés se répandirent partout sur le globe, de l'Amérique à l'Afrique du Sud et de l'Australie au nord de l'Asie. Personne ne le savait sur le moment, bien sûr, mais trois mois après la visite de routine du *Graywind*, 70 pour cent des citoyens de la Fédération et 30 pour cent des citoyens des pays neutres faisant affaire avec la Fédération étaient infectés. L'empereur névrosé et paranoïaque de l'Empire de l'ouest ne le savait pas non plus, mais 5 pour cent de ses propres citoyens ayant été en contact avec certains de ces pays neutres étaient pareillement infectés, condamnant ainsi l'Empire que cet homme dérangé avait essayé de sauver. Ce n'était dorénavant qu'une question de temps et celui-ci allait devenir une denrée précieuse.

La grippe atlante

Initialement, peu de gens firent attention au nombre anormalement élevé de décès signalés parmi les résidants des maisons de retraite, mais lorsqu'un été plus chaud que d'habitude succéda au printemps, les fournisseurs de soins de santé partout dans la Fédération commencèrent à s'alarmer quand le nombre de décès se mit à briser tous les records. Fait encore plus inquiétant, quelques semaines plus tard, certaines maisons de retraite voyaient des douzaines de leurs résidants mourir de symptômes semblables à ceux de la grippe en l'espace de quelques jours — et parfois en l'espace de quelques heures —, forçant plusieurs maisons à fermer leurs portes et à mettre leurs résidants survivants en quarantaine. Les médecins furent d'abord confondus par le tournant mortel que prenaient les événements, paraissant incapables d'arrêter ce qui semblait être une souche nouvelle et particulièrement virulente de la grippe, obligeant le gouvernement à alerter la population et faisant du nouveau virus la première préoccupation du pays relativement à la santé.

On crut d'abord que la mystérieuse maladie n'attaquait que les vieilles personnes et les individus souffrant de déficiences immunitaires, mais après quelques semaines, des bébés et des enfants furent atteints, triplant presque le taux de mortalité infantile du jour au lendemain et transformant une crise des services médicaux en panique nationale. Finalement, à la fin de l'été, la maladie se déclara chez un nombre fulgurant d'adultes en santé, qui tombaient dans le coma avant de mourir, souvent quelques jours seulement après l'apparition des premiers symptômes. Au début de l'automne, tous les hôpitaux et toutes les morgues de la Fédération se voyaient remplis au maximum de leur capacité, ce qui jeta la panique dans la population encore en santé.

Rien, apparemment, ne semblait capable de stopper la propagation de la maladie ou ses symptômes, et le nombre de morts et de mourants augmenta exponentiellement, provoquant une crise politique. Le gouvernement, réalisant rapidement qu'il devait agir très vite pour isoler le virus exotique et trouver un traitement pour l'arrêter, mit sur pied une armée de chercheurs travaillant vingt-quatre heures par jour pour identifier la souche de la grippe mortelle. Ayant finalement réussi à cerner et à isoler la bestiole, ce qu'ils découvrirent était effrayant; le virus correspondait à une souche de la grippe ordinaire que l'on n'avait jamais vue auparavant et elle se montrait apparemment insensible à tous les antibiotiques connus par l'homme. Pire, sa période d'incubation était si longue et il était si contagieux que presque toute la population devait déjà être contaminée. Même alors que les chercheurs travaillaient frénétiquement pour décortiquer son ADN afin de pouvoir fabriquer un antidote, la plupart savaient qu'il était probablement trop tard, car il semblait évident que dans quelques semaines – à moins d'un miracle de dernière minute –, tous les citoyens de la Fédération seraient morts.

Plus sinistre encore, les chercheurs informèrent le premier ministre et son cabinet que le virus ne constituait pas une mutation naturelle comme on l'avait d'abord cru, mais un virus modifié artificiellement. Puisqu'un tel exploit exigeait des laboratoires sophistiqués et une armée de généticiens dévoués, et puisqu'il n'existait que deux laboratoires au monde capables de produire une telle chose – le leur et le centre de recherches biologiques de l'Empire –, ce qui débuta comme une crise médicale devint immédiatement une crise politique de surcroît.

Furieux en apprenant cette nouvelle, le premier ministre convoqua ses conseillers militaires pour discuter de ce qu'il fallait faire. Reconnaissant que toute la population devait être infectée par le virus et qu'elle était donc condamnée, la volonté de se venger était palpable dans la pièce. On décida rapidement que s'ils étaient détruits par la traîtrise de leur lâche ennemi, l'Empire détesté devrait lui aussi payer un prix élevé. Les deux côtés avaient déjà accumulé un arsenal nucléaire important – des dizaines de milliers d'ogives thermonucléaires extrêmement puissantes et un grand nombre d'armes nucléaires tactiques plus petites — qui, jusqu'alors, n'avait jamais été utilisé par crainte de provoquer une riposte colossale. Mais maintenant que la Fédération manquait de temps et qu'elle était de plus en plus désespérée, on prépara des attaques importantes pendant que les diplomates de la Fédération, à l'aide d'intermédiaires situés dans les pays neutres, donnaient discrètement mais fermement un ultimatum à l'Empire : soit ils produisaient sur-le-champ un antidote pour le virus, soit ils s'exposaient à une destruction imminente.

Ce fut l'impasse au cours des trois journées suivantes, tandis que la Fédération agonisante se demandait s'il fallait ou non amorcer une guerre totale et que l'Empire, agressif et de plus en plus désespéré, niait avoir le moindre lien avec la maladie mortelle ni savoir quoi que ce soit à son sujet. Finalement, la décision fut prise pour la Fédération lorsqu'il devint évident que l'Empire se préparait à lancer sa propre attaque préventive, ce qui força le premier ministre, dont la propre fille de dix ans venait de mourir de la maladie quelques heures plus tôt, à consulter les codes de lancement et à donner les ordres qui allaient déchaîner un Armageddon nucléaire. Huit minutes plus tard, les premiers missiles quittèrent leurs tubes et la destruction de l'humanité devenait inévitable.

Le jour où il plut du feu

C'est un peu après le crépuscule, dans la capitale de l'Empire de l'ouest, que les écrans radars s'emplirent brusquement des échos de milliers de missiles balistiques se dirigeant vers leurs villes et leurs installations militaires principales, semant la panique et la confusion parmi les hauts dirigeants de l'armée et du gouvernement. Ils savaient que la tension entre les deux puissances augmentait depuis quelques jours et en conséquence, ils avaient institué un niveau d'alerte plus élevé, mais peu d'entre eux s'attendaient à ce que la Fédération lance vraiment son imposant arsenal nucléaire, et ils se réfugièrent rapidement dans leurs abris à l'épreuve des bombes en ordonnant une riposte massive. Puisque leurs forces se trouvaient déjà en alerte, prêtes à agir, ils réussirent à expédier le gros de leur arsenal avant que n'arrivent les premiers missiles de la Fédération, et en quelques minutes, le ciel au-dessus du sous-continent indien et de l'Asie du Sud-Est se voyait rempli des traînées de condensation de milliers de missiles nucléaires filant droit vers les villes et les installations militaires principales de chacun des belligérants. Pour plusieurs citoyens des deux nations, il s'agissait de leur dernier jour sur Terre.

Comme prévu, la destruction fut totale. Des milliers d'ogives nucléaires explosant en l'espace de quelques minutes rasèrent les grandes métropoles sur quatre continents. Des villes qui étaient quelques minutes plus tôt des chefs-d'œuvre d'acier et de verre furent transformées en décombres embrasés, et la majeure partie de la population fut incinérée sur place. En outre, ce qui ne fut pas atomisé immédiatement fut démoli par les ondes de choc qui suivirent ou enflammé par les vents brûlants forts comme des ouragans, jusqu'à ce que les centres culturels et financiers de la planète soient en flammes. Les forêts et les prairies environnantes, déjà asséchés par un été anormalement chaud et sec, prirent feu rapidement eux aussi, aggravant l'incendie et carbonisant des centaines de millions d'hectares de forêts et de terres arables, métamorphosant les petites communautés de fermiers qui travaillaient la terre en ruines fumantes. Quelques heures après les premières détonations, des flammes brûlaient littéralement d'un bout à l'autre du pays, consumant des vies, des propriétés et tout espoir pour l'avenir dans un énorme brasier mortel.

Pendant toute la nuit et le jour suivant, les deux côtés continuèrent à s'envoyer des armes de destruction massive jusqu'à ce que leurs arsenaux soient vides ou qu'il ne reste plus personne pour les utiliser. Lorsque leur furie fut éteinte, pratiquement toutes les villes assez grandes de la planète étaient rasées et celles qui n'avaient pas été touchées se voyaient ravagées par des milliers d'incendies hors de contrôle ou couvertes de nuages de cendres radioactives. Durant quelques jours, le ciel au-dessus de deux continents entiers fut recouvert de fumée et de poussière bouillonnantes, formant d'énormes nuages noirs de cendres surchauffées fusionnant ensemble pour ne faire qu'une seule grande plume encerclant tout le globe sur quarante degrés de chaque côté de l'équateur.

Non seulement les nuages recouvrirent-ils les continents jadis luxuriants et animés d'une couverture suffocante de suie, mais un torrent continu de cendres et de pluies acides se mit à tomber, augmentant la dévastation. Coupés de la lumière du soleil et donc plongés dans une terrible noirceur apparemment sans répit, les survivants terrifiés attendirent que la mort vienne les prendre ou se suicidèrent pour éviter la lente agonie qui les attendait sous forme de famine ou de maladie des rayons. C'était comme si le ciel assombri et l'atmosphère étouffante symbolisaient parfaitement leurs espoirs et leurs rêves anéantis, et la pâleur de la mort flottait au-dessus de la planète comme un linceul.

Tout fut terminé en une semaine, mais le tiers de la population de la planète était mort et un autre tiers était mourant, soit à cause de la radiation, soit à cause du virus de la grippe qui était présent presque partout sur Terre. Les chefs militaires ou politiques de la Fédération qui avaient réussi à survivre à la guerre ne s'étaient achetés au mieux que quelques semaines de vie supplémentaires, car le virus était impossible à enrayer et, comme le reste des citoyens, ils succombèrent avant la fin de l'année. L'empereur dément de l'Empire de l'ouest, tremblant de peur dans son bunker massif renforcé situé très loin sous la surface de son empire brûlé et démoli, ne vécut pas assez longtemps pour voir leur trépas, toutefois ; lorsque ses conseillers découvrirent que c'était sa traîtrise non autorisée qui avait déclenché le cauchemar, ils le firent arrêter et exécuter, tout comme le responsable de la guerre biologique et toute son équipe. Non pas que cela fît la moindre différence, cependant, puisqu'ils allaient succomber eux aussi au virus ou se suicider dans les mois suivants, terminant ignominieusement la dernière tentative de civilisation de l'humanité.

Les mois sombres

L'échange nucléaire et la peste ne furent pas les seuls tueurs lors de ce terrible automne. L'énorme couverture de poussière qui encerclait les deux tiers du globe bloquait efficacement la lumière du soleil et pendant des semaines, un crépuscule lugubre et froid flotta sur la planète et fit descendre les températures mondiales de vingt degrés, gelant et tuant les cultures qui avaient survécu aux flammes, et contribuant à l'extinction globale de plusieurs grands mammifères sur Terre. Sans la lumière du soleil pour permettre à la photosynthèse d'avoir lieu, la plupart des plantes moururent, et sans plantes, les animaux qui s'en nourrissaient moururent également. Peu après, les prédateurs qui se nourrissaient des animaux mangeant les plantes moururent aussi jusqu'à ce que finalement, il n'y ait plus que quelques espèces très petites, résistantes et isolées vivant péniblement. Même si le système de la planète venait de subir un choc si fort qu'il lui faudrait littéralement des siècles pour s'en remettre, il y avait encore de ces formes de vie qui refusent toujours obstinément de succomber.

De plus, les tendances climatiques étant dramatiquement modifiées sur toute la planète, de violentes tempêtes s'abattirent sur des régions entières durant des jours et créèrent d'énormes vagues qui dévastèrent les villes côtières qui, jusque-là, avaient survécu. On ne saurait trop souligner l'impact que cela eut sur le fragile écosystème de la planète, car la typographie et les écosystèmes de continents entiers furent altérés dramatiquement presque du jour au lendemain.

Peut-être dans un effort pour survivre, la Terre elle-même entra dans une espèce d'hibernation qui dura jusqu'à ce que les nuages suffocants de poussière et de fumée se dissipent enfin et que les premiers rayons de soleil pénètrent l'obscurité pour commencer le processus de guérison. Il fallut des années pour faire revivre la planète, mais éventuellement, les forêts revinrent, ainsi que plusieurs des animaux qui l'habitent (bien qu'en beaucoup moins grand nombre). Ils se trouvaient cependant dans un nouvel univers, car le monde de 10 000 av. J.-C. n'existait plus. Il avait été modifié à jamais, et comme un joueur de poker devant un paquet de cartes remélangées, la vie fut obligée de jouer avec les nouvelles cartes que l'extraordinaire manque de perspicacité et l'imprudence obstinée de l'humanité venaient de lui donner. Elle survécut, mais ce fut de justesse.

Les survivants

Remarquablement, même les créatures responsables du désastre furent parmi les survivants – mais, encore une fois, de justesse. Suite à ce triple coup constitué par une attaque biologique, une guerre nucléaire et un hiver nucléaire, la population humaine de la Terre passa de plusieurs milliards à quelques centaines de personnes robustes, presque toutes faisant partie de petits groupes vivant dans les régions les plus inaccessibles de la planète. Heureusement, ces bandes isolées de ce qu'on allait appeler des « primitifs » étaient habituées à vivre dans des conditions difficiles et elles ne furent donc pas trop affectées par l'attaque technologique de l'humanité, ce qui en fit le groupe le plus apte à survivre. Les derniers modernes autour d'eux succombèrent tous au virus ou à la famine, mais ces bandes parvinrent à survivre en mangeant des racines et des arbustes encore comestibles, ainsi que quelques petits animaux et parfois des poissons. Il s'agissait d'une existence pénible et minimaliste à laquelle seuls les plus robustes survécurent, mais ils formaient un groupe résistant qui avait ce qu'il fallait pour réussir.

Lorsque les nuages de fumée et de suie toxiques se furent finalement dissipés, ces bandes d'hommes et de femmes sortirent de leurs cavernes, effrayés et seuls, mais déterminés à survivre, et après quelques générations, la terre commença enfin à produire de nouveau du gibier et des fruits à profusion, permettant à la vie de reprendre son cours. Ne connaissant pratiquement rien de la technologie qui avait failli les faire disparaître, tout ce qui resta furent des histoires, celle d'une grande noirceur couvrant toute la planète, celle d'un énorme bouleversement des terres allumant des incendies terribles et provoquant des vagues massives qui recouvrirent une grande partie des terres – de toute évidence la punition des dieux face au comportement dévoyé de l'humanité – et celle d'une volonté de vivre tenace. Il se trouve que c'était assez et après quelques décennies, un nouveau monde sorti de l'ancien pour recommencer le processus, peuplé cette fois de gens qui ne connaissaient rien à la guerre bactériologique, aux armes nucléaires ou aux sous-marins atomiques. En eux résidait l'espoir de civilisations futures et avec elles, la possibilité d'un avenir meilleur, même s'il ne devait pas se concrétiser avant plusieurs milliers d'années.

Mais qu'en est-il des modernes ? Sûrement, quelques-uns survécurent et tentèrent de reconstruire une nouvelle civilisation sur les décombres de l'ancienne. Et pourquoi le virus meurtrier ne détruisit-il pas les primitifs ?

Pour répondre d'abord à la dernière question, seuls les primitifs ayant très peu de contacts avec les modernes survécurent. Sans aucun doute, plusieurs tribus primitives furent anéanties par la peste (et par les effets de l'hiver nucléaire), et uniquement un tout petit nombre d'indigènes, les plus isolés et les plus attardés selon les standards modernes, subsistèrent. Quant à l'autre question, il est probable que certains modernes survécurent, en particulier ceux qui vivaient tellement isolés qu'ils n'avaient aucun contact avec les hommes, de telle sorte qu'ils ne furent jamais infectés par le virus mortel. Certains d'entre eux, surtout les plus débrouillards et les plus résistants, réussirent peut-être même à traverser les temps difficiles tandis que leurs compatriotes plus urbanisés et plus dépendants de la technologie échouaient, leur permettant ainsi de survivre quelque temps. Il y eut vraisemblablement d'autres survivants aussi : des hommes et des femmes qui travaillaient dans l'espace au moment de la catastrophe ou les équipages des rares sous-marins nucléaires qui parvinrent à ne pas être détruits ou infectés par le virus. Mais leur sort fut encore pire, d'une certaine façon, car ils furent obligés de souffrir l'horreur de tout voir se dérouler devant eux de leur perchoir isolé en orbite ou profondément sous la mer, incapables de faire quoi que ce soit (et même, peut-être, participant eux-mêmes à la destruction).

Cependant, ils ne survécurent pas longtemps, car c'est là que la technologie finit par abandonner l'humanité. À moins d'avoir développé une infrastructure totalement autonome dans l'espace ou sur une autre planète, les astronautes manquèrent rapidement de nourriture, de carburant, de pièces de rechange et de tout ce qui est nécessaire pour que leur vaisseau et eux-mêmes puissent continuer. Sans la technologie leur permettant de survivre dans l'espace froid et vide, ce ne fut qu'une question de temps avant qu'ils ne succombent eux aussi, de faim ou d'autre chose, et rejoignent leurs concitoyens dans la mort. Même chose pour les quelques équipages de sous-marins ayant survécu : bien que leurs sous-marins fussent capables de demeurer en mer pendant des mois, ils avaient également besoin de nourriture, d'entretenir leurs sous-marins et de faire parfois effectuer des réparations que seule une base terrestre parfaitement opérationnelle pouvait réaliser. Sans assez d'installations sur terre encore en opération pour s'occuper des équipages et des sous-marins, les grands submersibles finirent par se délabrer jusqu'au jour où, incapables de se déplacer par eux-mêmes, ils furent échoués sur des bas-fonds et abandonnés, leurs énormes coques d'acier recouvertes peu à peu par la rouille et mises en pièces par la mer tandis que leurs équipages exténués se voyaient forcés de survivre sur des côtes inconnues et décimées. Ceux qui étaient particulièrement débrouillards et résistants subsistèrent quelques années, mais éventuellement, ils succombèrent pareillement aux forces inexorables de la nature et leurs os furent réduits en poussière en l'espace de quelques décennies.

Bien sûr, il est très possible que certains choisirent volontairement de ne pas survivre, car quelle motivation avaient-ils pour continuer lorsqu'ils apprirent que leurs familles avaient été effacées et que la planète était un désert ? Il n'est pas déraisonnable d'imaginer que le suicide devint acceptable et un moyen courant d'éviter une mort lente et douloureuse occasionnée par la faim ou l'exposition. Est-ce vraiment si difficile d'imaginer tous les équipiers d'un sous-marin choisissant de mourir sous l'eau, au plus profond de l'océan, plutôt que de vivre seuls, sans la compagnie des gens qu'ils aiment ? Pourrait-on blâmer l'équipage d'un vaisseau cargo en orbite d'avoir ouvert le sas pour ainsi purger l'habitacle de son atmosphère essentielle à la vie, plutôt que de supporter une mort plus lente causée par la faim ? Je soupçonne que de telles options furent furieusement débattues et, dans la plupart des cas, choisies.

Mais qu'arriva-t-il des rares modernes qui réussirent quand même à survivre ? Peut-être quelques surviveurs parvinrent-ils à subsister contre toute attente, tout comme un anthropologue isolé ou une famille de missionnaires vivant dans une tribu de « primitifs » et qui échappèrent au sort de leurs concitoyens, mais ensuite ? N'ayant aucun moyen de transmettre leur savoir – les indigènes ayant survécu ne pouvant pas comprendre des concepts comme un circuit intégré, un ordinateur ou la pénicilline –, ils vécurent dans l'isolement, puis moururent de maladie ou de vieillesse et furent en grande partie oubliés. Et même s'ils réussirent à laisser derrière eux une progéniture comprenant le concept de la technologie, éventuellement, leurs enfants, petits-enfants ou arrière-petits-enfants oublièrent complètement leur héritage technologique, jusqu'au jour où, finalement, ayant été absolument assimilés par les populations indigènes survivantes, ils ne comprirent pas plus la technologie que les tribus à l'âge de pierre de la forêt tropicale amazonienne ne la comprennent aujourd'hui. Quelques décennies après la Grande Guerre, il n'y aurait probablement pas le moindre vestige de savoir technologique, ce qui forcerait l'humanité à recommencer à zéro et à redécouvrir des milliers d'années plus tard la technologie que nous considérons comme allant de soi de nos jours. Même les faits historiques du passé furent éventuellement perdus, jusqu'à ce que même le souvenir de la Grande Guerre qui détruisit leur civilisation fût totalement oublié, subsistant seulement sous forme de mythes et de fables très stylisés et embellis racontés autour des feux de camp. Malgré tous ses efforts, la civilisation aurait tout aussi bien pu n'avoir jamais essayé, tant sa destruction était complète.

Ce fut vraiment la dernière de toutes les guerres, car elle réussit à détruire, par le temps et la distance, la technologie qui avait rendu possible la Grande Guerre elle-même. Ce fut en fait un immense technocide, l'humanité appuyant elle-même sur la gâchette. La seule question qui reste est donc celle-ci : s'agissait-il de la première fois qu'un tel scénario avait lieu et, plus important encore, s'agira-t-il de la dernière ?

Conclusion

Bien sûr, on aime imaginer qu'un tel scénario est trop tiré par les cheveux pour être cru. On aime aussi croire qu'avec le progrès technologique vient un parallèle spirituel et moral, assurant que l'humanité aura les moyens et les motivations pour contrôler les dangers énormes inhérents au développement d'une civilisation très avancée. De toute évidence, au fur et à mesure que nous prenons de plus en plus connaissance du vaste potentiel que nous avons pour nous détruire, nous devrions hésiter davantage à nous en servir — du moins, c'est la théorie.

Mais est-il possible, cependant, du moins dans le cas de l'Atlantide, que de telles croyances trahirent l'humanité ? Les Atlantes commirent-ils une erreur de trop, ce qui leur fit tout perdre, et pour être encore plus direct, sommes-nous capables d'effectuer la même erreur et de prendre le même chemin vers la destruction que l'Atlantide ?

> *Chez vous, au contraire, et chez les autres peuples, à peine êtes-vous pourvus de l'écriture et de tout ce qui est nécessaire aux cités que de nouveau, après l'intervalle de temps ordinaire, des torrents d'eau du ciel fondent sur vous comme une maladie et ne laissent survivre de vous que les illettrés et les ignorants, de sorte que vous vous retrouvez au point de départ comme des jeunes, ne sachant rien de ce qui s'est passé dans les temps anciens, soit ici, soit chez vous.*
>
> — Le *Timée*

NEUF

Les preuves

Alors, si on accepte la possibilité qu'une civilisation mondiale, spécialement une civilisation aussi avancée et sophistiquée que la nôtre, ait pu apparaître il y a plus de douze mille ans avant de se détruire elle-même, comment aurait-elle pu ne laisser aucune preuve de son existence traînant quelque part aujourd'hui ? Même si on admettait que la plus grande partie avait pu être oblitérée par le genre de conflagration nucléaire dont je viens tout juste de parler, il devrait quand même y avoir beaucoup d'artefacts que la science pourrait étudier. Ce manque de preuves matérielles ne démontre-t-il pas qu'en fait, aucune civilisation semblable n'a existé ? Cela paraît tout simplement trop improbable qu'on ne trouverait *rien* pour prouver qu'un tel monde a déjà été une réalité, ce qui donne aux sceptiques toutes les armes dont ils ont besoin pour écarter tout le sujet de l'Atlantide comme étant une absurdité. Cette objection est validée encore par le fait que les anthropologues mettent fréquemment à jour des artefacts en pierre et d'autres preuves de l'existence de peuples anciens, comme des outils en pierre grossiers, des bijoux et d'autres ornementations, et même des peintures rupestres, qui ont bien plus que douze mille ans, de sorte qu'il semble raisonnable de penser qu'au moins une partie des grands immeubles et de la remarquable technologie qu'aurait eue une telle société eût été découverte par les archéologues depuis le temps. Mais jusqu'à ce jour, la science n'a extrait du sol que des preuves laissant supposer que l'humanité avant la nôtre était primitive.

Mais comment peut-on être certain d'avoir exhumé tout ce qu'il y a à trouver et que notre préhistoire n'a rien de plus substantiel que quelques hommes des cavernes ingénieux et leurs outils grossiers ? Les piles perses et l'appareil d'Antikythera mentionnés au chapitre cinq démontrent que la civilisation était capable de produire des appareils remarquablement sophistiqués beaucoup plus tôt qu'on ne le supposait traditionnellement, alors, comment peut-on se montrer si convaincu qu'aucun autre appareil similaire — et peut-être même plus sophistiqué et plus ancien que ces deux appareils archaïques — n'attend d'être déterré par les pelles des archéologues ?

Malgré les ouvrages des anciens historiens et le témoignage silencieux d'une douzaine de décennies de fouilles archéologiques, la vérité est que nous savons encore relativement peu de choses sur ce qui s'est passé voilà quelques siècles, et encore moins sur ce qui s'est passé voilà des dizaines de milliers d'années. Considérez, par exemple, que nous avons plus d'informations sur ce qui s'est déroulé dans le minuscule pays africain du Rwanda au cours des derniers cinquante ans que nous n'en avons sur toute l'histoire de l'Empire romain, qui dura mille ans ! Par conséquent, il est au mieux prématuré, et au pire présomptueux, de croire que nous possédons une bonne connaissance de notre propre lointain passé ; nous n'avons simplement pas toutes les données nécessaires pour affirmer quoi que ce soit avec certitude, ce qui nous laisse de la place, on pourrait l'imaginer, pour au moins envisager d'autres possibilités.

De plus, considérez à quel point la recherche du passé de l'humanité est récente, en fait; les sciences jumelles de l'archéologie et de l'anthropologie, par exemple, n'ont que quelques siècles (et l'océanographie est encore plus récente). En outre, l'habileté de la science à chercher librement dans le passé se voit souvent contrariée par des considérations géopolitiques et économiques; plusieurs régions du monde ne sont tout bonnement pas accessibles à la science moderne, et les coûts pour organiser une expédition archéologique, en particulier dans les régions les plus reculées de la planète, peuvent être astronomiques. En conséquence, on peut se demander si l'archéologie a découvert même une fraction de ce qu'il y a à trouver (même dans les endroits traditionnellement ouverts aux études archéologiques), ce qui rend difficile d'établir avec la moindre certitude s'il est possible de repérer des civilisations encore plus anciennes. De plus, la science a tendance à faire des suppositions : on croyait, par exemple, que la ville de Troie dont parle Homère était une fable jusqu'à ce que l'aventurier allemand Heinrich Schliemann la découvre en 1870, ce qui devrait rendre n'importe quelle affirmation selon laquelle une civilisation préhistorique n'a pas pu exister au mieux présomptueuse, si elle se base sur les preuves disponibles actuellement.

Une autre perspective à considérer, c'est que s'il y a vraiment eu une société mondiale moderne à un certain point de notre passé, elle ne fut là que durant une courte période, peut-être seulement quelques milliers d'années du début de son existence jusqu'à sa chute finale — une période relativement courte en regard de toute la présence humaine sur la planète. Les hommes des cavernes, en comparaison, se sont manifestés pendant des dizaines de milliers d'années (et plus), ce qui leur a donné beaucoup plus d'opportunités de laisser des preuves de leur existence (et encore, il est intéressant de constater à quel point nous avons peu d'artefacts, en dépit de presque cinq cent mille ans de vie humaine et protohumaine).En outre, une société moderne crée des artefacts faits de matériaux moins permanents qu'une culture primitive, laquelle est généralement obligée de faire ses habitations et ses outils en pierre durable (un point que nous allons examiner plus en détail dans un instant), et puisque les artefacts en pierre ont beaucoup plus de chances de survivre intacts aux siècles que, disons, un artefact en fer ou en acier – qui rouillerait et serait récupéré en relativement peu de temps –, les exemples de technologie avancée sont beaucoup plus ardus à trouver. Même si les artefacts modernes existaient en beaucoup plus grand nombre que leurs prédécesseurs primitifs en pierre, cela n'améliorerait pas leurs chances d'être localisés ; dix mille pointes de lance en fer ne valent pas une seule pointe de flèche en pierre sur une période de dix mille ans ; au bout du compte, l'anthropologue ne trouvera que l'arme en pierre et il supposera naturellement qu'il n'y a jamais eu rien d'autre.

Ce dernier point en particulier a été sous-estimé par la communauté scientifique. La science suppose souvent rapidement qu'une fois qu'une chose est enterrée, elle demeure intacte jusqu'au jour où elle se voit exhumée, mais fréquemment, ce n'est pas le cas du tout. Le temps n'est pas un allié de la pelle de l'archéologue, et en regard de l'éternité dont on parle ici, il peut se montrer carrément cruel. Pour la géologie, douze mille ans équivalent peut-être à un clin d'œil, mais sur le plan de l'existence humaine, il s'agit d'une éternité que très peu de choses, hormis la pierre et les mythes, sont capables d'endurer. Par conséquent, les chasseurs de l'Atlantide combattent un ennemi beaucoup plus fort que simplement le scepticisme d'une époque cynique dans leur quête pour retrouver le continent fabuleux de Platon ; en fait, ils luttent contre les forces de la nature et du temps lui-même, lesquelles, lorsqu'elles s'unissent contre leurs propres efforts, constituent des adversaires formidables.

La capacité de recyclage naturelle de la Terre

C'est un fait fondamental des sciences de la Terre que chaque matière solide sur cette planète existe en l'un ou l'autre de ces deux états : ou bien elle est en train d'être créée, ou bien elle est en train d'être détruite. En fait, on peut dire que la Terre correspond à un grand centre de recyclage naturel et elle l'est depuis le tout premier jour de sa création, il y a presque cinq milliards d'années ; les volcans rejettent la lave des profondeurs de la Terre pour former de la nouvelle roche pendant que la roche provenant de coulées de lave vieilles d'un milliard d'années se trouve réduite en poussière peu à peu par les forces naturelles que sont l'érosion par le vent, l'océan et la pluie. Les petites particules de roche érodée deviennent du sable et se retrouvent éventuellement enserrées dans une couche sédimentaire des millions d'années plus tard, une couche qui elle-même, après d'autres millions d'années, se voit exposée de nouveau à l'air libre où elle est érodée, ou encore elle se trouve poussée sous la mince couche terrestre pour derechef faire partie du manteau brûlant de roche en fusion d'où elle était sortie à l'origine.

Ce processus de récupération devient encore plus évident avec les matériaux organiques ; un arbre meurt, tombe par terre et — à moins d'être enterré très vite ou d'être préservé d'une autre façon — le tronc, l'écorce et les branches pourrissent pour éventuellement devenir un paillis qui retourne dans le sol et servir de nourriture pour la génération suivante de forêt. Les animaux sont consumés encore plus rapidement par les forces de la nature, se décomposant et se trouvant récupérés complètement par la terre généralement en l'espace de quelques mois, sinon de jours[35]. Par conséquent, chaque objet sur la planète, inanimé ou organique, est en train d'être formé ou de mourir, se transformant en poussière ou sinon se dirigeant vers l'entropie. Il s'agit d'un processus qui dure depuis des milliards d'années sans s'être jamais arrêté, malgré notre impression que le monde qui nous entoure est permanent.

35. Bien sûr, parfois, les arbres sont pétrifiés et les animaux sont fossilisés, de telle sorte que les traces de leur existence durent beaucoup plus longtemps, mais leur réclamation éventuelle par la planète est tout de même assurée même si cela peut prendre des millions ou des milliards d'années.

Si les objets naturels subissent ce schéma incessant de création et de destruction, le processus se révèle encore plus clairement pour les produits venant de l'ingénuité et du travail humains. Il n'est pas nécessaire d'être extraordinairement observateur pour remarquer que dès qu'une maison est construite, elle commence à se délabrer. Le bois pourrit. Les briques se transforment en poussière. Le béton craque et s'effrite. Cela peut prendre des années ou même des décennies avant que les premiers signes de ce processus ne deviennent visibles, mais ultimement, ils le seront et le propriétaire devra amorcer la routine sans fin consistant à empêcher la nature de faire ce qu'elle est censée faire : à savoir redonner leur maison aux éléments. Après seulement soixante ans environ (et encore moins pour les nouvelles maisons), il faut rénover constamment si on ne veut pas que la maison s'effondre. En fin de compte, les créations humaines ne sont tout simplement pas assez solides pour résister aux forces inexorables de la nature, peu importe à quel point elles ont l'air tenaces ou à quel point on a travaillé durement pour empêcher leur délabrement. C'est toujours la nature qui gagne en bout de ligne.

Pour donner un exemple, j'ai grandi dans les montagnes du Colorado et je me souviens qu'étant enfant, j'ai exploré les grandes mines qui parsemaient les versants de montagne autour de chez moi. Une des plus grandes était une mine d'argent abandonnée, près du sommet d'une montagne proche appelée Red Elephant, dont les rejets avaient plus de trente mètres de haut et s'étalaient sur des dizaines d'hectares. Bien que ce fût là tout ce qui restait à voir, des historiens locaux m'avaient dit qu'à la base de cette mine jadis prospère se trouvait une ville avec une population de presque deux cents résidants permanents. Mais en observant la forêt dense et le sous-bois enchevêtré qui recouvraient la base de la mine à l'époque, il était difficile de se l'imaginer, spécialement si on songeait que la mine avait été épuisée et abandonnée seulement cinquante ans plus tôt.

Remarquablement, aucune cabane battue par les éléments et très peu de fondations demeuraient sur place pour laisser croire qu'une ville animée avait déjà existé à cet endroit, et il n'y avait aucune route ou sentier dans les broussailles ou la forêt qui avaient poussé depuis pour indiquer où les rues principales se situaient. On pouvait toujours trouver des artefacts, bien sûr ; si on creusait et qu'on savait où regarder, on pouvait encore exhumer quelques bouteilles en verre, parfois une pelle rouillée et des seaux de clous carrés, mais sinon, c'était comme si le petit village avait été effacé par une main puissante. Son recyclage par la forêt était déjà inévitable et presque complet à cette époque. Dans un siècle, même les rejets auront disparu dans le feuillage et le site ressemblera à peu près à ce qu'il était lorsque les premiers Européens pénétrèrent dans la région au milieu du XIXe siècle. Red Elephant et la mine qui la faisait vivre auront disparu comme s'ils n'avaient jamais existé, leurs secrets perdus à jamais sous une nouvelle forêt.

Alors, qu'est-ce que tout cela signifie ? Il s'agit d'une leçon qui nous montre à quel point la civilisation fabriquée par l'homme est temporaire. Éloignez-vous de votre maison ne serait-ce que quelques années et lorsque vous reviendrez, vous la verrez envahie par les buissons et les arbres, et elle constituera très probablement le refuge de plusieurs oiseaux et autres petits animaux. Cessez de vous en occuper pendant quelques décennies et elle pourrira jusqu'à s'écrouler sous une lourde accumulation de neige ou à cause de l'action d'un grand vent persistant. Abandonnez-la quelques siècles et elle sera devenue poussière, laissant à peine une trace de son ancienne existence. Voilà le processus inexorable de la nature et du temps.

La fragilité de la technologie

Bien que ma petite ville fantôme fût, je l'admets, une affaire assez fruste et primitive même pour les standards du XIXe siècle, la capacité de la nature à récupérer les immeubles même très gros et sophistiqués n'en est pas moins évidente. Quand on regarde les grands édifices de l'humanité, il est facile de s'imaginer que ces constructions magnifiques de pierre et d'acier resteront debout pour toujours, mais ce n'est pas le cas. Du point de vue de la nature, il s'agit de choses fragiles sans plus de substance que le cerf-volant d'un enfant pris dans les vents d'une violente tempête, ce qui fut bien démontré par l'effondrement extraordinairement rapide des tours du World Trade Center le 11 septembre 2001.

La plupart des immeubles seront détruits avant d'avoir cent ans pour faire place à des bâtiments plus modernes. Un certain nombre se verront classés monuments historiques et survivront peut-être – si on en prend soin et s'ils étaient bien construits au départ – plusieurs siècles. Occasionnellement, un immeuble construit en pierre et protégé des climats les plus durs demeure toujours érigé après des milliers d'années, mais là encore, il faut s'en occuper si on ne veut pas qu'il se transforme en poussière. Pour se rendre bien compte à quel point même les constructions les plus solides doivent éventuellement se soumettre aux ravages du temps et ultimement se rendre aux éléments, il suffit de constater que des sept merveilles de l'Antiquité, il n'y en a qu'une – la grande pyramide de Gizeh – qui se tient encore debout aujourd'hui.

Ce qui se révèle encore plus intéressant à considérer, c'est que l'histoire nous apprend que plus une civilisation est avancée et sophistiquée, plus ses outils et ses constructions sont fragiles, ce qui semble contraire à ce que l'on suppose naturellement. On imagine en général qu'une technologie plus élevée signifie une durabilité et une performance également plus élevées; mais en réalité, c'est précisément l'inverse qui est vrai.

Quand les premiers hommes sortirent finalement de leurs grottes et commencèrent à fabriquer des outils très simples et des abris permanents, ils furent obligés d'utiliser les matériaux qu'ils avaient sous la main. Parmi les premiers, et encore les plus solides, se trouvait la pierre, que l'on rencontre encore parfois de nos jours sous forme d'outils très simples ou de murs et de fondations de villes anciennes. Au fur et à mesure que la civilisation avançait, toutefois, les hommes se mirent à employer le bois ou l'argile séchée au soleil pour construire leurs maisons au lieu de la pierre, plus lourde et plus difficile à manœuvrer. Parallèlement, ils entreprirent de fabriquer des outils et des armes en bronze et en fer plutôt qu'en pierre, plus pesante et pénible à tailler. Avec le temps, les gens abandonnèrent totalement les matériaux naturels au profit de produits de substitution fabriqués par l'homme ; les briques remplacèrent le bois et l'adobe, et les hommes commencèrent à créer des outils en acier plutôt qu'en bronze ou en fer, matériaux plus fragiles. Mais bien que plus dur et plus solide, l'acier ne s'avère pas plus durable. Éventuellement, le béton devint le matériau de construction préféré et les matériaux composites de l'ère spatiale ainsi que le plastique sont en train de remplacer largement l'acier à titre de substances les plus utilisées dans la fabrication d'objets. Par conséquent, ces artefacts et ces immeubles sont beaucoup plus difficiles à dénicher actuellement, précisément parce qu'ils sont beaucoup moins durables que la pierre. À moins que l'humidité et la température ne soient idéales, peu d'objets en bois ou en métal (à l'exception de l'or, lequel ne rouille pas, étant un métal noble ne réagissant pas avec l'oxygène) survivront aux siècles dans des formes identifiables, ce qui explique pourquoi nous pouvons encore exhumer des outils en pierre du paléolithique vieux de dizaines de milliers d'années, mais pourquoi nous sommes incapables de mettre la main sur des preuves qu'une civilisation avancée a existé juste sous nos pieds voilà seulement douze mille ans.

Pour mieux illustrer la grande disparité qui existe en termes de durabilité parmi les matériaux ordinaires utilisés dans les immeubles et les objets familiers, le tableau suivant montre le temps qu'il faut, en moyenne, pour que les matériaux les plus courants se décomposent et retournent aux éléments[36].

36. Il est difficile de dresser une liste définitive, car les estimations des différentes sources varient énormément, souvent par un facteur de dix ou plus. Il faut se méfier des vitesses de décomposition, qui sont apparemment influencées par les programmes politiques et qui sont parfois exagérées.

Tableau 9A. Temps de décomposition de quelques matériaux courants fabriqués par l'homme.

Matériau	Temps nécessaire*	Matériau	Temps nécessaire*
Papier	2 à 6 mois	Asphalte	40 à 75 ans
Carton de lait	3 mois à 2 ans	Bidon en fer-blanc	75 à 100 ans
Coton/Vêtements	5 à 10 ans	Boîte de conserve	200 à 250 ans
Bois peint	10 à 40 ans	Brique	100 à 500 ans
Sac en plastique	10 à 20 ans	Bouteille en plastique	400 à 500 ans
Tasse en polystyrène	50 ans	Acier inoxydable	500 à 1 000 ans
Bottes en caoutchouc	50 à 60 ans	Verre	500 à 1 000 ans et plus

* Le temps moyen nécessaire dans les conditions normales de chaleur et d'humidité pour que la décomposition ait lieu. Ces données sont des moyennes accumulées provenant de diverses sources et ne doivent pas être considérées comme absolues.

Remarquez qu'il y a peu de matériaux sur cette liste qui ont une durée de vie de plus de quelques siècles, et à l'exception du verre et de quelques autres matériaux inhabituels, presque rien ne subsiste plus de mille ans dans les meilleures circonstances. Bien sûr, les matériaux qui ont été spécialement protégés ou qui existent dans des conditions extrêmement arides dureront beaucoup plus longtemps, mais en gros, les objets usinés aujourd'hui par l'homme deviendront des éléments du sol dans quelques milliers d'années tout au plus.

Tout cela pour démontrer que nous n'avons aucune raison d'imaginer que la plupart des objets ordinaires employés par une civilisation hypothétique vieille de douze mille ans existeraient encore aujourd'hui. Grâce au mécanisme de recyclage naturel de la Terre, il est certain que l'écrasante majorité des objets laissant deviner l'existence d'une ancienne civilisation serait retournée à la poussière proverbiale de la Terre des milliers d'années avant que la première pyramide ne soit érigée. De même, il n'y a pas de raison de croire que la plupart des objets dont nous nous servons actuellement ne seront pas également récupérés par la planète bien avant que nous atteignions l'année 14 000 apr. J.-C.

Il existe quelques objets fabriqués par l'homme, cependant, qui sont bel et bien quasi indestructibles, quoique la plus grande part de ceux-ci ne soient que des variations d'objets naturels. Les diamants industriels, par exemple, utilisés couramment sur l'équipement de forage et pour les bijoux, sont essentiellement éternels. Le téflon, un matériau de l'ère spatiale employé pour disperser la chaleur et réduire la friction, est peut-être lui aussi pratiquement indestructible, et le béton armé ainsi que certains matériaux en céramique et en fibres résisteront possiblement eux aussi aux forces de l'entropie pour des centaines de milliers d'années ou peut-être même des millions.

Alors, pourquoi ne trouvons-nous pas ces objets si nos ancêtres hypothétiques pouvaient les fabriquer à l'époque tout comme nous le faisons aujourd'hui ? En fait, il y a plusieurs raisons à cela. Les diamants industriels, notamment, ne sont souvent pas plus gros que des cailloux ou de gros grains de sable, de sorte qu'il est facile de ne pas les voir. Le téflon, un autre élément presque permanent, utilisé pour revêtir divers ustensiles de cuisine, ne va pas se décomposer, mais il va s'éroder (comme le verre et la roche), et même s'il peut survivre une éternité, les ustensiles qu'il recouvre, généralement en acier, ne survivront pas, laissant seulement quelques flocons de matériau pour les archéologues de l'avenir.

Des objets plus gros comme une porte en acier ou une aile d'avion recouverte de titane pourraient survivre sous une forme identifiable pendant très longtemps, mais ce genre d'objets est très inhabituel pour commencer. Par conséquent, bien que les objets réalisés par l'homme à partir de matériaux quasi indestructibles puissent exister pratiquement pour toujours (d'un point de vue humain), ils sont soit petits et passent aisément inaperçus, soit très rares (et se trouvent généralement dans des endroits inaccessibles, par exemple loin sous terre). Nous vivons dans une société de consommation dans laquelle l'obsolescence est pour ainsi dire implantée dans tout ce que nous fabriquons ; il n'y a donc pas beaucoup d'objets qui survivraient à douze mille ans. Ils ne sont pas faits pour cela.

Enterrer le passé

Bien que le temps fasse sa part pour détruire les marques d'une ancienne civilisation, il existe aussi d'autres facteurs – le plus important étant la tendance naturelle de la planète à enterrer les choses. Notamment, la pluie et le vent sont constamment en train d'essayer de couvrir les objets avec de la poussière ou de la boue, habituellement avec beaucoup de succès, comme peut s'en rendre compte n'importe qui ayant déjà utilisé un détecteur de métaux. Des objets qui ont été échappés par terre seulement quelques jours plus tôt sont souvent enfouis sous plusieurs centimètres de terre, en particulier dans les endroits où il y a beaucoup de pluie et d'écoulement. L'auteur lui-même a déjà laissé un frisbee sur une plage pour le retrouver enterré sous plusieurs centimètres de sable après seulement *quelques heures*, ce qui montre bien que dans certaines conditions, un objet peut se voir enterré très rapidement (les tempêtes de sable sont connues pour cela, comme les inondations et les grosses pluies). Maintenant, s'il faut uniquement quelques heures ou quelques jours – ou au pire quelques années – pour ensevelir la plupart des objets, imaginez ce que feront des centaines ou même des milliers d'années à ces mêmes objets, en supposant qu'ils ne se décomposent pas avant. Ce n'est donc pas très surprenant qu'il soit difficile de localiser des objets anciens ; la terre sous nos pieds cache obstinément ses secrets et seuls les chercheurs les plus déterminés possèdent une chance de les trouver.

Mais il existe un facteur peut-être plus important encore, à savoir que la géographie de la planète a changé radicalement en douze mille ans, ce qui a enfoui une partie des régions qui étaient possiblement les plus peuplées de la planète. Comme nous l'avons vu au chapitre trois, le littoral de l'Asie était avancé beaucoup plus loin dans la mer au sommet de la dernière période glaciaire, car le niveau de la mer était beaucoup plus bas qu'aujourd'hui. Mais suite à la fonte des calottes polaires à peu près au même moment, des centaines de milliers de kilomètres carrés de plaines fertiles et de berges peu élevées, là même où on s'attendrait à découvrir des traces d'une civilisation florissante, furent submergés.

Il s'agit d'un point important à considérer; la distribution de la population actuellement montre que les hommes ont tendance à vivre dans des régions côtières peu élevées et à construire leurs villes à proximité de la mer ou d'un fleuve. En fait, douze des quinze plus grandes villes au monde sont des villes côtières, et deux tiers de la population mondiale vit à cent soixante kilomètres ou moins de la mer, ou sur les bords d'une voie navigable importante. De plus, l'archéologie démontre qu'une civilisation a tendance à rester au même endroit assez longtemps, allant jusqu'à reconstruire sur les ruines des villes détruites par un incendie, un tremblement de terre ou une inondation.

La nature humaine semble avoir l'habitude curieuse de construire à des endroits inappropriés, mais comme la colonie de fourmis qui rebâtit sa maison au milieu d'une zone en construction, les hommes paraissent préférer les mêmes sites pour leurs nids, même si le site en question n'est pas pratique; les villes sujettes aux tremblements de terre ou aux inondations, par exemple, sont presque toujours reconstruites après avoir été détruites plutôt que déplacées dans des endroits plus appropriés (comme la Nouvelle-Orléans, notamment, qu'on est en train de reconstruire même si elle se trouve en moyenne cinq mètres *sous* le niveau de la mer). Par conséquent, on peut supposer qu'une ancienne civilisation aurait fait la même chose : les Atlantes devaient s'agglomérer dans les basses plaines côtières de l'Indonésie, de l'Indochine et du sous-continent indien, dans des régions qui, selon les études modernes sur le niveau des océans, n'avaient jamais été sous l'eau depuis que l'*Homo sapiens* existait (ce qu'illustre bien le graphique suivant représentant les niveaux de la mer).

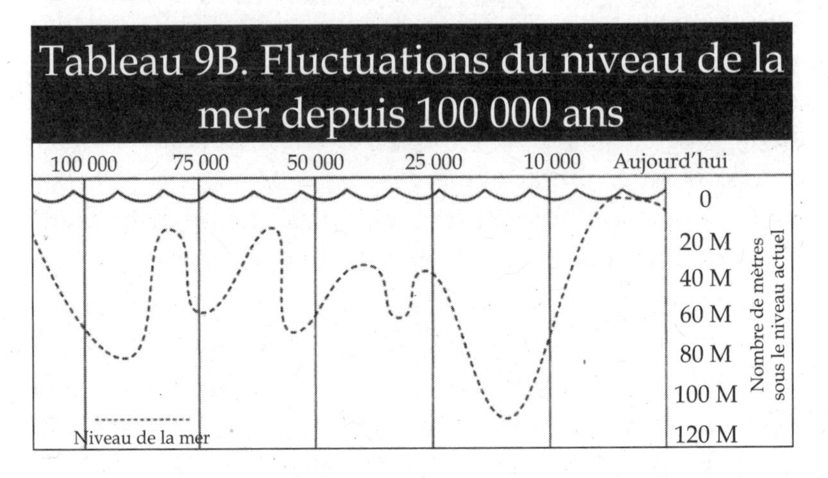

Remarquez tout particulièrement que le fond marin qui se trouve de nos jours dans les endroits peu profonds de l'océan a été hors de l'eau pendant dix mille ans seulement au cours des derniers cent mille ans. Donc, si les Atlantes ont construit de grandes villes, c'est là qu'ils l'ont fait, ce qui explique de nouveau pourquoi il se révèle si difficile d'en dénicher les traces[37]. La carte ci-dessous indique les sites les plus propices à soutenir une population humaine importante voilà douze mille ans, la plupart de ces sites étant sous l'eau aujourd'hui.

37. De plus, si c'est vrai, il n'est pas déraisonnable d'imaginer que ces régions que l'on appelle aujourd'hui les plateaux continentaux furent le berceau véritable et originel de la civilisation, bien avant la Mésopotamie.

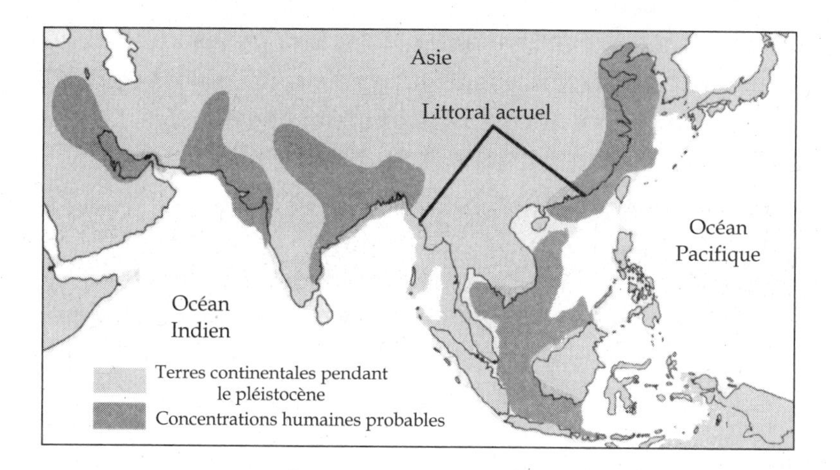

Lorsque le niveau de la mer augmenta dramatiquement à la fin de la période glaciaire du pléistocène, ces importants centres de civilisation (qui sont, par extension, les régions ayant le plus de chances de renfermer des preuves archéologiques de leur existence) furent submergés sous des dizaines de mètres d'eau de mer (ainsi que dix mètres ou plus de boue, de vase et de sable). Cela rend évidemment la recherche d'artefacts atlantes problématique, au mieux, et presque impossible en pratique, du moins avec notre niveau actuel de technologie.

Si cela explique pourquoi *certains* artefacts atlantes ne seront probablement pas trouvés, qu'en est-il de ces régions de l'Atlantide qui ne furent pas submergées ?

La fonte des calottes polaires et l'augmentation subséquente du niveau de la mer à la fin du pléistocène submergèrent jusqu'à 15 pour cent des masses terrestres préhistoriques, mais 85 pour cent demeurèrent hors de l'eau. En conséquence, ne devrions-nous pas découvrir quelque chose, par hasard, indiquant qu'une civilisation antédiluvienne a existé ?

Si mon hypothèse selon laquelle la destruction de l'Atlantide est due en partie à une guerre nucléaire est juste, cependant, presque rien n'aurait survécu, même au-dessus des flots. Les grandes constructions et les monuments élevés qui auraient marqué cette civilisation prestigieuse auraient été en large partie incinérés, et quant aux bâtiments que les détonations atomiques et les incendies subséquents n'auraient pas oblitérés, la rouille et la pourriture (particulièrement évidentes dans les climats tropicaux de l'Asie du Sud-Est et du sous-continent indien) s'en seraient chargées au cours des siècles suivants. Au bout du compte, toutes les traces d'une civilisation antédiluvienne seraient submergées sous des dizaines de mètres d'eau de mer et de boue ou auraient été atomisées par la chaleur et l'explosion d'armes nucléaires, consumées par les incendies ultérieurs ou décomposées par les processus naturels. Avec une combinaison si efficace de mécanismes naturels et artificiels à l'œuvre, faut-il se surprendre que les traces de l'ancien âge d'or de la civilisation soient si difficiles à détecter ?

Mais même avec tous ces éléments se combinant pour bien faire disparaître presque toutes les traces de l'Atlantide, il y aura toujours ces quelques rares objets épargnés par les mécanismes destructeurs de l'homme et de la nature. Par exemple, les objets fabriqués avec du métal noble, qui ne s'oxydent pas et qui sont donc pratiquement indestructibles (comme l'or et le platine), devraient survivre, tout comme les pierres précieuses taillées. Il y aura peut-être même des artefacts faits de matériaux bizarres de l'ère spatiale qui résisteront aux siècles et qui seront éventuellement exhumés, ce qui secouerait la communauté guindée des archéologues. Cela semble inévitable.

Mais maintenant, un autre problème se présente. Même si un tel artefact persistait suite aux assauts de douze mille ans d'usure, le reconnaîtrions-nous si on le trouvait ?

Une histoire de poisson inhabituelle

Il ne suffit pas de trouver un ancien artefact ; ce qui s'avère encore plus important, c'est quand et par qui il est trouvé. Sans aucun doute, des découvertes remarquables ont été ignorées, perdues, oubliées ou bien manquées au cours de l'Histoire simplement parce que les personnes qui les ont trouvées ne savaient pas ce que c'était, ou par extension, ne s'en souciaient pas. Aucune histoire n'illustre mieux, peut-être, le rôle que la chance est parfois obligée de jouer dans les découvertes scientifiques importantes que la découverte du cœlacanthe.

En décembre 1938, un bateau de pêche au large des côtes de l'Afrique du Sud remonta un poisson plutôt inhabituel dans ses filets. Plus de cent cinquante centimètres de long, de grandes écailles bleuâtres et des nageoires qui ressemblaient à des pieds – le capitaine du bateau n'avait jamais vu une telle créature auparavant. Normalement, il aurait tout bonnement balancé une telle bizarrerie par-dessus bord ou peut-être l'aurait-il fait découper en morceaux pour servir d'appât, mais il se souvint que la conservatrice du petit musée local d'East London (un port de peu d'étendue mais important situé sur la côte est de l'Afrique du Sud) lui avait demandé de conserver les poissons inhabituels qu'il pourrait pêcher jusqu'à ce qu'elle ait pu les examiner, de sorte que le capitaine fit mettre de côté l'étrange poisson pour ensuite retourner au port.

Une fois le bateau bien amarré au quai, le capitaine demanda au débardeur d'appeler la conservatrice pour savoir si elle voulait examiner la pêche de la journée. La conservatrice, une certaine Mme Marjorie Latimer, accepta d'aller voir rapidement (ce qu'elle voulait vraiment faire, c'était souhaiter un joyeux Noël à l'équipage avant de se rendre vaquer à d'autres occupations), et elle prit un taxi pour se rendre aux quais, pas du tout préparée à ce qu'elle allait découvrir. Elle commença par inspecter le pont du bateau très superficiellement, n'apercevant l'étrange poisson enterré sous une collection de raies et de requins sur la plage arrière du bateau qu'au moment où elle allait partir. Fascinée par la gigantesque créature bleue, elle remercia le capitaine de l'avoir conservée et, après avoir marchandé et supplié, elle persuada le chauffeur du taxi de les amener, elle et le poisson odoriférant, au laboratoire du musée.

C'est là qu'elle réalisa que l'étrange poisson était peut-être plus important qu'elle ne le croyait. Incapable de dénicher quoi que ce soit de similaire parmi les espèces connues, elle tomba sur l'image d'un poisson préhistorique ressemblant énormément au poisson qui gisait devant elle, puis elle prit conscience qu'elle venait de faire une découverte saisissante. Après avoir expédié un croquis grossier de la trouvaille à un professeur de chimie qui s'avouait passionné par les poissons et qui enseignait à la Rhodes University, dans la ville toute proche de Grahamstown, elle reçut quelques jours plus tard un télégramme enthousiaste de l'homme de science lui demandant de préserver le spécimen à tout prix jusqu'à ce qu'il puisse se rendre à East London pour examiner personnellement le poisson. Quelques semaines plus tard, après un voyage ardu, le professeur, fatigué mais plein d'espoir, arriva finalement pour étudier le poisson lui-même, et il confirma avec excitation l'identification initiale de Mme Latimer ; ce que l'équipage du bateau de pêche avait remonté des fonds de l'océan s'appelait un cœlacanthe, un poisson préhistorique supposément éteint depuis quatre-vingts millions d'années. En fait, l'équipage du petit bateau de pêche avait capturé rien de moins qu'un fossile vivant !

Naturellement, la trouvaille fut saisissante pour la communauté scientifique qui considéra tout d'abord la nouvelle avec méfiance. Cependant, une fois que tout fut bien vérifié et que d'autres spécimens furent repêchés dans les eaux près des îles Comores (l'habitat naturel du cœlacanthe, où les habitants connaissaient son existence depuis des générations), on eut l'impression que les fossiles avaient joué un tour à la science. Le cœlacanthe avait non seulement survécu à la disparition des dinosaures, mais il demeurait pratiquement inchangé après des millions d'années, ce qui obligea les scientifiques à réécrire rapidement l'histoire paléontologique et conféra à Mme Latimer le rare honneur d'avoir un poisson – *latimeria chalumnae* – portant son nom.

Ce qui s'avère remarquable dans cette histoire, ce n'est pas seulement qu'un poisson qu'on croyait disparu depuis des millions d'années était vivant et prospérait dans les eaux de l'océan Indien, mais aussi qu'il fut découvert. Premièrement, il fut pêché à des centaines de kilomètres de son habitat naturel près du Mozambique, ce qui, déjà, fut un coup de chance incroyable. Mais plus important encore, si une Mme Latimer n'avait pas fait l'effort d'examiner la pêche du bateau, si elle n'avait pas été suffisamment versée en ichtyologie et si le capitaine du bateau qui remonta le poisson n'avait pas pris sa requête sérieusement pour commencer et mis le poisson de côté, le cœlacanthe n'aurait peut-être pas encore été découvert. Heureusement, tous les éléments s'unirent à la perfection afin de faire revivre la créature, ce qui démontre que parfois, la science a tout simplement de la chance.

Les erreurs d'identification et le problème des technologies parallèles

Avec ceci à l'esprit, donc, quelles sont les chances qu'une chose semblable puisse se produire avec l'artefact d'une civilisation préhistorique remonté dans un filet ou échoué sur une plage ? Un pêcheur du XVIIe siècle saurait-il qu'il vient de prendre dans son filet un clavier corrodé et incrusté de coraux provenant d'un ordinateur vieux de douze mille ans ? Et saurait-il aussi quoi en faire ? Brisé et ne ressemblant pas à quoi que ce soit d'important, ne le jetterait-il pas par-dessus bord avant de continuer son travail, et même s'il le gardait comme souvenir, qu'en adviendrait-il ? Au moment de la mort du pêcheur, l'objet ne serait-il pas perdu dans ses affaires personnelles ou jeté par sa famille comme étant une vieillerie bizarre sans valeur ? Que feriez-vous dans de pareilles circonstances ?

Les artefacts rares doivent avoir la chance d'être découverts par la bonne personne précisément au bon moment, sinon on n'aura probablement pas conscience qu'ils sont importants et on les jettera aux poubelles. La science ne saura jamais combien de découvertes ont été perdues à cause de l'ignorance ou de l'apathie, mais je crois qu'il s'agit d'un nombre substantiel et que ce nombre augmente sans cesse.

L'autre problème pour trouver des artefacts atlantes se rapporte au phénomène des technologies parallèles. Bien que nous ayons touché au sujet plus tôt, il se révèle assez crucial à notre discussion pour le réexaminer en entier. Pour résumer brièvement, le phénomène des technologies parallèles est la tendance qu'ont les civilisations à développer des instruments et des outils de manière semblable, autant en termes d'utilité que d'apparence, ce qui explique pourquoi deux chercheurs travaillant indépendamment inventent parfois simultanément ce qui s'avère essentiellement le même appareil, démontrant ainsi que les êtres humains ont tendance à penser de la même façon, spécialement en ce qui concerne la technologie. Par conséquent, si une ancienne civilisation découvrit la photographie, on peut supposer raisonnablement qu'une caméra atlante, ayant besoin de se conformer aux mêmes principes de base qui déterminent la forme, la grosseur et les fonctions de base d'une caméra, ressemblerait et fonctionnerait à peu près comme une caméra moderne. Le résultat serait un appareil très semblable à notre propre appareil relativement à la forme et à la fonction, de sorte qu'on pourrait aisément le prendre pour un artefact contemporain plutôt que comme un artefact ancien.

Revenons à notre pêcheur qui remonte dans son filet un clavier d'ordinateur corrodé vieux de douze millénaires. S'il l'a fait au XVIIe siècle, l'objet lui serait tellement étranger qu'il ne réaliserait vraisemblablement pas son importance et il le jetterait comme étant un débris bizarre (et d'ailleurs, à qui pourrait-il le montrer ?). Si un pêcheur contemporain pêchait un clavier atlante, par contre, il verrait sans doute ce que c'est (malgré son mauvais état), mais il le balancerait probablement quand même par-dessus bord, croyant qu'il s'agit d'un détritus contemporain[38]. En d'autres mots, si l'Atlantide développa une technologie comparable à la nôtre, avec peut-être des matériaux similaires et des composants généralement comparables, comment pourrions-nous distinguer l'artefact ancien inestimable du détritus moderne ? Une personne ordinaire ne

38. On suppose ici que l'objet serait extrêmement érodé et qu'il ne présenterait donc aucune marque distinctive permettant de le reconnaître.

supposerait-elle pas que la bouteille usée, la bague de diamants sur la plage ou la lampe en porcelaine brisée n'a que quelques décennies tout au plus, alors qu'en fait, elle pourrait être deux fois plus vieille que l'histoire connue ? Certainement, si un tel objet ne possède pas une caractéristique unique ou une inscription étrange pour qu'on trouve ses origines assez louches, on supposera qu'il est d'une fabrication relativement récente et on ne s'en occupera pas.

Mais si quelqu'un découvrait un artefact provenant de manière évidente d'une civilisation plus avancée que la nôtre ? Assurément, il devrait se douter qu'il tient quelque chose d'unique et ainsi, les chances que l'artefact se retrouve dans les mains des bonnes personnes seraient plus grandes. Peut-être, mais je crois que comme dans notre exemple avec le pêcheur du XVIIe siècle, il est plus probable que l'artefact serait simplement pris pour un détritus non identifiable, jeté et oublié, la personne l'ayant récupéré ignorant s'être débarrassé d'un indice précieux se rapportant au passé lointain de l'humanité. Par conséquent, à moins que la personne qui le trouve s'y connaisse en archéologie ou soit extrêmement curieuse et consciencieuse, les chances que l'objet parvienne à un laboratoire sont presque nulles. Sauf, bien sûr, si, comme dans l'histoire du cœlacanthe, il y a un équivalent moderne de Mme Latimer sur place pour apprécier l'objet à sa juste valeur. La science pourrait-elle avoir autant de chance encore une fois ?

Des indices venant de l'espace ?

Si une technologie atlante aurait beaucoup de difficulté à conserver une forme reconnaissable ici sur Terre, il y a la possibilité de l'espace : si les anciens Atlantes étaient capables d'y voyager tout comme nous, il devrait subsister des traces de leur parcours dans l'espace. Après tout, dans quel autre lieu une technologie vieille de douze mille ans pourrait-elle demeurer relativement intacte, sinon dans l'environnement ayant le plus de chances d'éviter les effets d'une guerre nucléaire et biologique, et le seul endroit où les processus naturels de la décomposition et de l'érosion n'ont pas ou peu d'effets (et où on est presque sûr de la remarquer) ? En d'autres mots, le meilleur site pour chercher des artefacts d'une civilisation préhistorique est sur une autre planète de notre Système solaire.

Ceci en supposant, bien sûr, que les Atlantes étaient assez avancés pour voyager dans l'espace, du moins dans notre Système solaire, mais il ne s'agit pas d'une supposition déraisonnable[39]. Après tout, s'ils disposaient d'une technologie parallèle plus ou moins comparable à la nôtre, on peut imaginer qu'il existe encore des preuves d'une telle civilisation sur la Lune, les planètes proches et les lunes de Jupiter et de Saturne. On peut même concevoir que des sondes atlantes se trouvent entre nous et les systèmes stellaires les plus proches (comme nos sondes Galilée et Voyager)[40]. Cependant, si c'est le cas, pourquoi des traces d'une telle civilisation n'ont-elles pas été détectées par les sondes modernes ou photographiées par des satellites survolant d'autres planètes – surtout que la Lune et Mars ont été cartographiés extensivement ?

Premièrement, l'exploration des corps célestes les plus proches s'est à peine amorcée et seulement de très petites portions de la surface de la Lune et de Mars ont été examinées attentivement, de sorte qu'on ne peut pas encore tout savoir de façon définitive. Deuxièmement, bien que des satellites aient effectivement pu cartographier presque entièrement la surface de la Lune et de Mars, la résolution n'est pas assez bonne pour reconnaître des objets relativement petits, comme par exemple un atterrisseur Viking. De plus, même si la résolution était meilleure, de tels objets seraient probablement ensevelis maintenant, du moins en partie, ce qui rendrait leur découverte très ardue (même si on savait ce qu'on cherche). Par conséquent, on a autant de chances qu'une sonde non habitée repère accidentellement un artefact atlante en explorant la surface que de trouver un sou particulier jeté dans le Grand Canyon en 1910 !

39. Il est peu probable que les anciens Atlantes pouvaient voyager d'une étoile à l'autre, car si cela avait été le cas, ils auraient pu survivre aux effets d'une guerre nucléaire sur Terre en s'enfuyant simplement vers les étoiles.

40. De telles sondes, par contre, se situeraient à des années-lumière de la Terre maintenant et elles ne pourraient pas être détectées par notre équipement moderne.

En ce qui concerne des bases habitées et même des colonies, elles seraient vraisemblablement enterrées juste sous la surface pour protéger leurs habitants des niveaux intenses de radiation cosmique rejetée par les éruptions solaires. À l'exception des hublots d'entrée et de quelques rares coupoles d'observation et antennes paraboliques, rien d'une telle station ne serait visible au-dessus du sol, ce qui rendrait sa détection très difficile de l'espace, même à l'aide de photographies ayant une très bonne résolution. De plus, s'il n'y a pas de climat sur la Lune pour déranger un site (bien qu'il y ait des tremblements de terre et des chutes de météores), ce n'est pas la même chose sur Mars. La planète rouge possède une météorologie active et parfois, des tempêtes de sable violentes balaient de grandes sections de la surface pendant des mois ; sans le moindre doute, ce genre de tempête enterrerait et réenterrerait, et aussi éroderait, n'importe quelle construction à la surface, en particulier sur une période de douze mille ans. Conséquemment, il serait très malaisé de localiser une ancienne base lunaire ou martienne après tout ce temps, et ce même si on savait où chercher[41].

Les preuves souterraines

Toutefois, peut-être que les meilleures preuves d'une ancienne civilisation ne viendraient pas de l'espace ou même de la surface de notre propre planète, mais de bien loin sous sa surface. Les hommes, semble-t-il, ont une propension naturelle à creuser et à transformer des couches de roches renfermant du minerai en fromage suisse. Par conséquent, nous devrions trouver des traces de l'histoire d'amour de l'homme avec le monde souterrain sous forme d'anciens puits de mines, de tunnels construits artificiellement et de bunkers souterrains ; lesquels, si les conditions se sont avérées idéales, pourraient facilement avoir survécu relativement intacts à douze millénaires. Et puisqu'il suffirait d'un seul puits inexplicable ou d'un unique tunnel perdu incompréhensible pour démontrer qu'une ancienne

41. Cela dit, les meilleurs endroits pour chercher de tels sites seraient les pôles — les seules régions qui disposeraient d'assez d'eau (nécessaire pour produire l'oxygène et le carburant requis pour y habiter longtemps). Curieusement, ces régions importantes sont souvent les dernières à être cartographiées ou explorées.

civilisation était jadis sur pied, une telle possibilité doit être considérée sérieusement.

Si seulement c'était aussi simple ! Il se trouve que le monde souterrain n'est pas plus indestructible que le monde à la surface. En fait, à cause de l'eau souterraine, du fait que les tunnels sont construits dans des régions géologiquement actives, et en raison de la décomposition naturelle des charpentes de support, l'écroulement se révèle inévitable et les trous dans le sol peuvent être effacés aussi bien que les constructions à la surface. D'une certaine façon, on pourrait dire qu'ils sont encore plus vulnérables[41].

Néanmoins, il y a quelques constructions qui devraient survivre. Les mines très grandes pourraient probablement supporter les attaques du temps, et un bunker souterrain très gros, comme celui enterré sous Cheyenne Mountain près de Colorado Springs (NORAD), devrait aussi subsister largement intact. En fait, un complexe de type NORAD, foré dans la roche et protégé par des portes d'acier d'un mètre d'épaisseur, survivrait même à une attaque nucléaire et devrait être reconnu comme étant une construction humaine même aujourd'hui. Sous terre gisent peut-être également des entrepôts de déchets nucléaires et des sites similaires (et puisque ce genre de sites devraient aussi être érigés dans des régions montagneuses, ils sont vraisemblablement au-dessus du niveau de la mer).

Malheureusement, repérer ce type de complexes s'avère très ardu si on ne sait pas exactement où ils sont situés. Il faudrait un sonar terrestre extrêmement dispendieux pour détecter un gros espace creux dans la roche, et le temps et l'argent qu'il faudrait pour chercher dans une seule chaîne de montagnes seraient prohibitifs (surtout si on songe que les endroits où on aurait le plus de chances de trouver de telles installations seraient dans les massifs montagneux situés dans les régions les plus inaccessibles de l'Asie du Sud-Est et de l'Extrême-Orient).

Un autre problème viendrait compliquer la localisation d'un complexe souterrain. Il est probable qu'il ne posséderait

41. Contrairement aux grottes naturelles qui, elles, peuvent vraiment subsister des millions d'années.

qu'une seule entrée très petite et camouflée qui se verrait recouverte de feuillage après seulement quelques décennies d'abandon. C'est particulièrement vrai d'un bunker souterrain de type NORAD, qui serait sans doute une cible de choix dans n'importe quelle guerre nucléaire mondiale et qui serait donc probablement très endommagé. L'explosion d'une ogive nucléaire assez puissante pour potentiellement détruire une telle installation aurait produit un cratère énorme à l'entrée du tunnel, enterrant et effaçant en grande partie toute trace extérieure du bunker. Même si les portes blindées résistaient et que les occupants survivaient, l'installation se verrait éventuellement abandonnée (possiblement par des tunnels d'urgence) et les sorties d'urgence ainsi que l'entrée se couvriraient de végétation avec le temps. Toute une ville pourrait être construite sur un tel site aujourd'hui et personne ne saurait qu'elle est bâtie sur les vestiges d'une énorme caverne artificielle ayant jadis servi de quartier général au cours d'un holocauste nucléaire mondial.

Les traces conservées dans les glaciers

Si on accepte la prémisse qu'une guerre nucléaire préhistorique a contribué à la chute d'une civilisation mondiale, les particules de suie et de poussière d'une telle catastrophe auraient recouvert les vastes calottes de glace polaires et les glaciers qui occupaient une grande partie de la surface du monde il y a douze mille ans, fournissant ainsi des preuves irréfutables d'une ancienne guerre nucléaire. Qui plus est, des siècles de pollution accumulée avant la chute devraient pareillement se retrouver dans la glace, de sorte qu'on devrait déceler des traces d'une ancienne société industrialisée, et de la guerre qui l'a détruite, enfermées dans les couches les plus profondes de la glace, très visibles dans n'importe quel échantillon des profondeurs.

Cela semble être une supposition raisonnable. Comme les anneaux d'un arbre, la glace offre un magnifique témoignage du passé : on peut véritablement compter les saisons dans les noyaux de glace et même étudier l'atmosphère dans les bulles emprisonnées dans la glace, ce qui nous donne beaucoup d'informations sur le climat qui existait voilà des centaines ou des milliers d'années. Par conséquent, un examen minutieux d'un échantillon de glace vieux de douze mille ans devrait exposer les couches de sédiments nécessaires pour confirmer l'existence d'une ancienne civilisation ou du moins rendre la chose crédible.

Malheureusement, ce n'est pas si simple. Les sédiments déposés par l'atmosphère sur les calottes polaires ne sont pas tout à fait réguliers. Parfois, des périodes de fonte peuvent faire fondre la glace à la surface, effaçant ainsi des décennies de couches sédimentaires et brisant la chronologie des couches de glace tout en rendant les données incomplètes. De plus, puisque mon hypothèse suppose qu'une période de réchauffement climatique importante se produisit immédiatement après le scénario de guerre et d'hiver nucléaires dont j'ai parlé plus tôt, il est très possible qu'une grande partie, ou la totalité, des traces d'un tel événement aient été effacées de la glace dans la fonte ultérieure qui suivit. Le gros des sédiments anémophiles résultant d'une conflagration nucléaire (ou de la pollution industrielle, d'ailleurs) s'étant posé sur les latitudes les plus basses de la glace une fois que les grandes nappes de glace eurent fondu, les siècles de données atmosphériques qu'elles contenaient ont dû être transformées en eau de mer, ne laissant rien ou presque rien des signes révélateurs d'une civilisation. Et si on ajoute la réduction de presque 75 pour cent des calottes polaires de la fin du pléistocène, on voit pourquoi il est si difficile de trouver des traces, même dans les couches de glace datant de l'époque atlante.

En outre, à moins de connaître précisément en quelle année notre civilisation préhistorique se détruisit, il se révélerait ardu de savoir dans quelle couche de glace chercher des traces. On trouve de la poussière et des particules anémophiles provenant d'incendies naturels et même des cendres provenant d'éruptions volcaniques emprisonnées dans pratiquement toutes les couches, car les incendies et les éruptions volcaniques sont généralement des événements annuels. Au cours des douze millénaires qui suivirent la destruction de l'Atlantide, il y eut probablement des douzaines d'éruptions importantes de type Krakatoa, chacune ayant déposé une quantité substantielle de cendre et de débris dans la glace, ce qui rend presque impossible de distinguer les éruptions volcaniques, qui sont d'origine naturelle, des catastrophes engendrées par l'homme[43]. Par conséquent, à moins de savoir exactement ce qu'on recherche, il serait aisé de ne pas apercevoir les traces d'un Armageddon nucléaire dans les anneaux sourds et froids des échantillons provenant de l'Arctique et de l'Antarctique.

L'indice provenant de la construction des routes

Il y a quelques années, des satellites en orbite aperçurent quelque chose d'inhabituel sur le sol accidenté de la jungle d'Amérique centrale : une série de lignes presque droites sillonnant la surface aride plus bas prouvaient qu'un réseau de routes vieux de deux mille ans reliait autrefois les populations indigènes de la région. Bien que recouvert par la jungle et en partie incomplet, vu de l'espace, il était clair que les ancêtres des Amérindiens étaient de bien meilleurs ingénieurs qu'on ne le croyait; en fait, ils avaient réussi à construire de vastes réseaux d'autoroutes longs de plusieurs kilomètres, environ à l'époque où les Romains plaçaient les premiers pavés de la voie Appienne (laquelle se voit encore aujourd'hui, allant de Rome à la mer, preuve que certaines choses furent vraiment construites pour durer). Il semblerait raisonnable, donc, de s'attendre à trouver des traces similaires d'un ancien réseau de routes atlantes parcourant le sous-continent indien et peut-être même l'Afrique du Nord. De plus, des signes de vastes opérations de terrassement, comme les routes et les tunnels de trains, les sculptures de parois rocheuses, les exploitations minières à ciel ouvert et les carrières, devraient aussi être évidents. Alors,

43. C'est particulièrement vrai, car les éruptions volcaniques et les grands feux de broussailles déposent à peu près le même genre de matériaux dans l'atmosphère qu'une explosion nucléaire. Il s'ensuit que les sédiments résultant d'un holocauste nucléaire ne sont pas très différents de ceux provenant d'une éruption. En outre, il est possible qu'une guerre nucléaire importante déclenche des éruptions volcaniques — et des tremblements de terre — à cause du stress majeur infligé à la croûte terrestre, ce qui masquerait encore davantage l'origine humaine des sédiments.

pourquoi ne trouvons-nous pas de tels signes évidents d'une ancienne civilisation, au moins dans les régions qui n'ont pas été englouties par l'eau des océans ?

Encore une fois, le temps représente le grand ennemi. Comme nous l'avons mentionné plus tôt, des tunnels fabriqués par l'homme finissent par s'écrouler si on cesse de s'en occuper pendant une longue période, et des glissements de boue et de roches ainsi que l'érosion naturelle devraient rapidement effacer des visages sculptés sur la paroi d'un canyon. En outre, puisque les matériaux utilisés par les sociétés avancées pour fabriquer leurs routes sont moins durables que la roche employée par les Romains, ce ne serait qu'une question de temps avant que les efforts incessants du vent, de la pluie, de la glace et de la neige ne transforment en ruines le plus vaste des réseaux d'autoroutes. Après douze mille ans d'un tel ravage, même en supposant que personne ne soit venu accélérer le processus de désintégration en réquisitionnant les routes délabrées pour construire des habitations, il ne resterait rien ou presque rien de ce qui était peut-être un réseau routier vaste et magnifique.

De plus, puisque les routes sont généralement construites dans les endroits les plus pratiques et que, comme les rivières, elles tendent à suivre le chemin le plus facile dans une zone géographique donnée, il est probable que les civilisations ultérieures bâtiraient leurs routes aux mêmes endroits, effaçant par le fait même encore davantage les traces des anciennes routes sous les nouvelles constructions. Même de l'espace, il faudrait beaucoup de chance pour distinguer les signes révélateurs d'un ancien empierrement, et même dans ce cas, il serait difficile d'établir l'âge d'une telle découverte, qu'on attribuerait presque certainement à une civilisation plus contemporaine.

Les exploitations à ciel ouvert[44] et les carrières, elles aussi, se métamorphosent en quelque chose d'apparemment moins artificiel et de plus naturel avec le temps. Les exploitations à ciel ouvert se voient éventuellement remplies d'eau et de vase, ce qui les font ressembler à de petits étangs ou à des lacs

44. En supposant, bien sûr, que les anciens Atlantes utilisaient ce procédé destructeur pour extraire leurs minerais. Peut-être que non.

naturels, et il arrive sans doute la même chose aux carrières. Et ne peut-on pas imaginer des civilisations postérieures découvrant une carrière abandonnée et commençant à s'en servir pour elles-mêmes, plusieurs milliers d'années après que les premiers propriétaires furent devenus de la poussière ? Les archéologues supposent légitimement qu'une ancienne carrière de marbre babylonienne, par exemple, est le produit de cette culture, mais comment peut-on être certain que ce sont bien eux qui la creusèrent les premiers, et non pas une civilisation plus ancienne ?

La quête continue

Maintenant que nous avons examiné toutes les possibilités de preuves tangibles, il semble que nous ne soyons pas plus près de trouver des preuves en faveur de notre civilisation perdue que lorsque nous avons débuté, car il y a simplement trop d'obstacles sur notre chemin. Pour résumer, il y a peu de chances qu'on découvre des artefacts antédiluviens ou d'autres traces d'une civilisation préhistorique parce que :

1. La plupart des constructions et des autres preuves tangibles de l'Atlantide furent détruites par la guerre nucléaire ou la dévastation qui suivit.
2. De grands territoires où la civilisation était probablement concentrée furent engloutis par l'océan, ce qui rend les chances de découvrir ou de récupérer quelque chose extrêmement minces.
3. Les objets tendent naturellement à être récupérés par les éléments et ils disparaissent après relativement peu de temps. C'est particulièrement le cas des objets manufacturés artificiellement, abandonnés dans les climats chauds et humides ou immergés dans l'eau de mer.
4. Les artefacts ne sont peut-être pas trouvés par les gens capables de reconnaître, ou qualifiés pour reconnaître,

leur importance, et alors, les artefacts sont jetés ou perdus.

5. La similitude entre les objets modernes et leurs équivalents atlantes n'est peut-être pas évidente pour les observateurs superficiels, de sorte que des artefacts anciens sont pris pour des objets contemporains.
6. Les grandes constructions humaines comme les carrières, les tunnels ou les réseaux routiers sont éventuellement effacées par les forces de l'érosion, récupérées par des civilisations ultérieures et donc associées à elles plutôt qu'à leurs aïeux antédiluviens, ou enterrées sous des constructions plus récentes.
7. Les polluants provenant d'une civilisation ancienne ou les traces d'une guerre nucléaire contenus dans la glace ont été effacés depuis longtemps par des milliers d'années de fonte de la glace.
8. Les preuves ayant leur origine dans l'espace sont difficiles à localiser compte tenu de notre niveau actuel de technologie et nous devrons attendre que l'humanité explore plus en détail les planètes proches et la Lune pour avoir des preuves d'une ancienne technologie.

Bien sûr, il est très possible qu'aucune preuve tangible de l'existence du continent fabuleux de Platon n'ait été trouvée parce qu'aucun endroit semblable n'a existé. D'un autre côté, le problème vient peut-être de ce que nous sommes tellement occupés à chercher des babioles sur lesquelles il serait écrit « Fabriqué en Atlantide » que nous n'apercevons pas les indicateurs plus gros qui existent. Nous n'avons peut-être pas de preuves « tangibles » – c'est-à-dire des artefacts provenant d'une ancienne civilisation moderne –, mais y a-t-il des preuves plus « subtiles » que l'on peut examiner ? Pas quelque chose de solide que l'on peut tenir dans ses mains ou placer sous une loupe, mais des preuves existant sous la forme d'indices ténus à l'effet que la civilisation est déjà passée par là et qu'elle a laissé ses traces dans le sable léger du temps, des traces qui sont peut-être presque entièrement disparues, mais qui sont néanmoins là et visibles pour ceux qui regardent de près ?

Peut-être qu'il y en a.

DIX

À la recherche des empreintes d'une ancienne civilisation

Si on disait à quelqu'un qu'un dragon a déjà habité dans une grotte toute proche, cette personne s'attendrait à trouver des preuves de ce fait. Mais trouver ces preuves ne serait peut-être pas si facile qu'elle ne le croyait au début, en particulier s'il s'agit d'un sceptique confirmé. Par exemple, on pourrait lui montrer le repaire supposé de l'animal, où le guide lui ferait remarquer les os rongés de gros animaux éparpillés un peu partout, preuves de l'existence du précédent résidant reptilien, ou encore il noterait les parois roussies de la grotte, preuves qu'une créature respirant du feu y a déjà habité. Mais le sceptique pourrait simplement rappeler que plusieurs autres animaux, autres qu'un dragon, pourraient être responsables des os rongés, et les parois roussies pourraient être le résultat de feux de camp et de torches, ouvrages de l'homme évidemment et non la trace d'une respiration de dragon. Imperturbable devant l'explication de notre sceptique, notre guide lui ferait toutefois remarquer l'absence inexplicable de gibier dans la forêt environnante, suggérant qu'un gros prédateur a drastiquement réduit la population animale, ce à quoi notre sceptique riposterait tout bonnement en alléguant que l'absence de gibier prouve seulement qu'on a trop chassé dans la région et non qu'un dragon y a déjà habité. Nullement impressionné par cette réplique, cependant, et n'ayant rien d'autre à souligner à notre attention, notre guide nous amènerait finalement aux archives du village local où il prendrait une douzaine de livres se trouvant sur des étagères poussiéreuses, et chacun d'eux raconterait en détail l'histoire du dragon local et comment il fut tué un siècle plus tôt par une bande de braves villageois, juste au moment où il sortait de la grotte. De plus, les comptes-rendus auraient été écrits par différentes personnes âgées habitant différents villages voisins, la plupart ne s'étant jamais rencontrées et étant renommées pour leur intégrité et leur franchise, créant ainsi une quantité saisissante de documents sur le sujet.

Que ferait maintenant notre sceptique ? Clairement, malgré le manque de preuves irréfutables, il y aurait beaucoup de preuves anecdotiques bien établies confirmant qu'une telle créature a déjà existé, attestées par tout un éventail de témoins dignes de confiance, la majorité d'entre eux ne s'étant pas connus, mais dont les histoires concordent à de multiples endroits. Même s'il n'y avait pas de preuves tangibles qu'un dragon avait déjà habité la région (notamment, surtout, aucune carcasse de dragon), ces histoires, de même que les os rongés, les parois roussies et l'absence de gibier, se combineraient pour suggérer qu'il se passait quelque chose de très curieux.

En fait, c'est là que nous en sommes avec l'idée qu'une civilisation préhistorique s'est déjà étendue sur le globe. Puisqu'on ne peut montrer aucune preuve matérielle en faveur d'une civilisation atlante, nous devons chercher d'autres indices confirmant qu'une telle civilisation avancée a déjà existé. Mais quelle sorte d'indices ? Malheureusement, ce ne sont pas toutes les preuves qui peuvent être pesées et étudiées et cataloguées ;

souvent, les preuves les plus précieuses n'ont absolument aucune substance. Tout comme dans un procès moderne pour meurtre, dans lequel l'accusé peut être condamné sur la base de témoignages oculaires, du manque d'alibi et de la présence d'un motif, tout cela sans la présentation d'aucune preuve matérielle, nous pouvons aussi déduire l'existence d'une ancienne civilisation sans présenter d'artefacts ou de preuves matérielles au jury. Si nous ne pouvons pas prouver la réalité de l'Atlantide à la satisfaction de la communauté scientifique – cela nécessiterait beaucoup de preuves matérielles –, nous pouvons au moins démontrer qu'une civilisation antédiluvienne ne constitue pas une idée aussi ridicule qu'on pourrait le supposer au départ. Mais quel genre de preuves laisseraient soupçonner qu'une telle civilisation a déjà existé ?

Les preuves venant du feu de camp

Comme nous en avons parlé plus tôt, le mot *mythe* a perdu beaucoup de son sens originel dans la langue moderne. Nous nous servons du terme de la même manière dont on se servirait des mots *fable* ou *parabole* ; en d'autres termes, on suppose qu'un mythe n'est qu'une histoire fictive destinée à enseigner une quelconque leçon philosophique ou morale, ou sinon à servir de véhicule au passage épique d'un récit. Mais comment les Anciens comprenaient-ils le vocable ? Voyaient-ils les mythes comme nous le faisons aujourd'hui – comme des histoires fantaisistes destinées à enseigner une leçon simple – ou les acceptaient-ils comme étant des histoires littéralement vraies, bien que peut-être embellies ou retravaillées, de faits réels ou de personnages historiques ? De plus, comment les mythes sont-ils nés dans l'Antiquité ? Un vieux villageois ratatiné et malin a-t-il tout bonnement inventé une histoire à partir de rien et a-t-il convaincu ses auditeurs de l'accepter immédiatement comme étant vraie ou étaient-ils un peu plus astucieux que cela ?

Pour répondre à ces questions, il importe de comprendre le rôle de la mythologie dans les cultures anciennes. Les mythes n'étaient pas uniquement des véhicules servant à raconter une histoire; ils servaient à préserver l'héritage et l'histoire d'une société pour la postérité. Faire passer volontairement une histoire fausse comme un fait aurait causé beaucoup de mal, car cela éviscérerait l'héritage d'une communauté en remplaçant les véritables événements de son passé par des faussetés. Ce serait comme apprendre que George Washington, Thomas Jefferson et Benjamin Franklin étaient des personnages de fiction et que la guerre de l'Indépendance américaine correspondait simplement à un procédé mythologique servant de décor pour que ces personnages de fiction puissent jouer leur drame individuel. En d'autres mots, cela remettrait en question le fondement même de notre héritage national en tant qu'Américains et réduirait tout ce que nous représentons à une mystification basée sur une série d'histoires fantaisistes et inutiles. Voila pourquoi les chercheurs prudents se gardent de reléguer trop rapidement une ancienne légende à la poubelle de la fiction, car la plupart réalisent qu'il y a sûrement eu un événement quelconque au centre de l'histoire — «l'histoire originelle» — pour lui donner un élan, un carburant; tout ce qu'il reste à faire, alors, consiste à essayer de trouver cet événement.

Malheureusement, cela ne se révèle pas vrai pour toutes les mythologies. La mythologie grecque concernant les escapades des dieux de l'Olympe, par exemple, était vraiment un ensemble de fables très bien construites et qui évoluaient constamment, destinées à enseigner quelque chose sur la nature humaine. En substituant des êtres divins aux hommes mortels, elles renseignaient les Anciens — et par extension, nous-mêmes — sur la nature humaine pour ce qui est de la jalousie, l'envie, la bravoure, la vengeance, le désir, l'égoïsme et un tas d'autres attributs, en utilisant des personnages extraordinaires pour se faire comprendre. Cependant, il est probable qu'on ne s'attendait pas à ce que les dieux et les déesses de l'Olympe soient pris pour des êtres véritables (du moins par l'élite intellectuelle de l'époque); dès le départ, ils étaient destinés à servir de leçons morales. Que certaines personnes les aient pris pour des entités réelles souligne simplement la tendance humaine naturelle à prendre la mythologie pour un fait plutôt que pour une fiction.

Alors, comment pouvons-nous déterminer si un mythe est potentiellement basé sur des faits ou s'il est purement fictif, comme c'est le cas pour la mythologie entourant les divinités de l'Olympe ? Quels standards peut-on employer pour différencier les deux possibilités ?

Bien que répondre à cette interrogation ne soit pas simple, avec la légende de l'Atlantide, certains indices suggèrent qu'au moins en ce qui concerne la mythologie de l'inondation – sur laquelle elle se base assez librement –, il ne s'agit pas uniquement d'une fiction idéalisée destinée à enseigner une leçon de morale. Même si cela correspond à son objectif, ce serait une erreur de croire qu'il ne s'agit que de cela. Nous avons touché à ce point plus tôt dans le livre, mais il est important de le redire et de développer cette idée si nous voulons trouver des preuves de l'existence de notre civilisation préhistorique, car un mythe est souvent l'empreinte d'une histoire. Par conséquent, il vaut la peine de revoir cet argument.

Premièrement, l'histoire d'un pays magnifique détruit par un grand déluge est très ancienne et presque universelle. À peu près la même histoire existe parmi des cultures aussi distinctes que les Babyloniens et les Aztèques, les Polynésiens et les Inuits d'Alaska. Deuxièmement, les détails de certains points essentiels sont trop semblables, ce qui indique qu'il s'agit soit d'une collaboration peu probable entre des peuples très divers et isolés géographiquement, soit d'un seul événement authentique raconté par différentes cultures de leur propre point de vue.

Il est difficile d'imaginer que les multiples histoires de déluges racontées un peu partout dans le monde puissent être le travail d'un seul esprit. Bien qu'on puisse soutenir que l'histoire biblique du déluge de Noé dans la Genèse est une adaptation ultérieure de l'histoire babylonienne relatée dans l'épopée de Gilgamesh, il serait beaucoup plus difficile de soutenir que l'histoire babylonienne servit également de base à des histoires similaires narrées à l'autre bout du monde. Il n'y a tout simplement aucun moyen rationnel d'expliquer comment différentes cultures partout sur Terre en sont venues à partager une histoire analogue de destruction causée par un déluge (et parfois par le feu) accompagné du sauvetage de quelques personnes (généralement grâce à un bateau construit spécialement à cet effet) qui rétablissent la civilisation. Qu'elles aient pu l'inventer indépendamment et que tant d'éléments importants coïncident, c'est pousser les limites du hasard.

Bien sûr, les différentes histoires ne sont pas identiques. Il y a des variations sur le thème, des détails inhérents à une histoire qui ne se trouvent pas dans une autre, et même des différences entre certaines mythologies ; néanmoins, la chose est normale, et en fait, cela joue en faveur de l'existence d'un fait réel au départ. Des détails identiques signifieraient qu'il y a eu connivence ; mais des variations indiquent les particularités culturelles normales et naturelles que presque tous les événements historiques acquièrent avec le temps. Tout comme il faudrait s'attendre à trouver des comptes-rendus très différents de la guerre de Sécession américaine selon qu'elle est racontée par un soldat de l'Union ou un général confédéré, un propriétaire de plantation du Sud ou un historien de New York, il faudrait pareillement anticiper de découvrir tout un éventail d'images sur une catastrophe mondiale décrite par de multiples tribus et de nombreux groupes. Chaque individu perçoit un événement à travers un regard religieux et culturel unique, et cela ne peut qu'avoir influencé les histoires de déluge que nous avons aujourd'hui, surtout si on y ajoute une longue période de même que les embellissements et les moralisations inévitables et inhérents à tout événement important.

Mais ce ne sont pas les différences qui s'avèrent significatives, mais plutôt le degré de ressemblance qui se veut particulièrement intéressant. Tous les divers comptes-rendus mentionnent que toutes les formes de vie, à l'exception des quelques âmes préservées par la Providence, furent complètement détruites. Certains comptes-rendus racontent également que le ciel fut obscurci durant un certain temps, ce qui, aux yeux d'une culture primitive, équivaudrait exactement à la vue d'un ciel noirci par la fumée et la poussière de mille détonations nucléaires. Ils racontent aussi généralement qu'après une certaine période, l'obscurcissement cessa et la vie recommença, ce qui correspond pareillement aux effets faisant suite à un hiver nucléaire, lorsque la planète s'en remet et revient lentement à la normale une fois les nuages de poussière et de cendre dissipés. De plus, les comptes-rendus racontent habituellement que les gens furent punis pour leur méchanceté (définie ordinairement comme de l'arrogance et de la cupidité), ce qui est peut-être comment les primitifs voyaient les modernes. Si on considère les dommages occasionnés aux peuples indigènes par des conquérants plus avancés au cours des siècles, jusqu'à et incluant l'éradication complète de cultures entières, il est facile d'imaginer que les descendants de leurs victimes les considéreraient avec assez peu de charité. Le grand mal de l'humanité aurait-il pu être simplement la métaphore du sentiment naturel et inhérent qu'ont généralement les peuples plus avancés d'être supérieurs aux cultures moins avancées[45] ?

La grande quantité de mythologies tournant autour d'une inondation qu'on trouve partout dans le monde, tout comme les différentes histoires de dragons racontées par de vieux villageois au début de ce chapitre, se combinent donc pour indiquer que quelque chose d'extraordinaire et de catastrophique a probablement eu lieu, et ce sur une échelle assez grande pour être ressenti par des tribus et des cultures isolées et très dispersées sur toute la planète. Bien que cela ne prouve pas que l'Atlantide — du moins comme je l'ai illustré ici — a vraiment existé, cela nous révèle à tout le moins qu'un monde unique a existé il y a si longtemps qu'il n'a pas réussi à entrer dans notre histoire

45. En outre, puisque j'ai suggéré plus tôt que presque toute la civilisation a peut-être été détruite par un sabotage biologique, la guerre nucléaire étant un effet secondaire de cette traîtrise, certaines personnes se demandent possiblement pourquoi les histoires de déluge ne mentionnent pas une maladie étrange commençant d'abord par tuer les hommes du pays. La réponse, cependant, est très simple : les primitifs n'auraient pas pu prendre connaissance d'un tel événement sans être eux-mêmes infectés et donc condamnés. C'est l'isolement quasi total des primitifs qui les protégea de la maladie et leur permit de survivre ; ils n'ont pas pu savoir qu'il existait un virus mortel.

collective consciente, résistant à nos efforts pour le localiser jusqu'à ce jour.

Mais y a-t-il d'autres preuves « subtiles » en faveur de l'existence d'une Atlantide historique que l'on pourrait examiner, hormis la grande fréquence de mythologies sur une inondation qu'on relève un peu partout sur Terre — quelque chose de peut-être plus concret qui confirmerait qu'un phénomène extraordinaire s'est produit à une échelle mondiale assez récemment, du moins sous l'angle de la géologie ? Évidemment, si le genre de conflagration globale que j'ai décrite plus tôt a véritablement eu lieu, elle a dû laisser plus de preuves que simplement des légendes et des mythologies ; elle aurait eu un impact profond sur l'environnement, qui devrait être évident encore aujourd'hui. Alors, existe-t-il un élément que nous puissions présenter comme preuve à l'effet qu'assez récemment, un événement eut lieu à une échelle planétaire au niveau de l'environnement — un événement soudain et destructeur et, d'une certaine façon, toujours inexpliqué par la science ?

Or, il se trouve qu'il y en a un, et il suffit d'aller dans les régions les plus désolées et les plus froides pour les découvrir.

La fonte et la grande hécatombe des mammifères : preuves d'une guerre nucléaire ?

Jusqu'à ce jour, la science se demande encore ce qui a provoqué la grande extinction du pléistocène, voilà plus de douze mille ans. En seulement quelques siècles, la plupart des grands mammifères de l'Amérique et de l'Asie — le mammouth laineux, le mastodonte, le paresseux géant mégathérium, le rhinocéros laineux, et même le célèbre tigre aux dents de sabre, le smilodon, ainsi que presque deux cents autres espèces de grands mammifères terrestres — disparurent de la surface de la Terre. Bien que ce ne fût pas une extinction aussi massive que celle qui mit fin au règne des dinosaures il y a soixante-cinq millions d'années, elle fut quand même importante. Pour vous donner une idée, imaginez que les éléphants d'Afrique et du sous-continent indien, le rhinocéros, le grizzly et l'ours polaire, de même que beaucoup d'autres mammifères importants, disparaissent tous en quelques décennies.

Ce qui se révèle encore plus remarquable, dans cette récente extinction, c'est que la science ne sait pas pourquoi elle se produisit. Lorsque les dinosaures disparurent, le catalyseur fut vraisemblablement un énorme coup asséné par un astéroïde sur la péninsule du Yucatan, qui modifia si drastiquement les tendances climatiques de la Terre que les plus gros reptiles furent incapables de survivre. D'autres extinctions massives ont été mises sur le compte de grands objets célestes frappant la planète de temps à autre ou sur celui d'un volcanisme excessif, ou même sur des choses en apparence aussi inoffensives qu'une légère augmentation de la température de la mer, mais dans le cas de l'extinction du pléistocène, il n'y a pas de circonstances atténuantes évidentes. La seule chose que sait la science, c'est que l'extinction massive coïncida avec la fin de la dernière période glaciaire, mais cela ne répond pas à la question *pourquoi*. La Terre a connu d'autres périodes glaciaires dans le passé que les mêmes animaux ont apparemment supporté sans problème ; alors, *pourquoi* celle-ci les fit-elle disparaître ?

On a proposé, entre autres explications, que les hommes en avaient fait une chasse exagérée, mais la quantité d'animaux disparus est beaucoup trop élevée pour qu'on puisse uniquement l'attribuer à une chasse excessive de l'âge de pierre. Les chasseurs du passé auraient été obligés de tuer beaucoup plus d'animaux qu'ils ne pouvaient espérer en consommer pour que ces animaux soient poussés à l'extinction, et chasser le mastodonte ou le mammouth ne constituait pas un moyen facile ou sans danger de gagner sa vie. La maladie est une autre possibilité, mais l'extinction fut si grande et toucha des espèces si isolées les unes des autres qu'il semble improbable qu'elles furent toutes exterminées par le même virus. De plus, on devrait trouver des traces de la maladie dans les tissus ou la moelle des mammifères gelés aujourd'hui, indiquant qu'une sorte de peste massive les fit disparaître, mais jusqu'à maintenant, on n'a détecté aucune trace semblable.

Des facteurs environnementaux ont aussi été envisagés, mais normalement, les climats ne changent pas assez rapidement pour faire disparaître presque en une nuit la plupart des espèces importantes sans laisser de trace. Bien sûr, la fin du pléistocène fut marquée par une période d'augmentation du volcanisme et représenta une époque de changements climatiques et géologiques apparemment importants, mais on ignore pourquoi ces changements paraissent avoir affecté si drastiquement certaines espèces seulement alors que d'autres sont demeurées intactes, et comment ils ont pu le faire à une échelle mondiale. Qu'est-ce qui était si différent il y a douze mille ans pour que cette fois, tant d'animaux différents succombent de façon massive ?

Les grands champs de mammouths de Sibérie

Lorsque les chercheurs prirent connaissance des vastes montagnes d'ossements de mammouths laineux qui parsèment une grande partie de la Sibérie, ils furent stupéfaits devant ce qu'ils découvrirent : des millions d'ossements furent littéralement trouvés agglutinés ensemble dans la toundra gelée de l'Arctique, tous apparemment déposés en masse très rapidement sur de vastes territoires. Les chercheurs qui ont étudié ces sites ont repéré des kilomètres de carcasses en divers états de délabrement, certaines d'entre elles étant déchiquetées comme si elles avaient été introduites dans un mélangeur géant, leurs restes compressés et combinés avec les restes d'insectes, d'herbes, d'arbres et d'autres végétations, le tout enfermé dans le permafrost dur comme de la roche de la Sibérie et de l'Alaska.

La vitesse apparente à laquelle ils moururent et l'aspect de certaines carcasses qui ont été trouvées se révèlent cependant encore plus curieuses que l'ampleur avec laquelle ils disparurent. Généralement, lorsque meurt un animal, il pourrit et se voit mangé par les charognards, mais dans le cas de plusieurs de ces animaux, leur mort fut si rapide que certaines carcasses furent découvertes encore recouvertes de leur peau et, du moins dans un cas, avec des boutons-d'or non mastiqués – une plante connue pour ne pousser que dans les zones tempérées et durant les mois les plus chauds de l'année – toujours dans leurs dents! Clairement, quelque chose est survenu très vite et a non seulement pris des millions d'animaux par surprise et à découvert, mais les a également compressés pour former une montagne monstrueuse de flore et de faune surgelées. De plus, l'extinction fut un phénomène mondial qui toucha les animaux en Amérique et en Europe, lesquels disparurent tous approximativement au même moment il y a environ douze mille ans. Il s'agit d'un mystère qui demeure encore aujourd'hui l'un des grands casse-tête de la paléontologie moderne, justement parce qu'il est si différent de tout ce qu'on a vu précédemment dans l'histoire des fossiles.

Mais qu'est-ce qui aurait pu produire une telle extinction, si rapide et sans précédent, et de surcroît sur une telle échelle? S'agit-il d'un cas de nature prise de folie ou pourrait-il s'agir d'autre chose? La nature humaine pourrait-elle en fait être la coupable? En d'autres mots, l'extinction du pléistocène aurait-elle pu être provoquée par la main de l'homme suite à une guerre nucléaire, comme j'en ai parlé plus tôt?

Considérons cette hypothèse : c'est un fait que la fin du pléistocène fut marquée par une fonte rapide des vastes calottes polaires qui recouvraient le tiers de la planète. Bien sûr, cette glace ne fondit pas en une nuit; les calottes diminuèrent graduellement dans le cadre d'un processus qui dura des milliers d'années. Toutefois, certains indices suggèrent qu'il y eut aussi des périodes pendant lesquelles la glace fondit très vite, le niveau de la mer augmentant de quelques mètres en seulement quelques mois, ce qui, si cela arriva de concert avec des conditions climatiques changeantes et des vents violents, pourrait facilement avoir inondé une basse région à peu près du jour au lendemain. Si ces régions étaient habitées par de vastes troupeaux de mammifères juste au moment où ces énormes marées balayées par les vents déferlèrent, elles pourraient aisément avoir submergé des écosystèmes entiers en quelques heures, pour ensuite se retirer brusquement, traînant derrière elles des montagnes de carcasses d'animaux, de plantes, de roches et d'arbres tordus et emmêlés.

Cependant, cela n'expliquerait pas tout. Plusieurs carcasses de mammouths furent trouvées enfermées dans un manteau de permafrost, indiquant apparemment que les détritus d'un tel événement gelèrent très rapidement, piégeant plusieurs de ces créatures dans les premiers stades seulement de décomposition. Ce n'est pas ce à quoi on s'attendrait, car s'il y eut une grande inondation dans la région, les carcasses auraient dû avoir le temps de pourrir avant de geler. Par conséquent, repérer des étendues de cadavres dans un tel état s'avère inexplicable et nous force à chercher plus loin une explication. De toute évidence, il n'y eut pas qu'une inondation ; seules des modifications dramatiques du climat survenant très vite, en quelques jours (sinon quelques heures), pourraient faire cela, mais qu'est-ce qui pourrait provoquer une telle aberration climatique dans le monde ?

On sait très bien que la météo peut évoluer rapidement et il s'agit d'un phénomène facile à observer. Habitant le Colorado, j'ai moi-même déjà vu un matin ensoleillé avec une température au-dessus de 10 °C se transformer en quelques heures en un après-midi couvert et neigeux affichant une température inférieure à -10 °C. Parfois, on peut même « sentir » un front de température arriver et faire descendre la température de sept degrés ou plus en moins de trente minutes. Il existe des comptes-rendus scientifiques sûrs faisant état de changements de température d'environ 17 °C se produisant en quelques *minutes*[46], bien que, évidemment, de telles variations de la température ambiante soient très rares. En tous les cas, il ne fait aucun doute que la météo peut changer très vite dans certaines circonstances.

---

46. La plus importante baisse connue à s'être produite au cours d'une journée fut une baisse de 56 °C lorsque la température passa de 7 °C à 49 °C à Browning, au Montana (États-Unis), les 23 et 24 janvier 1916 ; mais une hausse d'environ 23 °C se produisit en 12 minutes à Great Falls, au Montana, le 11 janvier 1980.

Cependant, ce que l'on ne voit pas, c'est un souffle soudain d'air froid en plein milieu d'une journée d'été. L'air n'est tout bonnement pas assez froid durant les mois d'été pour provoquer, et encore moins soutenir, un souffle arctique dans quelque condition que ce soit ; un refroidissement important, peut-être, mais une période pendant laquelle la température de l'air se trouve sous zéro est hors de question, en particulier une période assez longue pour faire disparaître plusieurs espèces d'animaux à sang chaud, spécialement adaptées au froid, un peu partout dans le monde simultanément. Cela ne tient tout simplement pas debout, logiquement ou scientifiquement.

Et pourtant, quelque chose de cette nature se produisit, sinon comment expliquer le phénomène d'un mammouth surgelé ayant des plantes, qui ne poussent que dans les climats tempérés durant les mois d'été, encore dans son estomac ? De toute évidence, le climat dut subir une modification profonde en très peu de temps — une modification assez rapide et suffisamment importante pour tuer massivement des troupeaux entiers de mammouths. Mais qu'est-ce qui pourrait modifier un climat dans un si bref laps de temps ? Une éruption volcanique ? Une collision avec un astéroïde ? Un déplacement de la croûte terrestre des pôles ?

Ou est-ce la faute de l'humanité ?

L'hiver nucléaire

Des éruptions volcaniques, des astéroïdes et un déplacement des pôles pourraient expliquer ce phénomène, bien que les deux premiers aient des effets trop régionaux et que le troisième ne soit pas du tout prouvé, ce qui nous laisse avec une possibilité intéressante : les animaux des latitudes les plus septentrionales ont été tués par un rapide et dramatique changement climatique causé par le conflit nucléaire dont j'ai parlé. Essentiellement, ils ont été tués par les effets d'un hiver nucléaire.

Nous avons discuté précédemment de ce scénario au sujet d'une grande éruption volcanique et nous avons constaté que cela ne suffisait pas à engendrer le degré de dégâts que je suggère. Par contre, la couverture de cendre et de suie issue d'une conflagration nucléaire est différente, tant par sa composition que par son étendue. Évidemment, un immense volcan pourrait envoyer une plus grande quantité de particules dans l'air que toutes les détonations nucléaires combinées, mais il ne pourrait pas les distribuer de façon égale sur toute la planète comme pourrait le faire une guerre atomique. En fait, le genre de matériaux soulevés par une guerre nucléaire aurait une meilleure couverture mondiale que les matériaux plus lourds rejetés par un volcan, ce qui aurait un effet plus prononcé sur l'environnement. Cela se révélerait insuffisant pour tuer toutes les formes de vie sur la planète, mais assez pour endommager l'environnement afin que les grands mammifères (et, par extension, les prédateurs qui en dépendent pour leur survie) aient de la difficulté à survivre.

Considérez ce scénario : des troupeaux de mammouths et d'autres animaux des régions froides, migrateurs et végétariens (suivis de près par leurs prédateurs aux aguets), arrivent sur les plaines tempérées et presque sans glaciers de la Sibérie et du nord de l'Alaska, pour se nourrir des hautes herbes et des plantes à feuilles caduques qui poussent un bref moment dans les vastes prés, pendant les courts mois d'été. Non seulement s'agit-il de bons pâturages, mais puisque la région est beaucoup plus froide que le reste de l'Amérique et de l'Asie, elle constitue un endroit idéal pour accommoder de larges troupeaux d'animaux qui ont facilement trop chauds. Non seulement trouvent-ils beaucoup de nourriture et un répit contre la chaleur inconfortable des étés du sud de la Sibérie et de l'Alaska, mais la région représente un site parfait pour donner naissance à leurs petits. Par conséquent, d'immenses troupeaux de mammifères couvrent les steppes herbeuses de la région plusieurs mois par année, enfantant et emmagasinant de la graisse pour la longue marche hivernale vers le sud, et menant dans l'ensemble une vie sans souci à quelques centaines de kilomètres seulement du cercle polaire[47].

Mais au cours d'un mois d'été, voilà douze mille ans, quelque chose d'inhabituel se produisit. Loin au sud, des nuages sombres et inquiétants de cendre et de fumée, résultat du dernier effort de l'humanité pour se détruire elle-même, commencèrent à se former très haut dans l'atmosphère. En quelques jours, le ciel bleu immaculé fut obscurci par une nappe gris ardoise et bouillonnante de nuages tandis que de fines particules de poussière se mettaient à se poser sur les plaines plus froides et plus sombres parcourues par les vastes troupeaux. Baignés dans une sorte de crépuscule morose, et les températures diurnes plus froides que d'habitude pour la saison, les troupeaux, bien que nerveux à cause de l'odeur de fumée dans l'air, continuèrent à remplir leurs ventres immenses, ignorant complètement que la mort était imminente.

Le premier indice de trouble, cependant, ne fut pas l'obstruction de la lumière du soleil ou la baisse des températures, mais une pluie soudaine, cinglante et chaude provoquée par la grande quantité de vapeur — tourbillonnante et surchauffée par les nombreuses explosions nucléaires — bouillant dans le ciel. Ce déluge, qui dura de quelques jours à plusieurs semaines, inonda les berges des rivières où les animaux se rassemblaient, coinçant des troupeaux entiers d'animaux sur des îles émergeant soudainement, et emportant des milliers d'autres de leurs semblables dans des courants rapides. Des glaciers plus au sud furent aussi touchés par cette pluie brûlante, augmentant dramatiquement la vitesse à laquelle ils fondaient et contribuant ainsi au déluge, métamorphosant éventuellement les vastes steppes de la Sibérie en un bourbier boueux et inondé. Pire encore, dans certaines régions, le permafrost fondit trop vite, transformant le sol en un mélange exceptionnellement visqueux de boue et de mousse qui agrippait les lourds mammifères comme du sable mouvant, jusqu'à ce qu'ils succombent de fatigue dans leurs inutiles efforts pour se libérer. En

47. C'est une erreur de croire que les mammouths préféraient les climats froids et enneigés ; comme la plupart des mammifères, ils aimaient probablement mieux les climats doux, de sorte qu'il s'agissait sans doute d'animaux migrateurs se déplaçant sur des centaines ou des milliers de kilomètres chaque année.

quelques semaines, les millions de mammifères sauvages de la Sibérie et de l'Alaska furent tués : soit noyés dans les eaux déchaînées, leurs carcasses — ainsi qu'une mer de végétation déchiquetée également par les courants violents — transportées jusqu'aux bouches des rivières et empilées, soit morts de fatigue et laissés en position debout où ils moururent dans un marécage de boue gélatineuse[48].

Mais ce n'est pas la fin du cauchemar. Une fois que la pluie chaude eut cessé de tomber, les nuages épais dans le ciel continuèrent de grossir et de s'assombrir, commençant ainsi à bloquer encore plus de lumière solaire jusqu'à ce que toute la région soit rapidement plongée dans une noirceur complète. En quelques heures, la température chuta dramatiquement, surgelant les mammouths pris au piège là où ils se trouvaient et les enfouissant dans des cercueils en permafrost de boue gelée. En quelques semaines, les larges troupeaux de mammouths, de paresseux géants, de rhinocéros laineux et d'un tas d'autres créatures furent anéantis — leurs carcasses froides et gelées éparpillées sur de vastes territoires dans la toundra figeant à toute vitesse, héritage de la bêtise humaine.

Bien sûr, ce ne sont pas tous les animaux qui périrent immédiatement. Les prédateurs, probablement capables de se déplacer un peu plus vivement et de dénicher un refuge plus facilement que les mammouths et les paresseux au pas lourd, se dirigèrent vers le sud, assez loin pour survivre, mais leur répit fut de courte durée. Une fois les énormes troupeaux d'animaux sur lesquels ils comptaient pour subsister disparus, il n'y avait pas suffisamment de gibier pour nourrir leur grand nombre, et eux aussi moururent finalement de faim ou furent contraints de se tourner vers le cannibalisme. Éventuellement, il en resta trop peu pour maintenir un patrimoine génétique viable permettant de rebâtir les espèces, et leur sort fut bientôt scellé pareillement.

Je ne dis pas que l'hiver nucléaire tua à lui seul toutes les espèces d'un coup. Des poches d'animaux, peut-être protégés

48. Selon les chercheurs, une immense inondation d'eau douce se produisit il y a dix-huit mille ans dans les montagnes de l'Altaï, en Sibérie, lorsqu'un barrage de glace bloquant les eaux d'un lac de huit cents mètres de profondeur se brisa, inondant ainsi les plaines de Sibérie. Un événement de cette nature aurait-il pu se produire à la fin du pléistocène, expliquant par le fait même l'énorme quantité de carcasses de mammouths découvertes dans la région ?

du pire du vent et du froid dans des forêts plus au sud, réussirent à survivre, mais lorsque la couverture de suie dans le ciel se dissipa et que les conditions commencèrent à redevenir plus ou moins normales, leurs rangs avaient été si décimés que leur extinction éventuelle était inéluctable. Avec peut-être autant que 90 pour cent des leurs ayant succombé des suites du froid inattendu ou d'un autre facteur résultant du nuage de cendre (la suffocation ? des feux de forêt allumés par la guerre ?), le patrimoine génétique se révélait insuffisant pour rebâtir les diverses espèces. Même si les puissants mammouths et mastodontes étaient parvenus à survivre encore quelques siècles, la diminution de leur nombre et d'autres éléments auraient assuré leur disparition.

Les plus grosses espèces sont presque toujours celles qui souffrent le plus des changements climatiques mondiaux, car ce sont elles qui ont le plus besoin de nourriture pour survivre, ce qui condamne toutes les espèces les plus volumineuses (à l'exception de celles protégées du pire de la catastrophe dans des régions tropicales reculées), et celles qui en dépendent pour leur propre survie, dans un processus de mort sans fin. Finalement et ironiquement, leur disparition a peut-être été accélérée par les descendants des primitifs qui avaient réussi à survivre à la grande catastrophe planétaire que leurs collègues humains avancés avaient provoquée. Peut-être qu'une chasse trop importante et la maladie, comme le croient plusieurs chercheurs, achevèrent vraiment les mammouths, mais elles purent y arriver uniquement parce qu'il restait si peu de mammouths. Par conséquent, ils sont possiblement morts d'une combinaison de facteurs — des facteurs qui, dans un étrange coup du sort, ont peut-être été causés par les hommes.

La grande fonte

La Grande Guerre avait une autre conséquence à concrétiser avant que la fin ignoble de la civilisation ne soit complète. Lorsque les énormes nuages de poussière et de cendre commencèrent à se dissiper et que les particules du grand nuage toxique se mirent à retomber sur Terre, les calottes polaires et les glaciers furent recouverts d'une fine couche de suie noire comme de l'encre, en particulier à l'extrême sud. Ensuite, quand le ciel fut finalement découvert et que l'on put distinguer le soleil, cette suie noire se trouva être un parfait conducteur de chaleur, provoquant une fonte remarquablement rapide des calottes polaires et une augmentation du niveau de la mer partout dans le monde suite au déversement dans les océans des millions de tonnes d'eau qui se voyaient piégées depuis une éternité dans la glace.

Pendant ce temps, plus au sud, le voile de nuages de fumée et de suie gris foncé qui flottait au-dessus des latitudes tempérées de la planète s'était assez dissipé pour permettre de nouveau au soleil d'atteindre certains endroits. Mais à présent, au lieu d'agir comme un gigantesque pare-soleil conçu pour renvoyer les rayons du soleil dans l'espace, il était devenu une couverture isolante, maintenant les températures en hausse sous son manteau gris. En quelques mois, la Terre passa d'un hiver nucléaire froid et sombre à un effet de serre, puis soudainement, des températures exceptionnellement douces pour la saison commencèrent à s'installer sur des régions qui avaient été froides plus tôt, au fur et à mesure que la chaleur piégée naturellement sous les nuages gris et bouillants réchauffait uniformément la planète. Cela eut l'effet d'augmenter encore davantage la vitesse à laquelle fondaient les glaciers, et donc la vitesse à laquelle augmentait le niveau de la mer. On ne sait pas encore à quelles vitesses les glaciers fondirent et le niveau de la mer augmenta, mais on peut imaginer que la fonte fut rapide au début — suite à la suie absorbant la lumière du soleil et recouvrant la glace, et l'effet de serre général résultant de la guerre nucléaire — et que le niveau des océans augmenta de dix à trente mètres en seulement quelques années. Puis, lorsque les nuages se dissipèrent complètement et qu'un certain équilibre climatique fut revenu sur la planète, la fonte fut sans doute plus lente et le niveau des océans progressa plus lentement au cours des siècles qui suivirent, jusqu'à ce qu'il atteigne le niveau actuel, submergeant ainsi jusqu'à 15 pour cent des terres précédemment hors de l'eau — dont les régions côtières les plus peuplées de l'Atlantide — sous des dizaines de mètres d'eau de mer.

Un autre élément à considérer est l'effet qu'une guerre nucléaire aurait eu sur l'intégrité structurelle des nappes de glace elles-mêmes. On peut imaginer que le choc soudain de milliers de mégatonnes d'ogives nucléaires explosant presque simultanément au-dessus de vastes territoires sur la planète pourrait très bien avoir provoqué une activité sismique qui aurait pu fracturer une nappe de glace ou que la pluie surchauffée tombant sur une surface précédemment froide aurait pu aussi créer d'énormes fissures dans la glace, ce qui aurait amené la chute dans l'océan d'immenses montagnes de glace se séparant du bord de la nappe de glace.

Si un morceau de la grosseur du Rhode Island se séparait de la nappe de glace sibérienne et glissait dans le nord du Pacifique, imaginez quelle serait la dimension du raz-de-marée engendré ; un amas de glace si titanesque pourrait bien faire naître une vague d'une hauteur de plusieurs centaines ou milliers de mètres qui irait s'écraser sur les régions basses d'un littoral asiatique déjà ravagé, démolissant encore plus les villes côtières et submergeant même des régions entières sous une mer peu profonde pour un certain temps. Même si elle se retirait plus tard, elle ne laisserait pas seulement la désolation sur son passage, mais traînerait une grande quantité de débris jusque dans la mer, effaçant encore plus les traces d'une civilisation atlante. L'augmentation du niveau de la mer ne ferait que terminer le travail plus graduellement au cours des quelques millénaires suivants, au fur et à mesure que le gros de la glace polaire restante se désintégrerait, et le résultat serait la topographie que nous voyons aujourd'hui.

Il fallut possiblement encore quelques milliers d'années avant que les glaciers ne reculent jusqu'à leur niveau actuel, mais c'est peut-être une guerre nucléaire catastrophique qui non seulement mit tout en branle, mais modifia également les tendances climatiques suffisamment pour mettre fin à la période glaciaire du pléistocène. Ce fut un effet en cascade dans lequel une action en entraîna une autre dans une suite de catastrophes qui, finalement, détruisirent « l'Atlantide » et la civilisation mondiale fabuleuse qu'elle était devenue. Le simple plan d'infecter un ennemi mortel avec un germe muté dans l'espoir de renverser le cours d'une guerre perdue provoqua non seulement la destruction d'une magnifique civilisation globale et de ses milliards de citoyens, mais changea aussi tout l'écosystème de la planète, condamnant de vastes troupeaux d'animaux uniques et altérant même en bout de ligne la topographie de la Terre elle-même. Certaines erreurs de jugement ont des conséquences plus graves que d'autres ; celle-ci coûta cher à la planète.

Les ressources naturelles

Finalement, il y a un autre indice qui démontre qu'une civilisation mondiale moderne s'est peut-être déjà étendue d'un bout à l'autre de cette planète, et cet indice se trouve dans le sol sous nos propres pieds. En effet, la preuve de l'existence d'une ancienne civilisation n'est peut-être pas dans ce qu'il y a, mais dans ce qu'il n'y a pas !

Si nous sommes prêts à imaginer une civilisation vraiment avancée – ayant des automobiles, des bateaux, des avions, des centrales énergétiques de même que l'industrie lourde qu'une telle société technologiquement avancée serait certaine d'avoir –, alors la demande en énergie aurait été aussi vorace qu'elle l'est aujourd'hui. Si nous sommes tout aussi prêts à accepter la prémisse que la technologie tend à évoluer le long de lignes parallèles, alors il est probable que les anciens Atlantes, comme nous-mêmes, ont aussi connu une période au cours de laquelle le pétrole et le gaz naturel (tout comme le charbon) ont été leurs sources d'énergie principales. De plus, si cette période dura ne serait-ce qu'un siècle ou deux, elle aurait nécessité la création d'une industrie mondiale des combustibles fossiles comparable à la nôtre. Si ce fut le cas, ne devrions-nous pas alors apercevoir des traces d'une telle entreprise mondiale ? Une civilisation pourrait-elle puiser dans les réserves de pétrole et de charbon de la planète pendant des siècles sans laisser de traces de son activité ?

J'ai suggéré que la majeure partie de cette grande civilisation que nous appelons métaphoriquement l'Atlantide s'étendait de l'Australie à l'Afrique du Nord (sans compter les petites colonies et les États satellites éparpillés en Amérique, en Afrique et dans les régions sans glace de l'Europe), ces centres culturels, politiques, financiers et militaires étant situés en Inde et en Indonésie. Il se trouve que ces régions ont toujours été, sauf exception, dépourvues de réserves importantes de pétrole, de charbon ou de gaz naturel. Pour mieux saisir ce point, le tableau suivant illustre clairement les immenses disparités qui existent en ce qui concerne les réserves totales connues de pétrole entre les différents continents, en 2002 :

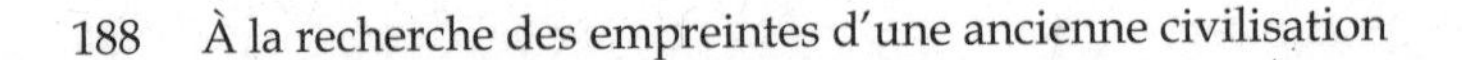

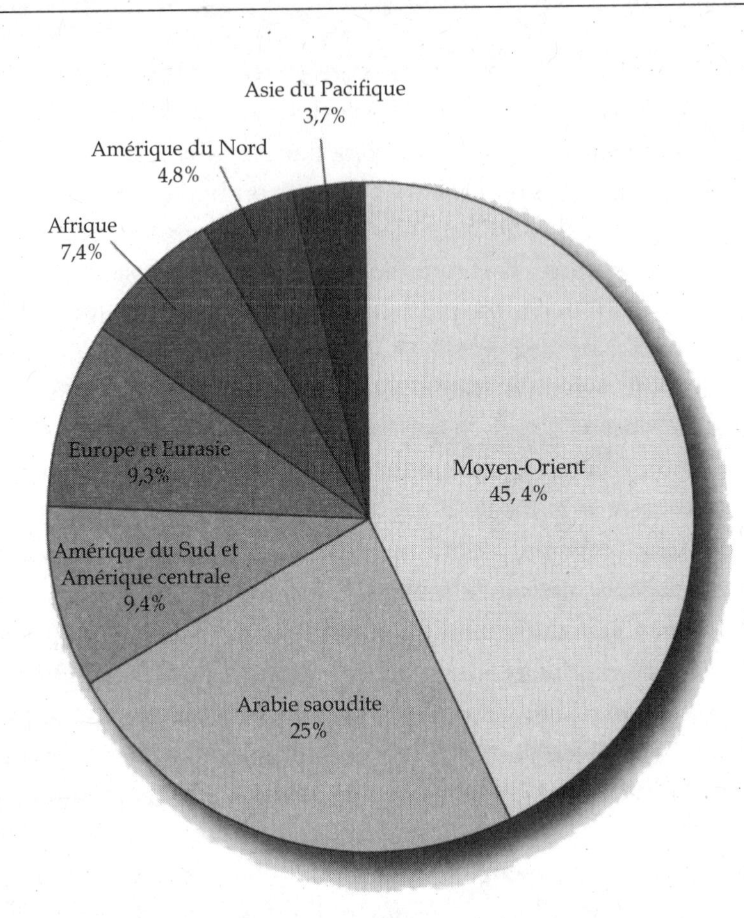

Ce qui est inhabituel dans ce graphique, c'est qu'il ne semble pas y avoir de bonnes raisons pour cette disparité. Les couches de roches sédimentaires nécessaires (où se trouvent les dépôts de pétrole) sont aussi évidentes dans cette partie du monde qu'elles ne le sont dans les régions où gisent actuellement des réserves de pétrole importantes, et puisqu'il s'agit d'une région particulièrement active géologiquement (notamment au Japon, en Chine et en Indonésie) avec plusieurs lignes de faille – qui constituent d'excellents pièges à pétrole, faisant donc d'une région active géologiquement comme l'Asie du Sud-Est un endroit idéal pour détecter des dépôts de pétrole et de gaz naturel –, elle devrait, au moins théoriquement, être une zone riche en pétrole et en gaz naturel. Et pourtant, la production de pétrole de toute la région *combinée* représente moins de 5 pour cent de toutes les réserves de pétrole de l'OPEP et moins du tiers de celle du Koweït, un minuscule pays du golfe Persique!

Bien sûr, selon les géologues spécialistes du pétrole, cette divergence n'est que le résultat de la malchance, mais je me demande si c'est vraiment si simple. Clairement, ils doivent croire qu'il y a du pétrole dans la région, sinon pourquoi continueraient-ils à forer avec autant de ténacité pour en découvrir?

Malheureusement, cela ne laisse qu'une option, et c'est la possibilité — aussi étonnante qu'elle puisse paraître — que si on n'a pas identifié des sources de pétrole importantes en Asie, c'est parce que les réserves de cette région ont été exploitées des milliers d'années avant la construction des pyramides. En d'autres mots, nous arrivons trop tard — le continent a déjà été entièrement vidé!

Naturellement, je n'affirme pas que tous les forages qui ne trouvent rien sont la preuve d'une civilisation précédente; évidemment, il y a bon nombre de formations géologiques prometteuses qui ne donnent rien. Ce sur quoi je m'interroge plutôt, c'est pourquoi une zone si vaste manque si totalement de dépôts de pétrole importants sans raison apparente. L'Afrique (à l'exception du Nigeria et de la Libye) et l'Amérique du Sud (sauf le Venezuela) manquent pareillement de réserves notables de pétrole en dépit du fait que ces régions — qui ont été les régions les plus tempérées au cours de l'histoire de la Terre et qui auraient donc dû accumuler beaucoup de matériaux organiques nécessaires à la formation de pétrole — devraient comporter pas mal de pétrole, et pourtant, ce n'est pas le cas. Encore une fois, pourquoi?

Je reconnais qu'il s'agit d'une idée controversée, mais je crois que la question principale ici s'énonce ainsi : comment sait-on si on vient de forer dans une strate qui n'a jamais eu de pétrole ou si cette strate a tout bonnement été vidée de son pétrole? Quel serait le facteur déterminant? La situation se compare à un plongeur qui découvre l'épave particulièrement prometteuse d'un galion espagnol près des côtes de la Floride, mais qui, après avoir cherché des mois, ne trouve aucun objet de valeur excepté quelques pièces de monnaie et de vulgaires babioles. Comment le plongeur expliquerait-il cela, en particulier s'il fut celui qui effectua la découverte initiale de l'épave et qu'apparemment, personne ne l'avait découverte ni fouillée plus tôt ? Il supposerait probablement que le bateau était simplement vide lorsqu'il coula et il poursuivrait son chemin. De la même façon, un ingénieur du pétrole ne supposerait-il pas tout simplement qu'une région ne possède pas de pétrole si ses forages d'exploration ne trouvaient rien, pour ensuite aller voir ailleurs ? L'idée que la région n'a pas de pétrole parce qu'une ancienne civilisation a tout pris depuis longtemps semblerait une explication inutilement compliquée et même fantaisiste, et une idée que le bureau principal ne recevrait vraisemblablement pas très bien.

Mais si nous acceptons d'oublier notre incrédulité pour un moment, c'est exactement ce à quoi il faudrait s'attendre d'une ancienne civilisation équatoriale qui utilisait beaucoup d'énergie et qui prospérait jadis sur le sous-continent asiatique. Les réalités géographiques et politiques du monde de 10 000 av. J.-C. faisaient en sorte que les réserves de pétrole potentielles situées au-dessus ou au-dessous des tropiques du Cancer et du Capricorne étaient largement inaccessibles, dû à leur proximité des calottes polaires, au climat rude, ainsi qu'à d'autres considérations environnementales et géopolitiques, ce qui forçait une telle civilisation à employer les ressources les moins éloignées. S'il y avait du pétrole à trouver, il se voyait nécessairement localisé sur le sous-continent indien et la ceinture du Pacifique de même qu'en Afrique et en Amérique du Sud, faisant de ces régions le centre de la production d'énergie pendant peut-être des siècles.

Cependant, même si ces réserves étaient importantes, elles n'étaient pas inépuisables, de sorte qu'éventuellement, ces sources d'énergie — tout comme les nôtres bientôt — furent épuisées, laissant les grandes puissances industrielles de la région sans approvisionnements d'énergie suffisants et forcées de choisir entre deux options : chercher de nouvelles sources de pétrole ailleurs ou se servir de sources d'énergie différentes comme l'énergie solaire, nucléaire, géothermique, etc. Est-ce possible, donc, que les anciens Atlantes développèrent par la suite une infrastructure énergétique basée sur des sources d'énergie alternatives parce que leurs propres réserves étaient épuisées, tout comme nous devrons le faire dans quelques décennies si nous ne voulons pas connaître les mêmes problèmes ? Il s'agit d'une possibilité intéressante.

Le problème des réserves du Moyen-Orient

Si mon hypothèse est juste, toutefois, que devons-nous penser des vastes champs de pétrole du Moyen-Orient qui représentent aujourd'hui les deux tiers des réserves mondiales de pétrole ? Une ancienne civilisation n'aurait-elle pas découvert et exploité ces champs eux-mêmes voilà des milliers d'années, laissant ensuite le Moyen-Orient aussi pauvre en pétrole que l'Asie semble l'être actuellement ? En d'autres termes, si l'Atlantide découvrit il y a douze millénaires les gigantesques réserves de pétrole qui gisent sous le golfe Persique, pourquoi ne s'en servit-elle apparemment pas, à la différence de ce que nous faisons de nos jours ?

Plusieurs possibilités peuvent être envisagées. Premièrement, il se peut que les anciens Atlantes ne découvrirent jamais les champs — après tout, nous ne les avons pas repérés avant les années 1920[49] — ou, s'ils les découvrirent, ils ne les localisèrent qu'assez tard dans leur développement, au moment où ils utilisaient déjà des sources d'énergie plus propres et plus efficaces, rendant désuets les gisements de pétrole. D'un autre côté, s'ils les découvrirent plus tôt, auraient-il pu décider de garder les champs du golfe Persique en réserve, préférant épuiser leurs propres puits auparavant (peut-être pour des

49. La chose n'est pas si difficile à imaginer qu'on pourrait le croire. Durant cette période, le golfe Persique représentait un delta fertile de l'Euphrate et donc une région recherchée. Peut-on concevoir qu'on ne fit aucune exploration pétrolière dans la région à cause de l'importance de son agriculture ?

raisons économiques et politiques)pour ensuite passer à des sources d'énergie différentes pour des raisons environnementales avant de pouvoir les employer, de telle sorte que les réserves du Moyen-Orient demeurèrent inutilisées? Ou la solution pourrait-elle être aussi simple que ceci : ils se détruisirent avant d'avoir la chance de mettre à contribution les réserves nouvellement découvertes (et d'ailleurs, ces réserves furent-elles la cause de la Grande Guerre).

Une autre possibilité, si on suppose que l'Atlantide était une civilisation militariste et divisée, c'est que ces vastes réserves se trouvaient sous la juridiction d'un seul côté et donc interdites au reste du monde, ce qui leur conférait une utilité limitée pour la planète en général et, d'une certaine façon, une utilité également limitée pour le côté qui les contrôlait. Examinez cette éventualité d'un point de vue contemporain : imaginez qu'il y a trente ans, les champs de pétrole du golfe Persique soient tombés sous la domination de l'Union soviétique; puisqu'il est peu probable que le régime communiste antagoniste de l'Union soviétique eût permis la vente de pétrole provenant de ces réserves à l'Ouest, les États-Unis et l'Europe auraient dû compter de plus en plus sur un approvisionnement domestique alternatif. Sans le pétrole du Moyen-Orient, cependant, l'Ouest aurait épuisé les réserves de la mer du Nord et celles du nord de l'Alaska et du golfe du Mexique en quelques décennies avant de se retrouver sans sources d'énergie. Qu'auraient alors fait les États-Unis et ses alliés? N'aurions-nous pas été obligés de combattre pour les champs du Moyen-Orient, démarrant du même coup une guerre sanglante, prolongée et potentiellement nucléaire, ou de passer à des ressources d'énergie différentes comme l'énergie solaire, nucléaire, géothermique et autres pour répondre à nos besoins criants en énergie?

Les anciens Atlantes se retrouvèrent-ils alors dans une situation similaire? La compétition pour les indispensables réserves de pétrole força-t-elle les Atlantes à s'éloigner du pétrole et du gaz naturel en tant que sources principales d'énergie, rendant les réserves du golfe Persique caduques, mais pas avant que la plupart des réserves domestiques de pétrole dans le reste de l'Asie, de l'Afrique et de l'Amérique du Sud ne soient épuisées ? Encore une fois, sommes-nous devant une « trace subtile » indiquant que la civilisation est déjà passée par là ?

Un jeu de gobelet frustrant

Et donc, nous voyons que découvrir des preuves de l'existence d'une ancienne civilisation constitue une entreprise frustrante. Le temps, la décomposition, l'immersion de grands territoires sous les océans de même qu'un tas d'autres difficultés se présentent au chasseur d'Atlantide, rendant les recherches pour localiser cette dernière plus une affaire de chance que de talent ou de prouesse technologique. L'Atlantide nous attire avec des indices et des possibilités subtiles, mais elle refuse toujours obstinément de se dévoiler. Et pourtant, à chaque fois que nous essayons en vain de la repérer, elle nous montre un autre morceau du casse-tête pour nous inciter à chercher plus fort, ce qui nous convainc au plus profond de nous-mêmes que la dame veut être trouvée même si, pour l'instant, elle semble satisfaite de jouer à ses jeux cruels. Tout ce que nous pouvons faire, c'est espérer qu'elle se lassera un jour de la poursuite et qu'elle révélera les secrets qu'elle conserve depuis si longtemps.

Que ce jour vienne l'an prochain, dans cent ans ou jamais, voilà le seul mystère, car c'est généralement lorsqu'on croit être le plus près de découvrir les secrets du lointain passé que les traces s'évanouissent. Mais au fur et à mesure que nous acquérons une technologie nouvelle plus sophistiquée permettant de repousser les limites de nos recherches, les possibilités d'un coup de chance augmentent sans arrêt. Et qui sait, peut-être qu'un jour, un artefact de grande antiquité et technologiquement sophistiqué se verra rejeté sur une plage, achevant ainsi la longue quête.

Ou bien s'agira-t-il du moment où tout commencera vraiment ?

ONZE

Les nouveaux Atlantes

Toute cette spéculation pour savoir si le continent fabuleux de Platon a réellement existé est intéressante, mais en dépit du fait que son existence entraînerait des répercussions immenses sur notre histoire et sur les sciences de l'anthropologie et de l'archéologie, il est moins facile de voir l'importance qu'elle aurait pour les hommes et les femmes ordinaires. Après tout, si l'Atlantide a véritablement existé, tout cela est survenu il y a très longtemps à des gens dont la mort remonte à une époque antérieure aux pyramides, de sorte que plusieurs personnes se demandent quel intérêt elle pourrait avoir pour nous qui vivons dans le monde moderne.

Beaucoup d'intérêt, en fait, car l'Atlantide est plus qu'un morceau de mythologie fascinant. Il s'agit d'une leçon qui souligne clairement et avec vigueur le fait souvent négligé, mais qui fait réfléchir, que l'homme est la seule espèce sur la planète capable non seulement de se détruire elle-même, mais aussi d'anéantir toutes les autres formes de vie. La légende de l'Atlantide, par conséquent, nous force à prendre conscience de cet extraordinaire pouvoir, car en considérant la possibilité que cette catastrophe est peut-être vraiment arrivée – non pas en théorie, mais dans toute son horreur réelle –, cela devrait nous pousser à faire beaucoup plus attention aux décisions que nous prenons aujourd'hui. Après tout, si une civilisation aussi avancée et sophistiquée que la nôtre a pu être effacée de la surface de la Terre si complètement qu'elle n'a laissé pratiquement aucune trace de son existence, quelles sont les chances que nous subissions le même sort, surtout quand on songe que le monde est rempli d'armes de destruction massive et infesté d'extrémistes prêts à s'en servir ? Peut-on absolument être certains que cela ne nous arrivera pas, comme c'est arrivé aux Atlantes ?

Que nous trouvions des preuves concluantes ou pas qu'une civilisation avancée a déjà existé, le mythe lui-même devrait suffire à démontrer une chose, et c'est que peu importe ce que nous prenons pour vrai à propos de notre lointain passé, nous ne pouvons échapper au fait évident que *nous sommes les nouveaux Atlantes*. Bien que notre voyage ait pu emprunter des directions et des chemins différents, indubitablement, nous marchons sur plusieurs des mêmes routes qu'eux, faisons face aux mêmes défis, manifestons les mêmes craintes et espoirs, et rêvons aux mêmes rêves. Par conséquent, ce que nous ferons – ou ne ferons pas – au cours des prochaines décennies déterminera si nous partageons le même sort et devenons à notre tour la source de vieux mythes sur lesquels les générations futures réfléchiront avec une part égale de fascination et de perplexité, ou si nous brisons cette chaîne pour atteindre les sommets du potentiel de l'humanité et prendre la place que nous méritons parmi les étoiles.

Mais si nous voulons réussir là où nos aïeux antédiluviens échouèrent, nous devons premièrement examiner non seulement où nous sommes aujourd'hui, mais aussi où nous irons si nous ne faisons rien, et en outre, il nous faut établir ce que nous devons faire pour traverser sans dommages les rapides sur lesquels nous pagayons présentement. Donc, et au risque très effrayant de transformer ce chapitre en sermon, je crois qu'il faut étudier plusieurs des problèmes auxquels nous faisons face actuellement et les solutions que nous pourrions envisager si nous voulons à la fois éviter de répéter les erreurs de l'Atlantide et faire de ce monde le genre d'endroit que nous désirons vraiment.

De toute évidence, il ne s'agit que de mes opinions et par conséquent, elles doivent être prises avec un très gros grain de sel. Mes observations pour résoudre nos problèmes sont peut-être discutables et sans doute plusieurs personnes les trouveront-elles innocemment naïves ou outrageusement exagérées, selon les inclinations de chacun, et j'admets que certaines de mes observations sont peut-être totalement erronées, mais c'est le risque qu'on court toujours lorsqu'on met ses opinions sur papier. En tous les cas, je les donne en toute bonne foi et par amour pour le monde dans lequel je vis. Ceci est ma maison tout comme la vôtre et nous sommes donc tous responsables de ce qui lui arrive, de sorte que nous avons tous le droit de participer aux décisions concernant son avenir. Si ce que j'écris ici pousse au moins certains individus à voir leur maison sous un jour nouveau, j'aurai accompli mon travail.

Pour être clair, je vais identifier chacun des problèmes principaux auxquels, selon moi, fit face notre Atlantide métaphorique, et comment ces problèmes peuvent être reliés avec notre monde actuel, puis je fournirai un bref résumé de ce que je considère comme le progrès que nous avons effectué – ou non – dans chaque domaine.

Le dilemme de la surpopulation

Étant une civilisation forcée par le climat et la géographie à habiter une tranche relativement petite de la surface de la planète, l'Atlantide devait être un endroit où la taille et la distribution de la population constituait une préoccupation majeure et, vraisemblablement, une source de conflits. Pour mieux illustrer ce problème, imaginez que vous essayiez de comprimer les six milliards et demi d'habitants de la planète Terre sur un territoire s'étendant de l'Afrique du Nord à l'Australie, puis visualisez les problèmes qui en résulteraient.

On ignore quel aurait pu être le nombre d'individus de la civilisation hypothétique que j'ai décrite, mais il est certain qu'un nombre approchant du nôtre serait réaliste, ce qui signifie que les plus grandes priorités résidaient dans l'ordre social et une infrastructure fonctionnant correctement. En fait, on peut émettre l'hypothèse qu'à mesure que l'Atlantide devenait de plus en plus sophistiquée et que sa technologie était de plus en plus avancée, les pressions qu'elle recevait pour fournir les ressources, les services et l'espace pour vivre que nécessitaient ses citoyens étaient intenses, contribuant peut-être directement ou involontairement à la disparition des Atlantes. Le problème n'était pas qu'il y avait trop de monde, mais plutôt que la division des gens – chacun ayant ses propres besoins, croyances et objectifs – rendit probablement le monde atlante, du moins au cours de ses derniers stades, un endroit tendu et turbulent. Et comme l'a démontré plusieurs fois l'Histoire, de tels endroits correspondent à des poudrières de révoltes et de guerres, où il est vital, pour la santé et la prospérité des habitants, de maintenir attentivement des nombres convenables de population.

Alors, comment nous comparons-nous ? Au moment où j'écris ces lignes, la population mondiale se résume à six milliards et demi d'âmes ; on estime qu'au milieu du XXIe siècle, elle oscillera entre huit et dix milliards, selon l'expert que l'on choisit de croire. À cette vitesse, nous approchons rapidement de l'instant où la Terre sera incapable de soutenir sa propre population, ce qui amènera inévitablement des guerres et des troubles sociaux sur toute la planète. Heureusement, grâce aux cycles de réchauffement naturels de la planète, nous disposons de beaucoup plus de terres arables – d'endroits pour vivre, si vous voulez – qu'en avaient nos aïeux atlantes, mais nous serons quand même obligés éventuellement par les circonstances de prendre des décisions très difficiles au sujet de la reproduction et de la longévité humaines.

Bien sûr, décider légalement de la taille des familles (une tactique impopulaire mais relativement efficace en Chine) et encourager l'emploi des contraceptifs – malgré les objections religieuses et politiques aux deux – ne représente qu'une partie de la solution et cela ne suffira pas à régler le problème entièrement. Ce ne sont pas uniquement les mentalités qui doivent changer, mais aussi notre utilisation de la technologie.

C'est avec raison que la science médicale se montre fière de sa capacité à prolonger la vie comme jamais auparavant. Les durées de vie ont presque doublé au cours des deux derniers siècles et de nouvelles avancées promettent de repousser l'espérance de vie bien au-delà de la centaine d'années dans un proche avenir. Mais apparemment, on se demande rarement si c'est sage. Souhaitons-nous à ce point étendre la *quantité* de la vie au risque de réduire sa *qualité* pour d'autres ? De plus, cet effort pour prolonger la vie à tout prix est-il en train de sacrifier l'avenir des générations encore à naître ? Je ne dis pas cela pour nier ou minimiser les contributions importantes faites par les personnes âgées ou pour suggérer qu'ils sont incapables de continuer à contribuer de manière significative ; je fais simplement observer qu'on ne peut pas à la fois maintenir un taux de natalité élevé et étirer l'existence indéfiniment. Éventuellement, quelque chose devra céder.

Par conséquent, il serait sage d'arrêter toutes les recherches entreprises pour renverser le processus de la vieillesse (sauf quelques exceptions, comme pour le traitement de la maladie d'Alzheimer), et les efforts pour prolonger selon d'autres méthodes la longévité humaine au-delà de cent ans devraient être découragés. Avec six milliards et demi d'individus à nourrir, le désir d'accroître la durée de vie n'est pas seulement illogique, mais contre-productif[50]. En outre, il faut aussi reconsidérer les

50. De plus, la technologie dispendieuse et bizarre requise pour allonger la vie humaine risque d'être employée uniquement par les gens très riches ou puissants politiquement, lesquels empêcheraient peut-être rapidement les « masses » de parvenir à réaliser ce qu'ils souhaitent réaliser eux-mêmes. Imaginez un Hitler ou un Staline qui, grâce au clonage, à des parties issues du génie biologique et à un transfert de mémoire, pourrait vivre des centaines d'années.

efforts vains et coûteux effectués pour sauvegarder à tout prix la vie humaine des mourants – ce qui souvent prolonge d'inutiles souffrances du même coup. L'euthanasie constitue un problème épineux qui comporte plusieurs ramifications religieuses, morales et éthiques, mais tant que l'humanité n'acceptera pas la mort comme faisant naturellement partie du processus de la vie – tout comme le fait la nature sans se plaindre –, nous ne ferons qu'augmenter l'agonie collective de toute la planète. Pour certaines personnes, cela peut sembler sans pitié – même cruel, peut-être –, mais tant que nous n'aurons pas reconnu que nous ne sommes que des visiteurs sur cette planète et non pas des composantes permanentes du décor, l'humanité ne pourra jamais réaliser tout son potentiel en tant qu'espèce, et cela correspondrait à la plus grande et à la plus profonde de toutes les tragédies.

On ne sait pas quelle quantité d'habitants cette planète peut soutenir et l'Histoire a démontré jusqu'à maintenant qu'un pays peut supporter une population très importante s'il jouit d'une infrastructure efficace. Ce point a été illustré de manière répétitive si on regarde les pays dans lesquels la famine a représenté un problème majeur ces dernières décennies ; l'Éthiopie, le Soudan, la Somalie et la Corée du Nord sont tous des pays dotés d'une population relativement peu nombreuse, mais ils possèdent tous en commun le fait d'avoir un gouvernement incompétent ou dysfonctionnel, ou ils ne jouissant de peu ou d'aucune autorité – et en tant que tel, ils ne disposent d'aucune infrastructure économique efficace. À l'opposé, des pays affichant une population très vaste comme la Chine ou l'Inde ont traditionnellement des taux de malnutrition beaucoup plus bas – comparativement parlant – que ceux de nations africaines presque désertes, ce qui prouve que population nombreuse et famine générale ne sont pas nécessairement synonymes. Ce qu'il faut pour soutenir une population – peu importe sa taille – est l'établissement d'un gouvernement raisonnablement responsable et d'une économie de marché financièrement stable afin d'assurer le flot ininterrompu des biens et des services. Évidemment, il est plus facile de nourrir une population peu nombreuse que l'inverse, mais la planète peut encore supporter une quantité étonnante d'habitants en dépit de tous les obstacles.

En outre, bien que plusieurs de nos ressources naturelles soient limitées, d'autres se révèlent quasi inépuisables. Si nous faisions un effort sérieux pour abandonner les combustibles fossiles et adopter une stratégie visant à rechercher des sources d'énergie inépuisables et bonnes pour l'environnement, plusieurs des problèmes inhérents à la surpopulation se verraient atténués. Qui plus est, si les sources de nourriture pouvaient être améliorées génétiquement et si les océans pouvaient être exploités afin de procurer une grande part des besoins nutritifs du globe, on pourrait concevoir que notre planète soit en mesure de faire vivre une population deux fois supérieure à celle d'aujourd'hui assez aisément en plus de fournir une existence non seulement supportable, mais aussi paradisiaque !

Les tendances géopolitiques

J'ai postulé plus tôt que les Atlantes formaient probablement une société militariste à cause de la proximité des multiples États importants et de l'accès limité aux ressources naturelles suite aux frontières géopolitiques imposées à ces ressources par le climat et la topographie ; à cet égard, donc, l'Atlantide n'était pas très différente de notre propre monde actuel. Et dans ce but, il n'y a pas de doute que les Atlantes, tout comme nous, n'avaient pas seulement des régimes militaristes importants afin de se faire compétition, mais avaient également leurs propres terroristes, fondamentalistes religieux et États véreux, chacun d'eux étant susceptible de créer des problèmes beaucoup plus grands que ne le laissait croire leur nombre restreint.

Cependant, il y a des choses aujourd'hui qui rendent la situation plus tolérable pour nous qu'elle ne l'était pour nos aïeux atlantes : la fin de la guerre froide a réduit considérablement les tensions Est-Ouest, diminuant le risque d'une conflagration nucléaire, et l'apparition de démocraties un peu partout dans le monde — un élément absolument essentiel de notre évolution sociale pour obtenir une paix permanente — se trouve en augmentation. Bien sûr, il y a peut-être eu des démocraties dans la collection d'États qui formaient l'ancienne Atlantide, mais il est peu probable qu'ils aient pu se détruire si complètement si ces États avaient prédominé. Mais nous sommes plus chanceux.

Regardez les changements dramatiques qui ont eu lieu dans notre monde en seulement quarante ans. Alors que la presque totalité de l'Amérique du Sud et de l'Afrique croupissait sous le contrôle de juntes militaires ou autres dictateurs autoritaires — et généralement corrompus — d'une sorte ou d'une autre, actuellement, la plupart des pays de l'hémisphère occidental et environ la moitié des nations africaines sont des démocraties. Toute la ceinture asiatique — jadis le royaume des despotes, des gouvernements militaires et des seigneurs de la guerre — possède aujourd'hui les démocraties parmi les plus dynamiques de la planète, et l'Europe de l'Est — jadis tenue d'une main de fer par des régimes rigides staliniens — est libre de nouveau. Même la Chine, bien qu'elle soit encore communiste, a été forcée d'admettre les échecs d'une économie planifiée par l'État, choisissant d'ouvrir ses marchés au capitalisme occidental à l'ancienne afin de survivre, préparant ainsi l'inévitable démocratisation de cet État maoïste jadis fermé.

Pour mieux apprécier le progrès dramatique que nous avons accompli en si peu de temps, songez qu'à l'aube du XXe siècle, pratiquement toutes les nations de la Terre étaient dirigées par des rois, des empereurs ou des dictateurs d'un genre ou de l'autre (ou constituaient les possessions coloniales de diverses puissances européennes), et qu'il n'existait qu'une poignée de vraies démocraties sur la planète. Cinquante ans plus tard, cependant, presque toutes les monarchies avaient disparu, les vastes empires coloniaux avaient été en large partie démantelés et environ le tiers des nations du monde correspondaient à de véritables démocraties. Finalement, de nos jours, neuf nations sur dix sont gouvernées par un régime démocratique (bien que certaines puissent être considérées comme des démocraties primitives ou « naissantes » au mieux), ce qui signifie sinon un changement complet, du moins un progrès. Les anciens problèmes existent toujours, bien sûr, mais le mécanisme pour opérer un vrai changement se trouve en place.

Il ne s'agit pas non plus de la vision d'un optimiste béat et je ne souhaite pas minimiser les périls encore bien réels que posent les États véreux et des groupes terroristes possédant des armes nucléaires ; je souhaite uniquement faire remarquer que le degré de danger que pose au monde une poignée de nations extrémistes et leurs mandataires terroristes est très petit comparé aux risques que l'Allemagne nazie, la Russie stalinienne et le Japon impérial ont déjà représentés pour le globe. Ce n'est pas seulement en regardant où nous sommes par rapport à où nous étions que l'on mesure bien le progrès, mais aussi en considérant ce qui aurait pu se passer sans quelques événements fortuits et opportuns. Même l'étude la plus rapide de l'histoire du XXe siècle montre à quel point nous sommes chanceux d'avoir traversé le dernier siècle sans dommage.

Les questions de la guerre et de la paix

J'ai suggéré que la civilisation atlante, si elle a existé, a peut-être été forcée, par la géographie et les pressions sociopolitiques, d'amorcer une compétition brutale pour les ressources naturelles de la planète, ce qui eut pour résultat d'engendrer des conflits perpétuels et, ultimement, de provoquer sa destruction par ses propres arsenaux. Comme les Atlantes, nous possédons nous aussi des arsenaux similaires et des ressources naturelles limitées ainsi que des ogives nucléaires par milliers. Par conséquent, il semble inutile d'envisager un avenir à long terme pour la civilisation tant que les nations du monde n'auront pas collectivement décidé que de telles armes ne sont pas nécessaires. C'est vrai également pour les armes chimiques et biologiques, surtout si on songe à ce qu'un terroriste bien financé pourrait faire avec un virus du charbon ou de la variole; c'est véritablement effrayant à considérer et aussi dangereux que s'il avait pris possession d'une ogive nucléaire. Dans le scénario que j'ai raconté plus tôt, l'ultime phase de la guerre atlante se voyait initiée non pas par des armes nucléaires, mais par une attaque biologique mise en œuvre par une poignée de gens, ce qui devrait prouver à tout le monde à quel point ces armes sont périlleuses.

Heureusement, certaines choses se sont améliorées, ce qui s'avère évident si on soupèse les alternatives et le passé. Des réductions substantielles dans le nombre et la taille des arsenaux nucléaires planétaires, qui ont commencé avec les accords SALT des années 1980 et qui se sont poursuivies avec les accords START signés dans les années 1990, ont réduit significativement l'ampleur générale des réserves biologiques, chimiques et nucléaires mondiales. Tout cela, jumelé avec la fin de la guerre froide en 1989 et la chute de l'ancien empire soviétique, semble indiquer que les risques d'une guerre nucléaire à grande échelle entre l'Est et l'Ouest sont de plus en plus improbables. Je crois qu'un environnement où existaient des parties antagonistes fut un ingrédient nécessaire à la destruction de l'Atlantide; sans lui, elle aurait pu faire face aux menaces qui se présentèrent à elle et il est fort possible que l'histoire humaine aurait suivi un chemin bien différent.

En survivant à notre propre guerre froide, nous jouissons donc d'une occasion dont les Atlantes ne purent jamais bénéficier, ce qui nous donne un avantage marqué sur nos homologues antédiluviens et un avantage dont, par bonheur, nous sommes apparemment en train de profiter. Bien qu'il soit encore possible qu'une des grandes puissances nucléaires fasse marche arrière et retourne à l'époque de la guerre froide, ou qu'une nation véreuse plus petite obtienne et utilise de telles armes dans l'avenir (assurant ainsi leur propre destruction du même coup), la lutte mondiale pour le pouvoir et la course aux armements requises pour avoir un Armageddon nucléaire de style Atlantide paraissent bien être grandement diminuées, du moins pour l'instant.

Bien sûr, je réalise que les nations de la Terre se préoccupent avec légitimité de leur sécurité et je ne prétends pas qu'on devrait détruire les forces armées du monde dans un effort pour prévenir une espèce de scénario catastrophe atlante. Je dis seulement qu'il faut se demander si nous ne sommes pas en train de dépenser trop sur nos forces militaires, plus qu'il ne le faut pour nous défendre. Il s'agit d'un point qui devient particulièrement évident en ce qui concerne les dépenses militaires des pays en voie de développement ; lorsque des États du tiers-monde ont des tanks modernes et des avions supersoniques alors que leur revenu moyen annuel se limite toujours à quelques centaines de dollars, il y a quelque chose qui ne va vraiment pas. C'est aussi, semble-t-il, contre-productif et de plus en plus stupide de vendre des armes à des pays qui ont des tendances expansionnistes ou totalitaires, ou à ceux qui possèdent des liens étroits avec des organisations terroristes ou extrémistes.

Bien que ces ventes soient fréquemment faites avec de nobles intentions et la reconnaissance du droit qu'ont toutes les nations souveraines de se défendre, au bout du compte, le plus souvent, elles reviennent hanter ceux qui ont fourni les armes. Il existe de bons exemples de cela, comme la guerre des Malouines de 1982, au cours de laquelle l'Argentine et la Grande-Bretagne se battirent rapidement mais brutalement pour une paire d'îles contestées situées dans le sud de l'Atlantique, employant tous les deux un armement de style occidental — et très efficace ; et en Iraq et en Afghanistan, où les pilotes américains doivent encore aujourd'hui affronter des myriades de missiles américains Stinger — fournis en grand nombre aux guerriers moudjahidin afghans au cours de leur guerre contre les Soviétiques dans les années 1980 — maintenant aux mains des insurgés. Si les nations devaient s'équiper uniquement avec les armes qu'elles sont capables de fabriquer elles-mêmes, plusieurs des plus petites machines militaires dans le monde — et le désarroi qu'elles causent souvent — seraient minuscules.

Les armées sont devenues plus nombreuses, mieux équipées et plus efficaces que jamais, mais on ne semble pas plus en sécurité pour autant. Par conséquent, peut-être est-il temps que les nations de la planète essaient quelque chose de différent. Les nations les plus petites et les plus pauvres de la Terre — celles qui ne peuvent pas se permettre de gaspiller leurs maigres ressources sur des forces militaires dont le seul but, de toute façon, paraît être de conserver leur plus récent dictateur au pouvoir — pourraient-elles envisager de remplacer leurs armées actuelles par des réserves paramilitaires plus modestes et bien équipées, ou mieux encore, d'éliminer entièrement leurs forces armées ? Imaginez si tous les pays d'Afrique centrale, par exemple, faisaient cela ; sans aucun doute, le continent deviendrait plus stable politiquement, et conséquemment, plus stable économiquement presque du jour au lendemain[51].

En outre, il n'y a pas d'intérêt pour les petits pays en développement qui bordent des nations puissantes militairement à dépenser une grande part de leur PNB à équiper une force militaire qui, de toute manière, ne peut pas raisonnablement espérer soutenir une attaque venue d'un voisin plus gros (comme cela se produisit au Koweït en 1990). C'est ici que des alliances articulées et maintenues avec soin pourraient entrer en jeu, car si les rares vraies puissances militaires du globe acceptaient de garantir la souveraineté et la sécurité de leurs voisins plus humbles et en grande partie sans défense, le risque qu'un petit conflit dérape et devienne important se verrait énormément réduit.

Le principe est le même dans les villes, chacune ayant une force de police pour garantir la sécurité des citoyens et ne demandant pas à la place que chaque maison ait son propre arsenal — c'est simplement plus sensé d'un point de vue social et géopolitique de faire les choses de cette façon.

51. D'ailleurs, le Costa Rica, un petit pays d'Amérique centrale, fatigué de sa longue histoire de coups d'État et de dictatures, a effectivement dissous ses forces armées, et depuis, il profite des résultats : une économie plus forte, un niveau de vie substantiellement amélioré et une augmentation du tourisme.

En plus de maintenir des séries d'alliances destinées à protéger les faibles des forts, je propose, si cette civilisation souhaite voir l'aube du XXIIe siècle, que les armées des démocraties importantes unissent leurs forces pour former une force de défense internationale unique, bien équipée et bien entraînée, capable d'envoyer rapidement des troupes partout où il le faut. Une telle force vraiment internationale, surtout si elle est constituée des technologies militaires les plus évoluées de la planète, ne réduirait pas seulement la quantité de duplication inutile qui porte les coûts pour se procurer des armes à un niveau astronomique, mais serait aussi si forte que n'importe quel ennemi en puissance y penserait deux fois avant de l'attaquer. C'est un fait établi de l'Histoire que les agresseurs défient rarement un adversaire nettement supérieur, préférant plutôt s'attaquer à ceux qu'ils considèrent comme vulnérables et faibles (mais parfois, il y a des erreurs de calcul). L'humanité devra peut-être attendre encore quelques siècles avant d'être assez évoluée pour démanteler complètement ses arsenaux, mais d'ici là, nous pouvons au moins forger un monde dans lequel l'idée de s'en servir massivement est considérée stupide et peu pratique. Cela ne correspond peut-être pas à une civilisation véritablement éclairée, mais cela se révélera peut-être suffisant pour ne pas répéter les erreurs de l'Atlantide.

Les préoccupations environnementales

On ne peut que spéculer sur la manière dont l'Atlantide s'occupait de sa pollution, sur son traitement des déchets et sur ses préoccupations environnementales, mais on peut être raisonnablement certain qu'il devait y avoir des problèmes importants, surtout si on songe qu'il s'agissait d'une région de la planète relativement fermée, déjà sujette aux éruptions volcaniques et aux autres risques environnementaux. On ne sait pas s'ils réussirent à résoudre plusieurs de ces problèmes avant de succomber aux problèmes plus gros, bien sûr, mais on ne peut nier que face au réchauffement climatique qui est en train de modifier dramatiquement le monde d'aujourd'hui de manière souvent importante – comme ce fut le cas, en grande partie, à la fin de la période glaciaire du pléistocène –, nous avons beaucoup de travail à faire si nous ne souhaitons pas rejoindre nos aïeux atlantes.

Malheureusement, il n'y a peut-être aucune entreprise humaine sur laquelle il est plus difficile d'avoir un consensus que l'environnement. La plupart des gens sont prêts à admettre que la surpopulation et la prolifération des armes nucléaires constituent des problèmes et ils sont peut-être même capables de se mettre d'accord jusqu'à un certain point sur les mesures qui pourraient être prises, mais lorsqu'il s'agit de l'environnement, aucun consensus semblable n'est possible. On ne peut même pas se mettre d'accord collectivement sur le fait qu'il y a un problème et encore moins sur ce que, exactement, ce problème pourrait être. Et donc, les forêts tropicales continuent à être brûlées au rythme d'environ cinq cents hectares par jour et nous continuons à remplir notre air de gaz toxiques rejetés par des voitures trop grosses et des camions d'où s'échappe de la fumée, tout en débattant pour savoir si ce sont réellement des problèmes ou non. De plus, la demande en énergie sous forme de pétrole et de charbon paraît non seulement insatiable, mais en plus, elle augmente. Au moment où j'écris ces lignes, les réserves mondiales de pétrole dont nous sommes sûrs s'élèvent à un peu plus d'un billion de barils ; selon les données mêmes de l'OPEP, le monde draine ces réserves au rythme de vingt-neuf milliards de barils par année. Ce qui implique que dans approximativement quarante ans, la planète aura été vidée. Nous avons déjà regardé le dilemme similaire auquel l'Atlantide a peut-être fait face voilà douze mille ans ; sommes-nous en train de tenter le destin comme ils le firent ?

Évidemment, la meilleure solution consiste à passer des combustibles fossiles à des sources d'énergie propres et renouvelables. Ce qui ne veut pas dire qu'il faille fermer le fausset de pétrole du jour au lendemain et continuer comme avant, mais avec des efforts déterminés et un peu de créativité, nous pouvons nous sevrer des trayons des combustibles fossiles au cours des prochaines décennies sans que le monde ne s'écroule (et sans que le prix de l'énergie n'explose non plus). La nature nous fournit de nombreuses sources d'énergie sous forme d'énergie solaire, éolienne, hydroélectrique et géothermique, dont nous avons tardé à profiter.

Malheureusement, le problème ne semble pas être que les consommateurs ordinaires refusent d'essayer quelque chose de nouveau, mais plutôt que les industries refusent de subir des pertes à court terme en faveur des profits à long terme qu'ils réaliseraient éventuellement. Passer des voitures à combustibles fossiles à des véhicules hydroélectriques ou fonctionnant à l'hydrogène, par exemple, représenterait un investissement majeur que peu d'hommes d'affaires seraient prêts à faire, mais un jour, il faudra se décider ou la nature saura faire en sorte que nous n'ayons plus le choix.

En outre, le recyclage ne devrait pas seulement être encouragé (c'est facile), mais il faudrait aussi qu'il soit pratique (c'est plus difficile). Fabriquer les produits de tous les jours en matériaux hautement biodégradables représenterait un pas dans la bonne direction, et il faudrait examiner plus vigoureusement les incitations fiscales qu'on pourrait offrir aux particuliers et aux compagnies prêts à développer et à créer des produits sans danger pour l'environnement. Les êtres humains sont par nature des créatures qui aiment le statu quo ; il faut un effort énorme pour changer cela tant au niveau individuel que sociétal — mais à moins que cet effort ne soit entrepris, il est difficile de voir comment la civilisation survivra à ce siècle, et encore moins à ceux qui vont suivre.

Mais tout n'est pas si sombre. Il semble que partout sur le globe, on soit en train de se rendre compte, de plus en plus, qu'il existe des problèmes environnementaux, et cette perception nouvelle est en train de modifier la manière avec laquelle on considère les ressources naturelles, qui sont limitées. La planète est en train de changer peu à peu ; on développe finalement des sources d'énergie différentes, des cheminées d'usine rejetant des nuages de fumée noire et épaisse ne sont plus une façon acceptable de faire des affaires, et jeter des ordures sur le sol — jadis un geste ordinaire et presque innocent — devient de plus en plus tabou. Les pressions économiques et politiques qui peuvent peser sur une question environnementale sont aujourd'hui absolument formidables, ce qui a pour résultat de modifier graduellement la manière de voir : on s'éloigne des stratégies motivées par le profit pour s'approcher d'un climat d'entreprise qui nuit moins à l'environnement. Il y a encore un long chemin à parcourir, bien sûr, mais même ramper lentement est mieux que demeurer sans bouger.

On a réalisé des succès d'autres façons aussi. La chute du vieil empire soviétique, par exemple, eut un avantage involontaire lorsque les usines et les installations industrielles de style soviétique — construites rapidement avec peu ou pas de contrôles de pollution — furent fermées et remplacées par des installations plus modernes et plus efficaces. La chute du mur de Berlin permit pareillement à l'Europe de l'Est de ne pas avoir à endurer pendant encore des décennies les usines dangereuses et énergivores qui remplissaient l'air de fumées nocives et abandonnaient des déchets toxiques où on voulait, et aujourd'hui, l'environnement dans cette région très maltraitée de la planète est en train de se rétablir. Bien que la pollution et les déchets toxiques soient encore des problèmes, bien sûr (tout comme à l'Ouest), on se prépare au moins à nettoyer un peu.

Tout bien considéré, le monde semble avoir pris conscience du fait que les activités humaines ont un impact sur l'environnement, un point, bien qu'on en ait discuté durant des décennies sans qu'il n'y ait vraiment de résultats, qu'on est au moins en train d'entendre et, fait plus important, sur lequel on est en train d'agir. Les énergies de remplacement seront très importantes dans l'avenir parmi les nations occidentales, ce qui se fera éventuellement sentir jusque dans les nouvelles nations industrialisées de l'Asie et, par la suite, dans celles du monde entier. Tout ce qu'on peut espérer, c'est qu'il ne faudra pas une crise internationale du carburant pour alimenter les efforts entrepris afin d'avoir un avenir moins nocif pour l'économie, et que nous serons capables d'opérer le changement non pas par pure nécessité, mais parce qu'il s'agit de la bonne chose à faire. Seul le temps, comme d'habitude, le dira.

Un monde qui change

Pour quiconque étudie l'histoire et la condition humaine, il devrait être évident que des changements se préparent. Malgré la menace continuelle de terrorisme dans tous ses nombreux déguisements et le risque d'empoisonner notre environnement avant d'être revenus à la raison, il y a des raisons d'être optimiste. Notre monde se modifie – évolue, en fait – et, je crois, pour le mieux. Bien sûr, il ne s'agit pas d'une progression rapide et continue vers le haut, mais d'une série de petits pas effectués au fur et à mesure que nous apprenons lentement à utiliser le vaste potentiel que nous possédons en tant qu'êtres humains non seulement pour survivre, mais aussi pour nous épanouir. L'*Homo sapiens*, comme je l'ai dit plus tôt, est la seule espèce capable de se détruire elle-même ou de faire de la planète un quasi-Éden, mais pour une quelconque raison, il semble que nous insistions pour apprendre par l'expérience quel chemin il faut prendre pour réaliser au maximum ce potentiel. L'Atlantide nous a montré à quoi ressemblait le mauvais chemin, mais la nature a fait en sorte que des vestiges d'humanité survivent afin que l'espèce ait la possibilité d'essayer encore. La nature ne sera peut-être pas si indulgente la prochaine fois.

Et pourtant, je suis convaincu qu'au bout du compte, nous forgerons un monde nouveau et meilleur – le monde nouveau et meilleur que les Atlantes tentèrent de créer et que, peut-être, ils passèrent très près de concrétiser avant de s'anéantir eux-mêmes. Les Atlantes avaient ce même choix, mais pour des motifs que l'Histoire a perdus, ils n'en profitèrent pas.

Espérons que nous possédons plus de prévoyance qu'eux, car si ce n'est pas le cas, l'Atlantide servira de modèle pour notre propre pierre tombale également. Comme dans la classique histoire de rédemption de Dickens, *Un conte de Noël*, nous avons la possibilité d'observer la pierre tombale qu'un Ebenezer Scrooge repentant a regardée avec horreur et, voyant son propre nom inscrit sur sa froide surface grise, de demander au fantôme des Noëls futurs si notre destin est scellé ou si les mots sur la pierre peuvent être effacés grâce aux actes d'un nouveau cœur et d'une nouvelle vie. Si nous ne nous posons pas ces questions, je crains que l'Atlantide ne soit pas la dernière catastrophe à venir frapper l'humanité, mais une seule parmi encore plusieurs autres.

Souhaitons que malgré les nombreuses similitudes, tant en termes de technologie que d'humanité, nous emprunterons le bon chemin cette fois-ci, prouvant ainsi le bien-fondé du sacrifice des Atlantes et faisant revivre une civilisation morte depuis longtemps. C'est comme si les fantômes d'un milliard d'Atlantes nous regardaient agir, nous encourageant et acclamant chacun de nos succès, car dans notre triomphe ils trouveraient leur propre justification et, espérons-le, leur propre paix ultime. Il y a beaucoup de dangers, c'est vrai, mais ils ne sont pas insurmontables. Il y a de l'espoir. Peut-être avons-nous appris quelque chose – directement ou par l'entremise de souvenirs contenus dans notre ADN (cadeau de nos ancêtres atlantes) – sur les nombreux périls auxquels nous faisons face. Est-il possible que nous faisions des progrès, après tout, et que nous soyons même sur le point d'amorcer un virage important de notre civilisation ? Voilà ce que les anciens Atlantes attendent de réaliser depuis douze mille ans ; ne les décevons pas.

DOUZE

Conclusion

J'espère que ce livre vous a fait réfléchir. Après tout, c'était mon unique objectif. Je doute qu'il ait ouvert de nouvelles perspectives ou révélé de profondes vérités, mais s'il vous a fait songer non seulement à notre lointain passé mais aussi aux perspectives de notre avenir, il s'agit d'un effort qui en valut la peine.

Je ne sais pas si l'Atlantide a vraiment existé. La science, malgré ses talents remarquables pour apprendre la vérité sur de pareils problèmes, ne le sait pas non plus, ce qui est correct; après tout, ce qui compte dans la science, ce n'est pas uniquement ce que l'on sait déjà, mais également ce qui reste à découvrir. C'est le feu qui entretient ses fourneaux, si on peut dire.

Mais en dépit de ce que croient plusieurs personnes, l'Atlantide ne constitue pas une fausse science ni un exercice intellectuel inutile destiné à mettre des mots sur du papier. Que l'Atlantide ait existé ou non, elle a encore une importance vitale en ce qu'elle peut nous aider à nous comprendre nous-mêmes et, par conséquence, elle peut nous aider à prendre des décisions sur le monde dans lequel nous vivons. L'Atlantide parle de nous – de nos possibilités et de nos potentiels, de nos déceptions et de nos regrets, de même que de la capacité de l'humanité à s'envoler très haut au-dessus des nuages ou à s'écraser en flammes sur la Terre. Ce fut toujours ainsi et ce le sera toujours, et c'est pourquoi il s'agit d'une histoire qui vaut la peine d'être racontée.

Peut-être est-ce là l'histoire que Platon essayait de nous faire comprendre voilà plusieurs siècles : que le potentiel des êtres humains est plus grand que n'importe quelle force sur Terre et qu'il faut donc le chérir et le persuader de se réaliser. Même si le récit de Platon sur une fabuleuse civilisation n'était qu'une fable relatée il y a très longtemps et mal comprise par la suite, ce serait encore le cas aujourd'hui, tout comme il y a deux mille quatre cents ans, et peut-être que c'est là le but de l'exercice. Le sort, ou Dieu, ou qui que vous vouliez, nous donna ces fables pour servir de subtils avertissements, des fables passées d'une génération à l'autre au milieu des vastes étendues du temps dans un effort pour nous enseigner, nous réprimander et nous avertir. Il s'agit d'un cadeau du temps et de l'espace, l'écho d'un lointain passé envoyé afin d'avertir ceux qui suivent. Souhaitons qu'il soit assez fort pour être entendu et, surtout, qu'on en tiendra compte avant qu'il ne soit trop tard. En se souvenant de cela, nous faisons revivre les anciens Atlantes afin qu'ils puissent vivre de nouveau parmi nous et nous rappeler les choses vraiment importantes que nous devons comprendre aussi longtemps que des êtres humains vivront sur cette planète.

APPENDICE A

Le *Timée*

Le *Timée*, l'un des deux textes de Platon faisant référence à l'Atlantide, n'offre qu'une brève introduction de l'Atlantide. La majeure partie du texte décrit en fait la création du monde, parle des nombreuses destructions qu'il a subies et donne une explication des phénomènes naturels. La page 2, qui fait partie d'un dialogue beaucoup plus long, est la seule partie du *Timée* qui fait spécifiquement référence à l'Atlantide, et c'est tout ce que vous trouverez plus bas.

Le *Timée*

Socrate : C'est bien dit. Mais quel est donc cet antique exploit dont on ne parle plus, mais qui fut réellement accompli par notre ville et que Critias a rapporté sur la foi de Solon ?

Critias : Je vais redire cette vieille histoire comme je l'ai entendu raconter par un homme qui n'était pas jeune. Car Critias était alors, à ce qu'il disait, près de ses quatre-vingt-dix ans, et moi j'en avais dix tout au plus. C'était justement le jour de Couréotis pendant les Apaturies. La fête se passa comme d'habitude pour nous autres enfants. Nos pères nous proposèrent des prix de déclamation poétique. On récita beaucoup de poèmes de différents poètes, et comme ceux de Solon étaient alors dans leur nouveauté, beaucoup d'entre nous les chantèrent.

Un membre de notre phratrie dit alors, soit qu'il le pensât réellement, soit qu'il voulût faire plaisir à Critias, qu'il regardait Solon non seulement comme le plus sage des hommes, mais encore, pour ses dons poétiques, comme le plus noble des poètes. Le vieillard, je m'en souviens fort bien, fut ravi de l'entendre et lui dit en souriant :

– Oui, Amymandre, s'il n'avait pas fait de la poésie en passant et qu'il s'y fût adonné sérieusement, comme d'autres l'ont fait, s'il avait achevé l'ouvrage qu'il avait rapporté d'Égypte, et si les factions et les autres calamités qu'il trouva ici à son retour ne l'avaient pas contraint de la négliger complètement, à mon avis, ni Hésiode ni Homère, ni aucun autre poète ne fût jamais devenu plus célèbre que lui.

– Quel était donc cet ouvrage, Critias ? demanda Amymandre.

– C'était le récit de l'exploit le plus grand et qui mériterait d'être le plus renommé de tous ceux que cette ville ait jamais accomplis ; mais le temps et la mort de ses auteurs n'ont pas permis que ce récit parvînt jusqu'à nous.

— Raconte-moi dès le début, reprit l'autre, ce qu'en disait Solon et comment et à qui il l'avait ouï conter comme une histoire véritable.

— Il y a en Égypte, débuta Critias, dans le delta, à la pointe duquel le Nil se partage, un nome appelé saïtique, dont la principale ville est Saïs, patrie du roi Amasis. Les habitants honorent comme fondatrice de leur ville une déesse dont le nom égyptien est Neith et le nom grec, à ce qu'ils disent, Athéna. Ils aiment beaucoup les Athéniens et prétendent avoir avec eux une certaine parenté.

« Son voyage l'ayant amené dans cette ville, Solon m'a raconté qu'il y fut reçu avec de grands honneurs, puis qu'ayant un jour interrogé sur l'Antiquité les prêtres les plus versés dans cette matière, il avait découvert que ni lui ni aucun autre Grec n'en avait pour ainsi dire aucune connaissance. Un autre jour, voulant engager les prêtres à parler de l'Antiquité, il se mit à leur raconter ce que l'on sait chez nous de plus ancien. Il leur parla de Phoroneus qui fut, dit-on, le premier homme, et de Niobé, puis il leur conta comment Deucalion et Pyrrha survécurent au déluge ; il fit la généalogie de leurs descendants et il essaya, en distinguant les générations, de compter combien d'années s'étaient écoulées depuis ces événements.

« Alors un des prêtres, qui était très vieux, lui dit : "Ah ! Solon, Solon, vous autres Grecs, vous êtes toujours des enfants, et il n'y a point de vieillard en Grèce." "Que veux-tu dire par là ?" demanda Solon." Vous êtes tous jeunes d'esprit, répondit le prêtre ; car vous n'avez dans l'esprit aucune opinion ancienne fondée sur une vieille tradition et aucune science blanchie par le temps. Et en voici la raison.

« Il y a eu souvent et il y aura encore souvent des destructions d'hommes causées de diverses manières, les plus grandes par le feu et par l'eau, et d'autres moindres par mille autres choses. Par exemple, ce qu'on raconte aussi chez vous de Phaéton, fils du Soleil, qui, ayant un jour attelé le char de son père et ne pouvant le maintenir dans la voie paternelle, embrasa tout ce qui était sur la Terre et périt lui-même frappé de la foudre, a, il est vrai, l'apparence d'une fable ; mais la vérité qui s'y recèle, c'est que les corps qui circulent dans le ciel autour de la Terre dévient de leur course et qu'une grande conflagration qui se produit à de grands intervalles détruit ce qui est sur la surface de la Terre. Alors, tous ceux qui habitent dans les montagnes et dans les endroits élevés et arides périssent plutôt que ceux qui habitent au bord des fleuves et de la mer. Nous autres, nous avons le Nil, notre sauveur ordinaire, qui, en pareil cas aussi, nous préserve de cette calamité par ses débordements.

« Quand, au contraire, les dieux submergent la terre sous les eaux pour la purifier, les habitants des montagnes, bouviers et pâtres, échappent à la mort, mais ceux qui résident dans vos villes sont emportés par les fleuves dans la mer, tandis que chez nous, ni dans ce cas ni dans d'autres, l'eau ne dévale jamais des hauteurs dans les campagnes ; c'est le contraire, elles montent naturellement toujours d'en bas. Voilà comment et pour quelles raisons on dit que c'est chez nous que se sont conservées les traditions les plus anciennes. Mais en réalité, dans tous les lieux où le froid ou la chaleur excessive ne s'y oppose pas, la race humaine subsiste toujours plus ou moins nombreuse. Aussi tout ce qui s'est fait de beau, de grand ou de remarquable sous tout autre rapport, soit chez vous, soit ici, soit dans tout autre pays dont nous ayons entendu parler, tout cela se trouve ici consigné par écrit dans nos temples depuis un temps immémorial et s'est ainsi conservé.

« Chez vous, au contraire, et chez les autres peuples, à peine êtes-vous pourvus de l'écriture et de tout ce qui est nécessaire aux cités que de nouveau, après l'intervalle de temps ordinaire, des torrents d'eau du ciel fondent sur vous comme une maladie et ne laissent survivre de vous que les illettrés et les ignorants, en sorte que vous vous retrouvez au point de départ comme des jeunes, ne sachant rien de ce qui s'est passé dans les temps anciens, soit ici, soit chez vous. Car ces généalogies de tes compatriotes que tu récitais tout à l'heure, Solon, ne diffèrent pas beaucoup de contes de nourrices.

« Tout d'abord, vous ne vous souvenez que d'un seul déluge terrestre, alors qu'il y en a eu beaucoup auparavant ; ensuite, vous ignorez que la plus belle et la meilleure race qu'on ait vue parmi les hommes a pris naissance dans votre pays, et que vous en descendez, toi et toute votre cité actuelle, grâce à un petit germe échappé au désastre. Vous l'ignorez, parce que les survivants, pendant beaucoup de générations, sont morts sans rien laisser par écrit. Oui, Solon, il fut un temps où, avant la plus grande des destructions opérées par les eaux, la cité qui est aujourd'hui Athènes fut la plus vaillante à la guerre et sans comparaison la mieux policée à tous égards ; c'est elle qui, dit-on, accomplit les plus belles choses et inventa les plus belles institutions politiques dont nous ayons entendu parler sous le ciel.

« Solon m'a rapporté qu'en entendant cela, il fut saisi d'étonnement et pria instamment les prêtres de lui raconter exactement et de suite tout ce qui concernait ses concitoyens d'autrefois. Alors le vieux prêtre lui répondit : "Je n'ai aucune raison de te refuser, Solon, et je vais t'en faire un récit par égard pour toi et pour ta patrie, et surtout pour honorer la déesse qui protège votre cité et la nôtre et qui les a élevées et instruites, la vôtre, qu'elle a formée la première, mille ans avant la nôtre, d'un germe pris à la terre et à Héphaïstos, et la nôtre par la suite. Depuis l'établissement de la nôtre, il s'est écoulé huit mille années : c'est le chiffre que portent nos livres sacrés.

« C'est donc de tes concitoyens d'il y a neuf mille ans que je vais t'exposer brièvement les institutions et le plus glorieux de leurs exploits. Nous reprendrons tout en détail et de suite, une autre fois, quand nous en aurons le loisir, avec les textes à la main. Compare d'abord leurs lois avec les nôtres. Tu verras qu'un bon nombre de nos lois actuelles ont été copiées sur celles qui étaient alors en vigueur chez vous.

« C'est ainsi d'abord que la classe des prêtres est séparée des autres ; de même celle des artisans, où chaque profession a son travail spécial, sans se mêler à une autre, et celle des bergers, des chasseurs, des laboureurs. Pour la classe des guerriers, tu as sans doute remarqué qu'elle est chez nous également séparée de toutes les autres ; car la loi leur interdit de s'occuper d'aucune autre chose que de la guerre. Ajoute à cela la forme des armes, boucliers et lances, dont nous nous sommes servis, avant tout autre peuple de l'Asie, en ayant appris l'usage de la déesse qui vous l'avait d'abord enseigné.

« Quant à la science, tu vois sans doute avec quel soin la loi s'en est occupée ici dès le commencement, ainsi que de l'ordre du monde. Partant de cette étude des choses divines, elle a découvert tous les arts utiles à la vie humaine, jusqu'à la divination et à la médecine, qui veille à notre santé, et acquis toutes les connaissances qui s'y rattachent. C'est cette constitution même et cet ordre que la déesse avait établis chez vous d'abord, quand elle fonda votre ville, ayant choisi l'endroit où vous êtes nés, parce qu'elle avait prévu que son climat heureusement tempéré y produirait des hommes de haute intelligence. Comme elle aimait à la fois la guerre et la science, elle a porté son choix sur le pays qui devait produire les hommes les plus semblables à elle-même et c'est celui-là qu'elle a peuplé d'abord. Et vous vous gouverniez par ces lois et de meilleures encore, surpassant tous les hommes dans tous les genres de mérite, comme on pouvait l'attendre de rejetons et d'élèves des dieux.

« Nous gardons ici par écrit beaucoup de grandes actions de votre cité qui provoquent l'admiration, mais il en est une qui les dépasse toutes en grandeur et en héroïsme. En effet, les monuments écrits disent que votre cité détruisit jadis une immense puissance qui marchait insolemment sur l'Europe et l'Asie tout entières, venant d'un autre monde situé dans l'océan Atlantique. On pouvait alors traverser cet océan ; car il s'y trouvait une île devant ce détroit que vous appelez, dites-vous, les colonnes d'Hercule. Cette île était plus grande que la Libye et l'Asie réunies. De cette île on pouvait alors passer dans les autres îles et de celles-ci gagner tout le continent qui s'étend en face d'elles et borde cette véritable mer. Car tout ce qui est en deçà du détroit dont nous parlons ressemble à un port dont l'entrée est étroite, tandis que ce qui est au-delà forme une véritable mer et que la terre qui l'entoure a vraiment tous les titres pour être appelée continent.

« Or, dans cette île Atlantide, des rois avaient formé une grande et admirable puissance, qui étendait sa domination sur l'île entière et sur beaucoup d'autres îles et quelques parties du continent. En outre, en deçà du détroit, de notre côté, ils étaient maîtres de la Libye jusqu'à l'Égypte, et de l'Europe jusqu'à la Tyrrhénie. Or, un jour, cette puissance, réunissant toutes ses forces, entreprit d'asservir d'un seul coup votre pays, le nôtre et tous les peuples en deçà du détroit. Ce fut alors, Solon, que la puissance de votre cité fit éclater aux yeux du monde sa valeur et sa force. Comme elle l'emportait sur toutes les autres par le courage et tous les arts de la guerre, ce fut elle qui prit le commandement des Hellènes; mais, réduite à ses seules forces par la défection des autres et mise ainsi dans la situation la plus critique, elle vainquit les envahisseurs, éleva un trophée, préserva de l'esclavage les peuples qui n'avaient pas encore été asservis, et rendit généreusement à la liberté tous ceux qui, comme nous, habitent à l'intérieur des colonnes d'Hercule.

« Mais dans le temps qui suivit, il y eut des tremblements de terre et des inondations extraordinaires, et, dans l'espace d'un seul jour et d'une seule nuit néfastes, tout ce que vous aviez de combattants fut englouti d'un seul coup dans la terre, et l'île Atlantide, s'étant abîmée dans la mer, disparut de même. Voilà pourquoi, aujourd'hui encore, cette mer-là est impraticable et inexplorable, la navigation étant gênée par les bas-fonds vaseux que l'île a formés en s'affaissant. »

Voilà, Socrate, brièvement résumé, ce que m'a dit le vieux Critias, qui le tenait de Solon. Hier, quand tu parlais de ta république et que tu en dépeignais les citoyens, j'étais émerveillé, en me rappelant ce que je viens de dire. Je me demandais par quel merveilleux hasard tu te rencontrais si à propos sur la plupart des points avec ce que Solon en avait dit. Je n'ai pas voulu vous en parler sur le moment; car, après si longtemps, mes souvenirs n'étaient pas assez nets. J'ai pensé qu'il fallait n'en parler qu'après les avoir tous bien ressaisis dans mon esprit.

C'est pour cela que j'ai si vite accepté la tâche que tu nous as imposée hier, persuadé que, si la grande affaire, en des entretiens comme le nôtre, est de prendre un thème en rapport au dessein que l'on a, nous trouverions dans ce que je propose le thème approprié à notre plan. C'est ainsi qu'hier, comme l'a dit Hermocrate, je ne fus pas plus tôt sorti d'ici que, rappelant mes souvenirs, je les rapportai à ces messieurs, et qu'après les avoir quittés, en y songeant la nuit, j'ai à peu près tout ressaisi. Tant il est vrai, comme on dit, que ce que nous avons appris étant enfants se conserve merveilleusement dans notre mémoire ! Pour ma part, ce que j'ai entendu hier, je ne sais si je pourrais me le rappeler intégralement ; mais ce que j'ai appris il y a très longtemps, je serais bien surpris qu'il m'en fût échappé quelque chose. J'avais alors tant de plaisir, une telle joie d enfant à entendre le vieillard, et il me répondait de si bon cœur, tandis que je ne cessais de l'interroger, que son récit est resté fixé en moi, aussi indélébile qu'une peinture à l'encaustique.

De plus, ce matin même, j'ai justement conté tout cela à nos amis, pour leur fournir à eux aussi des matières pour la discussion. Et maintenant, car c'est à cela que tendait tout ce que je viens de dire, je suis prêt, Socrate, à rapporter cette histoire non pas sommairement, mais en détail, comme je l'ai entendue.

Les citoyens et la cité que tu nous as représentés hier comme dans une fiction, nous allons les transférer dans la réalité ; nous supposerons ici que cette cité est Athènes et nous dirons que les citoyens que tu as imaginés sont ces ancêtres réels dont le prêtre a parlé. Entre les uns et les autres, la concordance sera complète et nous ne dirons rien que de juste en affirmant qu'ils sont bien les hommes réels de cet ancien temps. Nous allons essayer tous, en nous partageant les rôles, d'accomplir aussi bien que nous le pourrons la tâche que tu nous as imposée. Reste à voir, Socrate, si ce sujet est à notre gré ou s'il faut en chercher un autre à sa place.

[Ici s'arrête le passage qui fait référence à l'Atlantide dans le *Timée*. On peut trouver une autre description de l'endroit dans le *Critias* de Platon, présenté dans l'appendice B.]

APPENDICE B

Le *Critias*

Le *Critias*, un des deux textes de Platon qui fait spécifiquement référence à l'Atlantide, donne une description détaillée de cette dernière, fournissant également de l'information sur les anciens Athéniens et la guerre qui les opposa aux Atlantes.

Le *Critias*

Avant tout, rappelons-nous qu'en somme, il s'est écoulé neuf mille ans depuis la guerre qui, d'après les révélations des prêtres égyptiens, éclata entre les peuples qui habitaient au-dehors par-delà les colonnes d'Hercule et tous ceux qui habitaient en deçà. C'est cette guerre qu'il me faut maintenant raconter en détail. En deçà, c'est notre ville, dit-on, qui eut le commandement et soutint toute la guerre ; au-delà, ce furent les rois de l'île Atlantide, île qui, nous l'avons dit, était autrefois plus grande que la Libye et l'Asie, mais qui, aujourd'hui, engloutie par des tremblements de terre, n'a laissé qu'un limon infranchissable qui barre le passage à ceux qui cinglent d'ici vers la grande mer.

Quant aux nombreux peuples barbares et à toutes les tribus grecques qui existaient alors, la suite de mon discours, en se déroulant, si je puis dire, les fera connaître au fur et à mesure qu'il les rencontrera ; mais il faut commencer par les Athéniens de ce temps-là et par les adversaires qu'ils eurent à combattre et décrire les forces et le gouvernement des uns et des autres. Et entre les deux, c'est à celui de notre pays qu'il faut donner la priorité.

Autrefois, les dieux se partagèrent entre eux la Terre entière, contrée par contrée et sans dispute ; car il ne serait pas raisonnable de croire que les dieux ignorent ce qui convient à chacun d'eux, ni que, sachant ce qui convient mieux aux uns, les autres essayent de s'en emparer à la faveur de la discorde. Ayant donc obtenu dans ce juste partage le lot qui leur convenait, ils peuplèrent chacun leur contrée, et, quand elle fut peuplée, ils nous élevèrent, nous, leurs ouailles et leurs nourrissons, comme les bergers leurs troupeaux, mais sans violenter nos corps, comme le font les bergers qui mènent paître leur bétail à coups de fouet ; mais, se plaçant pour ainsi dire à la poupe, d'où l'animal est le plus facile à diriger, ils le gouvernaient en usant de la persuasion comme gouvernail et maîtrisaient ainsi son âme selon leur propre dessein, et c'est ainsi qu'ils conduisaient et gouvernaient toute l'espèce mortelle.

Tandis que les autres dieux réglaient l'organisation des différents pays que le sort leur avait assignés, Héphaïstos et Athéna, qui ont la même nature, et parce qu'ils sont enfants du même père, et parce qu'ils s'accordent dans le même amour de la sagesse et des arts, ayant reçu tous deux en commun notre pays, comme un lot qui leur était propre et naturellement approprié à la vertu et à la pensée, y firent naître de la terre des gens de bien et leur enseignèrent l'organisation politique. Leurs noms ont été conservés, mais leurs œuvres ont péri par la destruction de leurs successeurs et l'éloignement des temps.

Car l'espèce qui chaque fois survivait, c'était, comme je l'ai dit plus haut, celle des montagnards et des illettrés, qui ne connaissaient que les noms des maîtres du pays et savaient peu de chose de leurs actions. Ces noms, ils les donnaient volontiers à leurs enfants ; mais des vertus et des lois de leurs devanciers ils ne connaissaient rien, à part quelques vagues on-dit sur chacun d'eux. Dans la disette des choses nécessaires où ils restèrent, eux et leurs enfants, pendant plusieurs générations, ils ne s'occupaient que de leurs besoins, ne s'entretenaient que d'eux et ne s'inquiétaient pas de ce qui s'était passé avant eux et dans les temps anciens. Les récits légendaires et la recherche de l'Antiquité apparaissent dans les cités en même temps que les loisirs, lorsqu'ils voient que certains hommes sont pourvus des choses nécessaires à la vie, mais pas auparavant. Et voilà comment les noms des anciens hommes se sont conservés sans le souvenir de leurs hauts faits.

Et la preuve de ce que j'avance, c'est que les noms de Cécrops, d'Érechthée, d'Érichthonios, d'Erysichthon et la plupart de ceux des héros antérieurs à Thésée dont on ait gardé la mémoire, sont précisément ceux dont se servaient, au rapport de Solon, les prêtres égyptiens, lorsqu'ils lui racontèrent la guerre de ce temps-là. Et il en est de même des noms des femmes. En outre, la tenue et l'image de la déesse, que les hommes de ce temps-là représentaient en armes conformément à la coutume de leur temps, où les occupations guerrières étaient communes aux femmes et aux enfants, signifient que, chez tous les êtres vivants, mâles et femelles, qui vivent en société, la nature a voulu qu'ils fussent les uns et les autres capables d'exercer en commun la vertu propre à chaque espèce.

Notre pays était alors habité par les différentes classes de citoyens qui exerçaient des métiers et tiraient du sol leur subsistance. Mais celle des guerriers, séparée des autres dès le commencement par des hommes divins, habitait à part. Ils avaient tout le nécessaire pour la nourriture et l'éducation ; mais aucun d'eux ne possédait rien en propre ; ils pensaient que tout était commun entre eux tous ; mais ils n'exigeaient des autres citoyens rien au-delà de ce qui leur suffisait pour vivre, et ils exerçaient toutes les fonctions que nous avons décrites hier en parlant des gardiens que nous avons imaginés.

On disait aussi, en ce qui concerne le pays, et cette tradition est vraisemblable et véridique, tout d'abord, qu'il était borné par l'isthme et qu'il s'étendait jusqu'aux sommets du Cithéron et du Parnès, d'où la frontière descendait en enfermant l'Oropie sur la droite, et longeant l'Asopos à gauche, du côté de la mer ; qu'ensuite, la qualité du sol y était sans égale dans le monde entier, en sorte que le pays pouvait nourrir une nombreuse armée exempte des travaux de la terre. Une forte preuve de la qualité de notre terre, c'est que ce qui en reste à présent peut rivaliser avec n'importe laquelle pour la diversité et la beauté de ses fruits et sa richesse en pâturages propres à toute espèce de bétail. Mais, en ce temps-là, à la qualité de ses produits se joignait une prodigieuse abondance.

Quelle preuve en avons-nous et qu'est-ce qui reste du sol qui justifie notre dire ? Le pays tout entier s'avance loin du continent dans la mer et s'y étend comme un promontoire, et il se trouve que le bassin de la mer qui l'enveloppe est d'une grande profondeur. Aussi, pendant les nombreuses et grandes inondations qui ont eu lieu pendant les neuf mille ans, car c'est là le nombre des ans qui se sont écoulés depuis ce temps-là jusqu'à nos jours, le sol qui s'est écoulé des hauteurs en ces temps de désastre n'a pas déposé, comme dans les autres pays, de sédiment notable, et, s'écoulant toujours sur le pourtour du pays, a disparu dans la profondeur des flots.

Aussi, comme il est arrivé dans les petites îles, ce qui reste à présent, comparé à ce qui existait alors, ressemble à un corps décharné par la maladie. Tout ce qu'il y avait de terre grasse et molle s'est écoulé et il ne reste plus que la carcasse nue du pays. Mais, en ce temps-là, le pays encore intact avait, au lieu de montagnes, de hautes collines; les plaines qui portent aujourd'hui le nom de Phelleus étaient remplies de terre grasse; il y avait sur les montagnes de grandes forêts, dont il reste encore aujourd'hui des témoignages visibles. Si, en effet, parmi les montagnes, il en est qui ne nourrissent plus que des abeilles, il n'y a pas bien longtemps qu'on y coupait des arbres propres à couvrir les plus vastes constructions, dont les poutres existent encore. Il y avait aussi beaucoup de grands arbres à fruits et le sol produisait du fourrage à l'infini pour le bétail. Il recueillait aussi les pluies annuelles de Zeus et ne perdait pas comme aujourd'hui l'eau qui s'écoule de la terre dénudée dans la mer, et, comme la terre était alors épaisse et recevait l'eau dans son sein et la tenait en réserve dans l'argile imperméable, elle laissait échapper dans les creux l'eau des hauteurs qu'elle avait absorbée et alimentait en tous lieux d'abondantes sources et de grosses rivières. Les sanctuaires qui subsistent encore aujourd'hui près des sources qui existaient autrefois portent témoignage de ce que j'avance à présent.

Telle était la condition naturelle du pays. Il avait été mis en culture, comme on pouvait s'y attendre, par de vrais laboureurs, uniquement occupés à leur métier, amis du beau et doués d'un heureux naturel, disposant d'une terre excellente et d'une eau très abondante, et favorisés dans leur culture du sol par des saisons le plus heureusement tempérées.

Quant à la ville, voici comment elle était ordonnée en ce temps-là. D'abord, l'acropole n'était pas alors dans l'état où elle est aujourd'hui. En une seule nuit, des pluies extraordinaires, diluant le sol qui la couvrait, la laissèrent dénudée. Des tremblements de terre s'étaient produits en même temps que cette chute d'eau prodigieuse, qui fut la troisième avant la destruction qui eut lieu au temps de Deucalion. Mais auparavant, à une autre époque, telle était la grandeur de l'acropole qu'elle s'étendait jusqu'à l'Éridan et à l'Ilissos et comprenait le Pnyx, et qu'elle avait pour borne le mont Lycabette du côté qui fait face au Pnyx. Elle était entièrement revêtue de terre et, sauf sur quelques points, elle formait une plaine à son sommet.

En dehors de l'acropole, au pied même de ses pentes, étaient les habitations des artisans et des laboureurs qui cultivaient les champs voisins. Sur le sommet, la classe des guerriers demeurait seule autour du temple d'Athéna et d'Héphaïstos, après avoir entouré le plateau d'une seule enceinte, comme on fait le jardin d'une seule maison. Ils habitaient la partie nord de ce plateau, où ils avaient aménagé des logements communs et des réfectoires d'hiver, et ils avaient tout ce qui convenait à leur genre de vie en commun, soit en fait d'habitations, soit en fait de temples, à l'exception de l'or et de l'argent; car ils ne faisaient aucun usage de ces métaux en aucun cas. Attentifs à garder le juste milieu entre le faste et la pauvreté servile, ils se faisaient bâtir des maisons décentes, où ils vieillissaient, eux et les enfants de leurs enfants, et qu'ils transmettaient toujours les mêmes à d'autres pareils à eux. Quant à la partie sud, lorsqu'ils abandonnaient en été, comme il est naturel, leurs jardins, leurs gymnases, leurs réfectoires, elle leur en tenait lieu.

Sur l'emplacement de l'acropole actuelle, il y avait une source qui fut engorgée par les tremblements de terre et dont il reste les minces filets d'eau qui ruissellent du pourtour ; mais elle fournissait alors à toute la ville une eau abondante, également saine en hiver et en été. Tel était le genre de vie de ces hommes qui étaient à la fois les gardiens de leurs concitoyens et les chefs avoués des autres Grecs. Ils veillaient soigneusement à ce que leur nombre, tant d'hommes que de femmes, déjà en état ou encore en état de porter les armes, fût, autant que possible, constamment le même, c'est-à-dire environ vingt mille.

Voilà donc quels étaient ces hommes et voilà comment ils administraient invariablement, selon les règles de la justice, leur pays et la Grèce. Ils étaient renommés dans toute l'Europe et toute l'Asie pour la beauté de leurs corps et les vertus de toutes sortes qui ornaient leurs âmes, et ils étaient les plus illustres de tous les hommes d'alors. Quant à la condition et à la primitive histoire de leurs adversaires, si je n'ai pas perdu le souvenir de ce que j'ai entendu raconter étant encore enfant, c'est ce que je vais maintenant vous exposer, pour en faire partager la connaissance aux amis que vous êtes.

Mais avant d'entrer en matière, j'ai encore un détail à vous expliquer, pour que vous ne soyez pas surpris d'entendre des noms grecs appliqués à des barbares. Vous allez en savoir la cause. Comme Solon songeait à utiliser ce récit pour ses poèmes, il s'enquit du sens des noms, et il trouva que ces Égyptiens, qui les avaient écrits les premiers, les avaient traduits dans leur propre langue. Lui-même, reprenant à son tour le sens de chaque nom, le transporta et transcrivit dans notre langue. Ces manuscrits de Solon étaient chez mon grand-père et sont encore chez moi à l'heure qu'il est, et je les ai appris par cœur étant enfant. Si donc vous entendez des noms pareils à ceux de chez nous, que cela ne vous cause aucun étonnement : vous en savez la cause.

Et maintenant, voici à peu près de quelle manière commença ce long récit. Nous avons déjà dit, au sujet du tirage au sort que firent les dieux, qu'ils partagèrent toute la Terre en lots plus ou moins grands suivant les pays et qu'ils établirent en leur honneur des temples et des sacrifices. C'est ainsi que Poséidon, ayant eu en partage l'île Atlantide, installa des enfants qu'il avait eus d'une femme mortelle dans un endroit de cette île que je vais décrire.

Du côté de la mer s'étendait, par le milieu de l'île entière, une plaine qui passe pour avoir été la plus belle de toutes les plaines et fertile par excellence. Vers le centre de cette plaine, à une distance d'environ cinquante stades, on voyait une montagne qui était partout de médiocre altitude. Sur cette montagne habitait un de ces hommes qui, à l'origine, étaient, en ce pays, nés de la terre. Il s'appelait Événor et vivait avec une femme du nom de Leucippe. Ils engendrèrent une fille unique, Clito, qui venait d'atteindre l'âge nubile, quand son père et sa mère moururent.

Poséidon, s'en étant épris, s'unit à elle et fortifia la colline où elle demeurait en en découpant le pourtour par des enceintes faites alternativement de mer et de terre, les plus grandes enveloppant les plus petites. Il en traça deux de terre et trois de mer et les arrondit en partant du milieu de l'île, dont elles étaient partout à égale distance, de manière à rendre le passage infranchissable aux hommes ; car on ne connaissait encore en ce temps-là ni vaisseaux ni navigation.

Lui-même embellit l'île centrale, chose aisée pour un dieu. Il fit jaillir du sol deux sources d'eau, l'une chaude et l'autre froide, et fit produire à la terre des aliments variés et abondants. Il engendra cinq couples de jumeaux mâles, les éleva, et, ayant partagé l'île entière de l'Atlantide en dix portions, il attribua au premier né du couple le plus vieux la demeure de sa mère et le lot de terre alentour, qui était le plus vaste et le meilleur ; il l'établit roi sur tous ses frères et, de ceux-ci, fit des souverains, en donnant à chacun d'eux un grand nombre d'hommes à gouverner et un vaste territoire.

Il leur donna des noms à tous. Le plus vieux, le roi, reçut le nom qui servit à désigner l'île entière et la mer qu'on appelle Atlantique, parce que le premier roi du pays à cette époque portait le nom d'Atlas. Le jumeau né après lui, à qui était échue l'extrémité de l'île du côté des colonnes d'Hercule, jusqu'à la région qu'on appelle aujourd'hui Gadirique en ce pays, se nommait en grec Eumélos et en dialecte indigène Gadire, mot d'où la région a sans doute tiré son nom. Les enfants du deuxième couple furent appelés l'un Amphérès, l'autre Evaimon. Du troisième couple, l'aîné reçut le nom de Mnéseus, le cadet celui d'Autochthon. Du quatrième, le premier né fut nommé Elasippos, le deuxième Mestor ; à l'aîné du cinquième groupe on donna le nom d'Azaès, au cadet celui de Diaprépès.

Tous ces fils de Poséidon et leurs descendants habitèrent ce pays pendant de longues générations. Ils régnaient sur beaucoup d'autres îles de l'Océan et, comme je l'ai déjà dit, ils étendaient en outre leur empire de ce côté-ci, à l'intérieur du détroit, jusqu'à l'Égypte et à la Tyrrhénie.

La race d'Atlas devint nombreuse et garda les honneurs du pouvoir. Le plus âgé était roi et, comme il transmettait toujours le sceptre au plus âgé de ses fils, ils conservèrent la royauté pendant de nombreuses générations. Ils avaient acquis des richesses immenses telles qu'on n'en vit jamais dans aucune dynastie royale et qu'on n'en verra pas facilement dans l'avenir. Ils disposaient de toutes les ressources de leur cité et de toutes celles qu'il fallait tirer de la terre étrangère. Beaucoup leur venaient du dehors, grâce à leur empire, mais c'est l'île elle-même qui leur fournissait la plupart des choses à l'usage de la vie, en premier lieu tous les métaux, solides ou fusibles, qu'on extrait des mines, et en particulier une espèce dont nous ne possédons plus que le nom, mais qui était alors plus qu'un nom et qu'on extrayait de la terre en maints endroits de l'île, l'orichalque, le plus précieux, après l'or, des métaux alors connus. Puis, tout ce que la forêt fournit de matériaux pour les travaux des charpentiers, l'île le produisait aussi en abondance. Elle nourrissait aussi abondamment les animaux domestiques et sauvages. On y trouvait même une race d'éléphants très nombreuse ; car elle offrait une plantureuse pâture non seulement à tous les autres animaux qui paissent au bord des marais, des lacs et des rivières, ou dans les forêts, ou dans les plaines, mais encore également à cet animal qui, par nature, est le plus gros et le plus vorace.

En outre, tous les parfums que la terre nourrit à présent, en quelque endroit que ce soit, qu'ils viennent de racines ou d'herbes ou de bois, ou de sucs distillés par les fleurs ou les fruits, elle les produisait et les nourrissait parfaitement, et aussi les fruits cultivés et les secs, dont nous usons pour notre nourriture, et tous ceux dont nous nous servons pour compléter nos repas, et que nous désignons par le terme général de légumes, et ces fruits ligneux qui nous fournissent des boissons, des aliments et des parfums, et ce fruit à écailles et de conservation difficile, fait pour notre amusement et notre plaisir, et tous ceux que nous servons après le repas pour le soulagement et la satisfaction de ceux qui souffrent d'une pesanteur d'estomac, tous ces fruits, cette île sacrée, qui voyait alors le soleil, les produisait magnifiques, admirables, en quantités infinies. Avec toutes ces richesses qu'ils tiraient de la terre, les habitants construisirent les temples, les palais des rois, les ports, les chantiers maritimes, et ils embellirent tout le reste du pays dans l'ordre que je vais dire.

Ils commencèrent par jeter des ponts sur les fossés d'eau de mer qui entouraient l'antique métropole, pour ménager un passage vers le dehors et vers le palais royal. Ce palais, ils l'avaient élevé dès l'origine à la place habitée par le dieu et par leurs ancêtres. Chaque roi, en le recevant de son prédécesseur, ajoutait à ses embellissements et mettait tous ses soins à le surpasser, si bien qu'ils firent de leur demeure un objet d'admiration par la grandeur et la beauté de leurs travaux. Ils creusèrent depuis la mer jusqu'à l'enceinte extérieure un canal de trois plèthres de large, de cent pieds de profondeur et de cinquante stades de longueur, et ils ouvrirent aux vaisseaux venant de la mer une entrée dans ce canal, comme dans un port, en y ménageant une embouchure suffisante pour que les plus grands vaisseaux y pussent pénétrer.

En outre, à travers les enceintes de terre qui séparaient celles d'eau de mer, vis-à-vis des ponts, ils ouvrirent des tranchées assez larges pour permettre à une trière de passer d'une enceinte à l'autre, et par-dessus ces tranchées ils mirent des toits pour qu'on pût naviguer dessous ; car les parapets des enceintes de terre étaient assez élevés au-dessus de la mer. Le plus grand des fossés circulaires, celui qui communiquait avec la mer, avait trois stades de largeur, et l'enceinte de terre qui lui faisait suite en avait autant. Des deux enceintes suivantes, celle d'eau avait une largeur de deux stades et celle de terre était encore égale à celle d'eau qui la précédait ; celle qui entourait l'île centrale n'avait qu'un stade. Quant à l'île où se trouvait le palais des rois, elle avait un diamètre de cinq stades. Ils revêtirent d'un mur de pierre le pourtour de cette île, les enceintes et les deux côtés du pont, qui avait une largeur d'un plèthre. Ils mirent des tours et des portes sur les ponts et à tous les endroits où passait la mer.

Ils tirèrent leurs pierres du pourtour de l'île centrale et de dessous les enceintes, à l'extérieur et à l'intérieur ; il y en avait des blanches, des noires et des rouges. Et tout en extrayant les pierres, ils construisirent des bassins doubles creusés dans l'intérieur du sol et couverts d'un toit par le roc même. Parmi ces constructions, les unes étaient d'une seule couleur ; dans les autres, ils entremêlèrent les pierres de manière à faire un tissu varié de couleurs pour le plaisir des yeux, et leur donnèrent ainsi un charme naturel.

Ils revêtirent d'airain, en guise d'enduit, tout le pourtour du mur qui entourait l'enceinte la plus extérieure ; d'étain fondu celui de l'enceinte intérieure, et celle qui entourait l'acropole elle-même d'orichalque aux reflets de feu.

Le palais royal, à l'intérieur de l'acropole, avait été agencé comme je vais dire. Au centre même de l'acropole, il y avait un temple consacré à Clito et à Poséidon. L'accès en était interdit et il était entouré d'une clôture d'or. C'est là qu'à l'origine, ils avaient engendré et mis au jour la race des dix princes. C'est là aussi qu'on venait chaque année des dix provinces qu'ils s'étaient partagées offrir à chacun d'eux les sacrifices de saison.

Le temple de Poséidon lui-même était long d'un stade, large de trois plèthres et d'une hauteur proportionnée à ces dimensions ; mais il avait dans son aspect quelque chose de barbare. Le temple tout entier, à l'extérieur, était revêtu d'argent, hormis les acrotères, qui l'étaient d'or ; à l'intérieur, la voûte était tout entière d'ivoire émaillé d'or, d'argent et d'orichalque ; tout le reste, murs, colonnes et pavés, était garni d'orichalque. On y avait dressé des statues d'or, en particulier celle du dieu, debout sur un char, conduisant six chevaux ailés, et si grand que sa tête touchait la voûte, puis, en cercle autour de lui, cent Néréides sur des dauphins ; car on croyait alors qu'elles étaient au nombre de cent ; mais il y avait aussi beaucoup d'autres statues consacrées par des particuliers.

Autour du temple, à l'extérieur, se dressaient les statues d'or de toutes les princesses et de tous les princes qui descendaient des dix rois et beaucoup d'autres grandes statues dédiées par les rois et les particuliers, soit de la ville même, soit des pays du dehors soumis à leur autorité. Il y avait aussi un autel dont la grandeur et le travail étaient en rapport avec tout cet appareil, et tout le palais de même était proportionné à la grandeur de l'empire, comme aussi aux ornements du temple.

Les deux sources, l'une d'eau froide et l'autre d'eau chaude, avaient un débit considérable et elles étaient, chacune, merveilleusement adaptées aux besoins des habitants par l'agrément et la vertu de leurs eaux. Ils les avaient entourées de bâtiments et de plantations d'arbres appropriées aux eaux. Ils avaient construit tout autour des bassins, les uns à ciel ouvert, les autres couverts, destinés aux bains chauds en hiver. Les rois avaient les leurs à part, et les particuliers aussi ; il y en avait d'autres pour les femmes et d'autres pour les chevaux et les autres bêtes de somme, chacun d'eux étant disposé suivant sa destination.

Ils conduisaient l'eau qui s'en écoulait dans le bois sacré de Poséidon, où il y avait des arbres de toutes essences, d'une grandeur et d'une beauté divines, grâce à la qualité du sol ; puis, ils la faisaient écouler dans les enceintes extérieures par des aqueducs qui passaient sur les ponts. Là, on avait aménagé de nombreux temples dédiés à de nombreuses divinités, beaucoup de jardins et beaucoup de gymnases, les uns pour les hommes, les autres pour les chevaux, ces derniers étant construits à part dans chacune des deux îles formées par les enceintes circulaires. Entre autres, au milieu de la plus grande île, on avait réservé la place d'un hippodrome d'un stade de large, qui s'étendait en longueur sur toute l'enceinte, pour le consacrer aux courses de chevaux.

Autour de l'hippodrome, il y avait, de chaque côté, des casernes pour la plus grande partie de la garde. Ceux des gardes qui inspiraient le plus de confiance tenaient garnison dans la plus petite des deux enceintes, qui était aussi la plus près de l'acropole, et à ceux qui se distinguaient entre tous par leur fidélité, on avait assigné des quartiers à l'intérieur de l'acropole, autour des rois mêmes.

Les arsenaux étaient pleins de trières et de tous les agrès nécessaires aux trières, le tout parfaitement apprêté. Et voilà comment tout était disposé autour du palais des rois.

Quand on avait traversé les trois ports extérieurs, on trouvait un mur circulaire commençant à la mer et partout distant de cinquante stades de la plus grande enceinte et de son port. Ce mur venait fermer au même point l'entrée du canal du côté de la mer. Il était tout entier couvert de maisons nombreuses et serrées les unes contre les autres, et le canal et le plus grand port étaient remplis de vaisseaux et de marchands venus de tous les pays du monde, et de leur foule s'élevaient jour et nuit des cris, du tumulte et des bruits de toute espèce.

Je viens de vous donner un rapport assez fidèle de ce que l'on m'a dit jadis de la ville et du vieux palais. À présent, il me faut essayer de rappeler quel était le caractère du pays et la forme de son organisation. Tout d'abord, on m'a dit que tout le pays était très élevé et à pic sur la mer, mais que tout autour de la ville s'étendait une plaine qui l'entourait et qui était elle-même encerclée de montagnes descendant jusqu'à la mer ; que sa surface était unie et régulière, qu'elle était oblongue en son ensemble, qu'elle mesurait sur un côté trois mille stades et à son centre, en montant de la mer, deux mille. Cette région était, dans toute la longueur de l'île, exposée au midi et à l'abri des vents du nord. On vantait alors les montagnes qui l'entouraient, comme dépassant en nombre, en grandeur et en beauté toutes celles qui existent aujourd'hui. Elles renfermaient un grand nombre de riches villages peuplés de périèques, des rivières, des lacs et des prairies qui fournissaient une pâture abondante à tous les animaux domestiques et sauvages, et des bois nombreux et d'essences variées amplement suffisants pour toutes les sortes d'ouvrages de l'industrie.

Or, cette plaine avait été, grâce à la nature et aux travaux d'un grand nombre de rois au cours de longues générations, aménagée comme je vais dire. Elle avait la forme d'un quadrilatère généralement rectiligne et oblong ; ce qui lui manquait en régularité avait été corrigé par un fossé creusé sur son pourtour. En ce qui regarde la profondeur, la largeur et la longueur de ce fossé, il est difficile de croire qu'il ait eu les proportions qu'on lui prête, si l'on considère que c'était un ouvrage fait de main d'homme, ajouté aux autres travaux. Il faut cependant répéter ce que nous avons ouï dire : il avait été creusé à la profondeur d'un plèthre, sa largeur était partout d'un stade, et comme sa longueur embrassait toute la plaine, elle montait à dix mille stades. Il recevait les cours d'eau qui descendaient des montagnes, faisait le tour de la plaine, aboutissait à la ville par ses deux extrémités, d'où on le laissait s'écouler dans la mer.

De la partie haute de la ville partaient des tranchées d'environ cent pieds de large, qui coupaient la plaine en ligne droite et se déchargeaient dans le fossé près de la mer ; de l'une à l'autre, il y avait un intervalle de cent stades. Elles servaient au flottage des bois descendus des montagnes vers la ville et au transport par bateaux des autres productions de chaque saison, grâce à des canaux qui partaient des tranchées et les faisaient communiquer obliquement les unes avec les autres et avec la ville.

Notez qu'il y avait tous les ans deux récoltes, parce que l'hiver, on utilisait les pluies de Zeus, et en été, les eaux qui jaillissent de la terre, qu'on amenait des tranchées.

En ce qui regarde le nombre de soldats que devait fournir la plaine en cas de guerre, on avait décidé que chaque district fournirait un chef. La grandeur du district était de dix fois dix stades et il y en avait en tout six myriades. Quant aux hommes à tirer des montagnes et du reste du pays, leur nombre, à ce qu'on m'a dit, était infini ; ils avaient tous été répartis par localités et par villages entre ces districts sous l'autorité des chefs. Or, le chef avait ordre de fournir pour la guerre la sixième partie d'un char de combat, en vue d'en porter l'effectif à dix mille ; deux chevaux et leurs cavaliers ; en outre, un attelage de deux chevaux, sans char, avec un combattant armé d'un petit bouclier et un conducteur des deux chevaux porté derrière le combattant, plus deux hoplites, des archers et des frondeurs au nombre de deux pour chaque espèce, des fantassins légers lanceurs de pierres et de javelots au nombre de trois pour chaque espèce, et quatre matelots pour remplir douze cents navires. C'est ainsi qu'avait été réglée l'organisation militaire de la ville royale. Pour les neuf autres provinces, chacune avait son organisation particulière, dont l'explication demanderait beaucoup de temps.

Le gouvernement et les charges publiques avaient été réglés à l'origine de la manière suivante. Chacun des dix rois dans son district et dans sa ville avait tout pouvoir sur les hommes et sur la plupart des lois : il punissait et faisait mettre à mort qui il voulait. Mais leur autorité l'un sur l'autre et leurs relations mutuelles étaient réglées sur les instructions de Poséidon, telles qu'elles leur avaient été transmises par la loi, et par les inscriptions gravées par les premiers rois sur une colonne d'orichalque, placée au centre de l'île dans le temple de Poséidon. C'est dans ce temple qu'ils s'assemblaient tous les cinq ans ou tous les six ans alternativement, accordant le même honneur au pair et à l'impair.

Dans cette assemblée, ils délibéraient sur les affaires communes, ils s'enquéraient si l'un d'eux enfreignait la loi et le jugeaient. Au moment de porter leur jugement, ils se donnaient d'abord les uns aux autres des gages de leur foi de la manière suivante. Il y avait dans l'enceinte du temple de Poséidon des taureaux en liberté. Les dix rois, laissés seuls, priaient le dieu de leur faire capturer la victime qui lui serait agréable, après quoi ils se mettaient en chasse avec des bâtons et des nœuds coulants, sans fer. Ils amenaient alors à la colonne le taureau qu'ils avaient pris, l'égorgeaient à son sommet et faisaient couler le sang sur l'inscription.

Sur la colonne, outre les lois, un serment était gravé, qui proférait de terribles imprécations contre ceux qui désobéiraient. Lors donc qu'ils avaient sacrifié suivant leurs lois, ils consacraient tout le corps du taureau, puis, remplissant de vin un cratère, ils y jetaient au nom de chacun d'eux un caillot de sang et portaient le reste dans le feu, après avoir purifié le pourtour de la colonne. Puisant ensuite dans le cratère avec des coupes d'or, ils faisaient une libation sur le feu en jurant qu'ils jugeraient conformément aux lois inscrites sur la colonne et puniraient quiconque les aurait violées antérieurement, qu'à l'avenir ils n'enfreindraient volontairement aucune des prescriptions écrites et ne commanderaient et n'obéiraient à un commandement que conformément aux lois de leur père.

Lorsque chacun d'eux avait pris cet engagement pour lui-même et sa descendance, il buvait et consacrait sa coupe dans le temple du dieu; puis, il s'occupait du dîner et des cérémonies nécessaires. Quand l'obscurité était venue et que le feu des sacrifices était refroidi, chacun d'eux revêtait une robe d'un bleu sombre de toute beauté, puis ils s'asseyaient à terre dans les cendres du sacrifice où ils avaient prêté serment, et, pendant la nuit, après avoir éteint tout le feu dans le temple, ils étaient jugés ou jugeaient, si quelqu'un en accusait un autre d'avoir enfreint quelque prescription. Leurs jugements rendus, ils les inscrivaient, au retour de la lumière, sur une table d'or, et les dédiaient avec leurs robes, comme un mémorial.

Il y avait en outre beaucoup d'autres lois particulières relatives aux prérogatives de chacun des rois, dont les plus importantes étaient de ne jamais porter les armes les uns contre les autres, de se réunir pour se prêter main-forte, dans le cas où l'un d'eux entreprendrait de détruire l'une des races royales dans son État, de délibérer en commun, comme leurs prédécesseurs, sur les décisions à prendre touchant la guerre et les autres affaires, mais en laissant l'hégémonie à la race d'Atlas. Le roi n'était pas maître de condamner à mort aucun de ceux de sa race, sans l'assentiment de plus de la moitié des dix rois. Telle était la formidable puissance qui existait alors en cette contrée, et que le dieu assembla et tourna contre notre pays, pour la raison que voici.

Pendant de nombreuses générations, tant que la nature du dieu se fit sentir suffisamment en eux, ils obéirent aux lois et restèrent attachés au principe divin auquel ils étaient apparentés. Ils n'avaient que des pensées vraies et grandes en tout point, et ils se comportaient avec douceur et sagesse en face de tous les hasards de la vie et à l'égard les uns des autres. Aussi, n'ayant d'attention qu'à la vertu, faisaient-ils peu de cas de leurs biens et supportaient-ils aisément le fardeau qu'était pour eux la masse de leur or et de leurs autres possessions. Ils n'étaient pas enivrés par les plaisirs de la richesse et, toujours maîtres d'eux-mêmes, ils ne s'écartaient pas de leur devoir. Tempérants comme ils étaient, ils voyaient nettement que tous ces biens aussi s'accroissaient par l'affection mutuelle unie à la vertu, et que, si on s'y attache et les honore, ils périssent eux-mêmes et la vertu avec eux.

Tant qu'ils raisonnèrent ainsi et gardèrent leur nature divine, ils virent croître tous les biens dont j'ai parlé. Mais quand la portion divine qui était en eux s'altéra par son fréquent mélange avec un élément mortel considérable et que le caractère humain prédomina, incapables dès lors de supporter la prospérité, ils se conduisirent indécemment, et à ceux qui savent voir, ils apparurent laids, parce qu'ils perdaient les plus beaux de leurs biens les plus précieux, tandis que ceux qui ne savent pas discerner ce qu'est la vraie vie heureuse les trouvaient justement alors parfaitement beaux et heureux, tout infectés qu'ils étaient d'injustes convoitises et de l'orgueil de dominer.

Alors le dieu des dieux, Zeus, qui règne suivant les lois et qui peut discerner ces sortes de choses, s'apercevant du malheureux état d'une race qui avait été vertueuse, résolut de les châtier pour les rendre plus modérés et plus sages. À cet effet, il réunit tous les dieux dans leur demeure, la plus précieuse, celle qui, située au centre de tout l'Univers, voit tout ce qui participe à la génération, et, les ayant rassemblés, il leur dit : *

* Le dialogue de *Critias* s'arrête là. On ne sait pas si le reste a été perdu ou s'il ne fut jamais terminé.

Bibliographie

Bien qu'il y ait littéralement des vingtaines de livres traitant de l'Atlantide et des civilisations anciennes en général, une poignée de titres sont généralement reconnus comme étant importants. Même si je n'approuve pas nécessairement les théories qu'ils contiennent, ils se révèlent d'un grand intérêt pour le débat général et sont d'une valeur historique considérable pour quiconque souhaite avoir une plus grande compréhension du sujet. Cette liste, cependant, doit être envisagée comme étant seulement un bon point de départ pour le chercheur débutant ; il y aura sans aucun doute des myriades d'autres ouvrages qui seront publiés dans les prochaines années, car avec un peu de chance, le débat entourant la nation insulaire de Platon se poursuivra encore des centaines d'années. Vous arrive-t-il de vous demander si Platon est au courant du tollé qu'il a soulevé avec ses anciennes songeries ?

DONNELLY, Ignatius. *The Antediluvian World*, Whitefish, MT, Kessinger Publishing, 2007. (Première publication en 1882)

Voilà le livre qui a tout amorcé (après les dialogues de Platon). Écrit par le père de l'atlantologie moderne, Donnelly présente ses meilleurs arguments pour accepter la nation insulaire de Platon comme étant un endroit littéral, la situant à son emplacement traditionnel au milieu de l'Atlantique. Bien que plusieurs idées de Donnelly soient dépassées (et certaines ont été depuis longtemps renversées) et que la prose du XIXe siècle soit peut-être ennuyeuse et difficile à suivre, cela demeure un ouvrage que tout vrai atlantophile doit lire absolument. Il est encore disponible en librairie présentement.

DONNELLY, Ignatius. *Ragnarok : The Age of Fire and Gravel*, Whitefish, MT, Kessinger Publishing, 1997. (Première publication en 1887)

Œuvre moins connue et en quelque sorte plus intéressante de l'auteur du XIXe siècle Ignatius Donnelly, *Ragnarok* se base sur la prémisse qu'un coup catastrophique causé par une comète il y a des milliers d'années est la source de plusieurs des mythologies anciennes parlant d'inondations qu'on trouve aujourd'hui un peu partout dans le monde. Il est difficile à dénicher actuellement, mais il vaut la peine d'être lu.

HAPGOOD, Charles. *The Path of the Pole*, Kempton, IL, Adventures Unlimited Press, 1999. (Première publication en 1953)

L'œuvre décisive de Charles Hapgood fut la première à introduire l'idée d'un déplacement de la croûte terrestre, une théorie qui se voit encore débattue de nos jours. Œuvre sobre et qui fait réfléchir, elle fut approuvée avec enthousiasme par nul autre qu'Albert Einstein. Encore disponible en librairie, mais souvent sous des titres différents.

HAPGOOD, Charles. *Maps of the Ancient Sea Kings : Evidence of Advanced Civilization in the Ice Age*, Kempton, Il, Adventures Unlimited Press, 1997. (Première publication en 1965)

Hapgood essaie de démontrer que plusieurs cartes anciennes ont été faites grâce à des données et à des cartes datant de milliers d'années avant l'histoire moderne. Lecture intéressante, mais très spéculative.

HANCOCK, Graham. *Fingerprints of the Gods,* New York, Three Rivers Press, 1995.

Une des études les plus complètes sur les civilisations anciennes et leur origine apparemment commune. Mélange de roman policier et de guide archéologique, dans ce livre, Hancock ne néglige aucun détail et examine à peu près toutes les théories dans sa tentative pour retrouver le lointain passé de la Terre.

FLEM-ATH, Rand et Rose. *When the Sky Fell : In Search of Atlantis*, New York, St-Martin's, 1995.

Amenant la théorie du déplacement de la croûte terrestre de Charles Hapgood jusqu'à sa plus catastrophique conclusion, les Flem-Ath essaient d'illustrer comment un déplacement rapide et soudain des pôles détruisit une civilisation ancienne et condamnèrent les mammouths du même coup.

WILSON, Colin. *From Atlantis to the Sphinx*, New York, Fromm International, 1996.

Un des nombreux livres spéculatifs du prolifique Wilson, il s'agit d'une autre tentative pour démontrer le caractère commun de plusieurs mythologies anciennes se rapportant à une inondation et leurs liens avec les anciennes pyramides d'Égypte. Il couvre aussi un large éventail de sujets connexes.

SCHOCH, Robert M. et Robert Aquinas MCNALLY. *Voices of the Rocks : A scientist Looks at Catastrophes and Ancient Civilizations*, New York, Harmony Books, 1999.

Regard attentif et qui fait réfléchir sur les preuves en faveur des anciennes civilisations disparues, du point de vue de la science pure et de la géologie moderne. C'est le genre de livre qui énerve les sceptiques à cause de son approche solide et scientifique du sujet.

CAYCE, Edgar Evans et Hugh Lynn CAYCE. *Edgar Cayce on Atlantis*, New York, Grand Central Publishing, 1988. (Première publication en 1968)

Pour ceux qui s'intéressent aux informations sur l'Atlantide obtenues par la voyance, cette compilation des séances du célèbre prophète et voyant Edgar Cayce, datant des années 1920, constitue un bon début. On y trouve des prédictions intéressantes et parfois même saisissantes. L'ouvrage est encore disponible en librairie aujourd'hui, tout comme des douzaines d'autres livres par ou sur le célèbre prophète dormant.

CHILDRESS, David Hatcher. *Technology of the Gods : The Incredible Sciences of the Ancients*, Kempton, IL, Adventures Unlimited Press, 2000.

Bien que ce livre ne soit pas techniquement sur l'Atlantide, il représente le parfait examen du sujet pour quiconque veut savoir à quel point les Anciens ont peut-être été avancés technologiquement. Il devrait ouvrir les yeux et faire réfléchir tous les chercheurs objectifs.

CHILDRESS, David Hatcher. *Vimana Aircraft of Ancient India and Atlantis*, Kempton, IL, Adventures Unlimited Press, 1992.

Une autre œuvre qui fait réfléchir par l'un des maîtres des théories scientifiques alternatives. La possibilité qu'on puisse voler depuis les débuts de l'humanité – preuve qu'une civilisation mondiale a existé dans le passé – se voit traitée en détail.

À propos de l'auteur

Né au Minnesota, mais résidant au Colorado depuis 1969, la vie de Jeffrey Allan Danelek a été un voyage qui l'a mené sur bien des routes différentes. En plus d'écrire, il a plusieurs passe-temps, dont la lecture, les arts, la politique et l'histoire politique, l'histoire du monde et l'histoire militaire, la religion et la spiritualité, la numismatique (la collection des pièces de monnaie), la paléontologie, l'astronomie (et la science en général), et des sujets comme le sasquatch, les ovnis et tout ce qui erre dans la nuit. Sa philosophie personnelle stipule que dans la vie, il faut apprendre et grandir, intellectuellement et spirituellement, et c'est de ce point de vue qu'il approche tous ses projets. Présentement, il réside à Lakewood, au Colorado, avec sa femme, Carol, et ses deux enfants.

www.AdA-inc.com
info@AdA-inc.com

L'impression de cet ouvrage a permis de sauvegarder l'équivalent de 29 arbres de 15 à 20 cm de diamètre et de 12 m de hauteur.